D1096770

贾志刚著

说春秋

之七

孔子世家

广西师范大学出版社
GUANGXI NORMAL UNIVERSITY PRESS
·桂林·

图书在版编目（CIP）数据

贾志刚说春秋．孔子世家 / 贾志刚著．—桂林：广西师范大学出版社，2011.5
ISBN 978-7-5495-0503-6

Ⅰ．贾… Ⅱ．贾… Ⅲ．①中国历史—春秋时代—通俗读物②孔丘（前 551~前 479）—人物研究—通俗读物 Ⅳ．①K225.09②B222.25-49

中国版本图书馆 CIP 数据核字（2011）第 071244 号

广西师范大学出版社出版发行
（广西桂林市中华路 22 号 邮政编码：541001
网址：http://www.bbtpress.com）
出版人：何林夏
全国新华书店经销
广西民族语文印刷厂印刷
（广西南宁市望州路 251 号 邮政编码：530001）
开本：720 mm × 990 mm 1/16
印张：22.25 字数：400 千字
2011 年 5 月第 1 版 2011 年 5 月第 1 次印刷
定价：33.00 元

序

孔子是谁？谁是孔子？

上帝是谁？谁是上帝？

魔鬼是谁？谁是魔鬼？

上帝只是一个符号，就如魔鬼也只是一个符号。上帝和魔鬼都是人类创造出来的，他们无生无死，无始无终，无原则的好以及无缘由的坏，而这一切都不用解释。上帝为什么是上帝？不知道；魔鬼为什么是魔鬼？不知道。上帝为什么这么好？不知道；魔鬼为什么这么坏？不知道。

可是，孔子呢？

事实上，几千年来，孔子也是一个符号，这个符号叫做圣人。孔子所说的一切都是真理，没有人去探讨为什么。孔子为什么说这些？不知道；孔子为什么要这样说？不知道。

一直到上个世纪新文化运动中“打倒孔家店”以及后来的“批林批孔运动”，孔子成为了另一个符号——魔鬼。于是，孔子成了毒害中国几千年的历史罪人，他坏而且绝对的坏。可是，他为什么这么坏？不知道。

但是，事实并不是这样。如果一个人不是上帝，他也就必然不会是魔鬼。

孔子与上帝或者魔鬼的区别是，孔子不是一个符号，他是一个人。他既不是上帝，也就不会是魔鬼。

而人与上帝或者魔鬼的区别是，人有生有死，人有始有终，人的好或者坏都不是没有缘由的，都是可以解释的。

孔子是一个什么样的人？历来没有人去说；孔子的思想从哪里来？历来没有人去解释。

《论语》被认为是孔子的思想，于是千百年来有无数的所谓鸿儒大贤、所谓

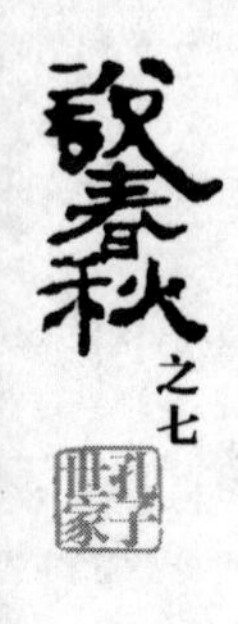

专家学者纷纷解说《论语》。然而，他们并不了解《论语》的语境，并不了解孔子或者他的弟子们是在怎样的境况下说了那些话，所以，他们所能做的实际上不超过说文解字的范畴，换言之，大家都在望文生义、牵强附会。

孔子是一个人，人非生而知之，人的知识，人的思想，都有他的来源。不懂得孔子的身世，不懂得孔子所生活的那个年代的背景，就不可能懂得孔子，也就不可能懂得《论语》。所以我们说，眼下各种版本的《论语》解析都不过是语文老师在翻译古文。

《论语》不是《圣经》，不是上帝的脑袋里随便蹦出来的各种奇怪想法的总和。《论语》是一段段的故事，《论语》是一个过程，它记载了孔子思想的演化，记载了孔子和他的弟子们之间有趣却又错综复杂的关系。

孔子是一个什么样的人？首先孔子是一个人，所以《论语》不是真理，至少不完全是真理。他也结婚，他也离婚；他也要挣钱养家，他也梦想荣华富贵；他也记仇，他也感恩；他也喜欢听话的学生，他也不喜欢故意作对的学生。偶尔，他也会撒谎，甚至也会泡妞。

孔子不是一个完人，他不是神。但是，孔子是一个具有高尚人格的人，是一个博学的人，是一个勤奋的人，是一个对中国历史影响深刻的人。每一个中国人的身上都可能流着孔子的血，每一个中国人的骨子里都必然留着孔子的精神。

从现在开始，孔子不再是故作高深深不可测的圣人，他回复到了一个普通人的特征，他是一个满腹经纶又和蔼可亲的老人，一个爱面子同时爱给人面子的长者，他是一个邻家大爷。

不保证每个人都会喜欢他，但是会有很多人喜欢他。

司马迁在《史记》中写道：高山仰止，景行行止。虽不能至，然心向往之。余读孔氏书，想见其为人。

目录

第二四一章　野合不是野百合

鲁襄公二十一年(前552年)二月。

歌中唱道:那是一个春天。

歌中又唱道:在那桃花盛开的地方。

春天的曲阜,桃花盛开。桃花盛开的时节,也就是走桃花运的时节。

大龄青年联谊会

媒超风很忙碌,这是他一年里最忙碌的一个月了。媒超风姓媒,说起来,也是鲁国公族。当初,按照《周礼》的规定,鲁国设立了“媒氏”这一职务,专门负责管理国民的婚姻事宜。由于这一职务世袭,后来,媒氏就以媒为姓了。

媒超风是这一代的“媒氏”,平时基本上就没什么事。曲阜城里如果有人结婚,都要到他这里来备个案;生孩子的,取了名字之后也要来备个案;离婚的、再婚的等等,也都来备个案。基本上,平时就这点活。油水有一些,但不是太多。

但是到了每年的二月份,媒超风就忙上了,忙什么?忙着安排大龄未婚青年联谊会。

按《周礼·地官司徒第二》。媒氏:掌万民之判。凡男女自成名以上,皆书年月日名焉。令男三十而娶,女二十而嫁。仲春之月,令会男女,于是时也,奔者不禁。若无故而不用令者,罚之。司男女之无夫家者而会之。

简略翻译:每年二月,大龄未婚青年必须参加联谊会,违者处罚。联谊会上能够达成正式婚姻最好,私奔也可以,一夜情也鼓励。

所谓“奔者”,主要是指一夜情,其次才是私奔。

为什么一夜情和私奔都受鼓励？因为国家需要的是人口。

媒超风安排了三场联谊会，这是第一场，地点就在曲阜城外的桃花沟。这里桃花盛开，十分写意。很重要的一点，这里树木繁多，利于约会以及野外激情。

“奶奶的，累死了。官不大，管事不少。”媒超风暗自抱怨。想想也是，媒氏官阶为下士，在鲁国的官员体系中是最低一等，相当于现在的科级干部。最早的时候鲁国有两个媒氏，后来精简机构，上面的领导说是“媒氏媒氏，整天没事”，结果把媒氏给精简了一个，现在就只剩下了一个媒氏。

媒超风的眼前就是联谊会，男男女女们来来往往，一个个打起十二分的精神寻找自己中意的对象。胆大的，主动去搭讪；害羞一些的，则缩在一旁等着有人送上门来。有对上眼的，三言两语之后，自己找地方深谈或者上演激情戏去了。

媒超风没有多少心情去看他们，来这里的人不仅是大龄青年，而且通常是男的穷女的丑，否则早就成亲了，不用等到成为大龄未婚青年了。

“老媒。”一个洪亮的声音从身后传来，把媒超风吓了一跳。一回头，一个高大的身影已经到了近前。

“哎哟，孔大夫。”媒超风认识这个人，这个人就是鲁国赫赫有名的勇士叔梁纥，曾经任陬邑大夫，当年曾经在偪阳之战中立下战功(见第四部第一四二章)。

叔梁纥姓孔，祖上原本是宋国人。后来宋国内乱，司马孔父嘉被太宰华督所杀，孔父嘉的儿子木金父逃到鲁国(事见第一部第十八章)。从此，孔家就在鲁国落脚，成了鲁国人，定居在曲阜的防地(今曲阜东郊)。木金父的儿子叫孔防叔，是防地大夫；防叔的儿子是夏伯，夏伯的儿子才是叔梁纥。叔梁纥原本只是个士，因为战功升任为陬邑大夫。但因为不是鲁国公族，任期满后，不能连任，现在就定居在陬地了。

按着级别，叔梁纥为下大夫，媒超风只是个下士，见到叔梁纥，连忙挤出笑容来。

两人寒暄了几句，叔梁纥一边说话，一边扫视着眼前的男男女女们。

通常这样的联谊会，都是平民子女才会来，家里稍微有些头面的都不会来，大夫一级的则更不会光临。过去几年偶尔有个把大夫来打个秋风，搞一把性快餐，都是偷偷摸摸，微服而来。那么，叔梁纥来做什么？媒超风感觉有些奇怪，毕竟叔梁纥已经五十多岁，这样的岁数来这里打秋风？再说了，叔梁纥衣冠楚楚的样子，也不像是来打秋风的啊。

“我刚从曲阜城里出来回陬邑，见这边热闹，顺道来看看。”大概是看出媒超风的心思，叔梁纥主动说了出来，原来是路过。

又聊了几句，叔梁纥告辞。正要走，猛然间看见不远处树下站着一个姑娘，二十岁上下，面容还算清秀，看上去有些眼熟。

叔梁纥多看了那姑娘两眼，那个姑娘看见叔梁纥看她，远远地对着叔梁纥笑了笑，倒也有些迷人。

禁不住，叔梁纥来到了姑娘的面前。

“姑娘，你，认识我？”叔梁纥问，他觉得这个姑娘不错。

“认识，嘻。”姑娘害羞地笑了笑，偷偷看叔梁纥一眼，接着小声说：“我们陬邑人，谁不认识你啊？大英雄。”

“哈哈哈哈……”叔梁纥笑了，姑娘的话他爱听：“原来你是陬邑的，你是谁家的姑娘？”

“颜家的，我叫征在。”原来，姑娘叫颜征在，说完自己的名字，又加了一句：“我，我好崇拜你哦。”

说来说去，颜征在竟然是叔梁纥的粉丝。

“你怎样，找到中意的人没有？”叔梁纥问。

“没呢，好男人都有老婆了。”颜征在说得有些幽怨。

“不要泄气，会有好男人的。”叔梁纥安慰颜征在，之后告辞：“我回家了，祝你好运啊。”

叔梁纥要走，颜征在又说话了。

“孔大夫，我也想回家了，能不能顺道搭我一程？”颜征在弱弱地提出了一个请求，想要搭顺风车。

“好啊。”叔梁纥同意了。

野合不是野百合 

叔梁纥的车已经相当破旧，而且只有一匹马拉着，不是一匹马力，是一匹马，老马。叔梁纥亲自赶着车，他请不起人为他赶车。没办法，家底不厚，就算是做陬邑大夫的时候，家里也不富裕。后来卸任，家中更是艰难。

说起来，典型的老马破车。

尽管坐在破车上，颜征在还是很兴奋，这样的车她也是生平第一次坐。

说起来，颜家和孔家一样都是外来户，不过颜家比孔家的际遇更差一些，孔家还是从宋国来避难的，享受政治避难国际规则的待遇。可是颜家不一样，他们的祖上是郳国的郳武公，因为郳武公字颜，这一支后代就以颜为姓。颜家

不是到鲁国避难的，而是鲁国占领了郲国的土地，因此郲国人被征服之后就成了鲁国人，却只能世世代代作平民，从事最低级的工作。

“孔大夫，说说你当年力举城门的故事吧。”颜征在突然提出这样的请求。

“哈哈，好汉不提当年勇了。”

“人家想听嘛。”颜征在坚持。

“那，好吧。”叔梁纥其实也很想说，于是，一边赶车，一边说起当年的故事来。颜征在一边听，一边嗯嗯啊啊地表达惊讶和敬佩。

马车的速度随着故事情节的起伏而变化着，讲到高潮的时候，叔梁纥狠狠地抽了马一鞭子，老马一下子蹿了出去，险些把车掀翻。

等到故事讲完，叔梁纥长叹一声：“唉，老了，老了，不中用了。”

马车的速度慢了下来，因为叔梁纥在拉缰绳。终于，马车在一个山丘旁停了下来。

“姑娘，下车休息一下吧。”叔梁纥跳下了车。

“孔大夫，不用了，我不累。”

“可是马累了，我也累了。”叔梁纥转到了颜征在这一边，伸出手去扶颜征在。

颜征在似乎很紧张，她紧紧地抓住叔梁纥的手，从车上跳了下来。也不知道是没有站稳，还是根本就没有想站稳，颜征在直接就扑向了叔梁纥的怀里。

叔梁纥吃了一惊，尽管岁数大了，力量还在，因此连忙把颜征在抱在自己的怀里，退后两步，轻轻地将颜征在放在地上。

颜征在却依然靠在叔梁纥的身上，用自己的脸贴在叔梁纥的胸前，一副小鸟依人的样子。叔梁纥则用宽大的手掌抚摸着颜征在的肩膀，到这个时候，他知道将会发生什么。从内心说，他确实有些喜欢眼前这个姑娘了。

“你，你就要了我吧。”颜征在讷讷地说，绯红了脸。

那不是一个禁欲的年代，那也不是一个男女授受不亲的年代。那是一个自由恋爱的年代，那也是一个对性行为没有严格限制的年代，那是一个“奔者不禁”的年代。

叔梁纥没有说话，他只是紧紧地抱住了颜征在的肩。生活的压力让叔梁纥早已经激情不再，可是颜征在却让叔梁纥血脉贲张了。

夕阳下，两个身影倒在了山丘的一侧，随后传来人性的呼声和喘息。除了天地，还有那匹老马见证这个历史性的时刻。

《史记》：“纥与颜氏女野合。”

野合是什么？野合不是野百合，野合就是婚外性行为。

野合之后，叔梁纥将颜征在送回了家，随后自己也回了家。从那之后，两人就再也没有联系。

说起来,典型的一夜情。

颜征在为什么没有嫁给叔梁纥,或者说叔梁纥为什么没有娶颜征在呢?

首先,两人的地位不对等,也就是不门当户对。叔梁纥是贵族,颜征在是平民之女,所以不可能正式嫁到孔家。

其次,就算叔梁纥不在乎门当户对,还有一个编制问题。叔梁纥已经有了一妻一妾,编制满了,如果颜征在去,是没有名分的。

再次,经济条件不允许。叔梁纥有一妻一妾,给他生了九个女儿,却只有妾生了一个儿子,名叫孟皮,还是个瘸子。所以,一家十好几口都靠叔梁纥一个人养着,压力之大,把个绝世的大力士也压得筋疲力尽。如果再把颜征在弄回家里,家里一大帮老婆孩子非把颜征在给吃了不可。

颜征在对叔梁纥崇拜得一塌糊涂,她当然想嫁过去,可是叔梁纥大致对她解释了一遍,颜征在也就知道这是不可能的事情了。

尽管有些失望,可是能够跟偶像零距离沟通,颜征在也很满足了。她觉得,有了这次野合,这辈子就算没有白活。

孔丘出世

那一年,颜征在没有能够嫁出去。因为,她根本就不想嫁出去。

那次一夜情之后没几天,颜征在一个人偷偷地去了一趟那个与叔梁纥激情过的小山丘,除了回味之外,她在这里偷偷地祭祀了天地,祈祷老天能够给她一个儿子,一个叔梁纥的儿子。

老天不负有心人,一个月之后,颜征在知道自己怀上了。她既高兴又忐忑不安,高兴的是自己有了叔梁纥的骨肉,忐忑不安的是不知道是儿子还是女儿。

知道颜征在怀孕了,家里人都为她高兴,特别是听说这是叔梁纥的骨肉。

怀胎十月,颜征在终于在当年的十一月末生下了叔梁纥的孩子。

男孩还是女孩?男孩。

这男孩长得怎样?比一般的男孩要壮实,要长,看起来,像他的父亲叔梁纥。不过最奇特的一点是,孩子"圩顶"。圩(音为)是什么意思?江河附近低洼地区的堤岸。也就是说,这孩子的头顶是凹下去的。

不管怎么说,生了个男孩,孔家的男孩。

颜征在很高兴,颜家的人都很高兴。

满月之后,颜征在抱着孩子来到了叔梁纥的家,她要向叔梁纥报告喜讯。

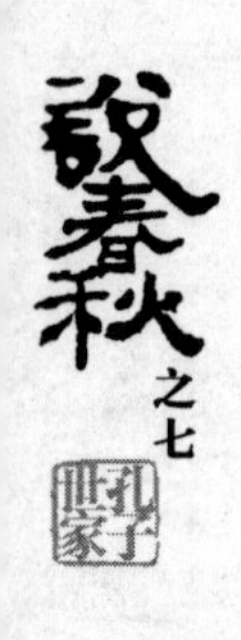

相别不到一年，再相见，竟然恍如隔世。

颜征在比那时要胖了一些，面色红润一些，毕竟刚生完孩子。

叔梁纥苍老了许多，连腰也弯了下去，垂垂老矣。孔家破败得厉害，要不是孩子们整天叽叽喳喳得没完没了，真会让人觉得这里简直就是个废墟。

“你是？”叔梁纥没有认出颜征在，毕竟十一个月过去了，何况叔梁纥也根本想不到那一次风流竟然就能珠胎暗结。

“我是颜征在，你是？”颜征在反过来问叔梁纥。其实她猜到眼前这个佝偻着腰的人就是叔梁纥，可是她实在不敢相信。

“颜征在？”叔梁纥看着颜征在，喃喃地说，他已经有些老年痴呆的症状了。

“你忘了？二月份的时候，我搭过你的车，然后，然后，咱们在小山丘后面那个那个了。”颜征在终于接受了眼前的现实，她生怕叔梁纥忘记那一次的事情。

叔梁纥皱起眉头想了一阵，突然眼前一亮，他想起来了。

“对了，我想起来了。”叔梁纥笑了笑，笑得很费力也很生疏，因为太长时间没有笑过了。“恭喜你啊，看来你还是找到了自己的男人，连孩子都有了，孩子叫什么？”

“孩子没起名呢，等着你起名字呢。”颜征在说，又想哭，又想笑。想笑，是因为叔梁纥终于想起了自己；想哭，是因为叔梁纥不知道这就是他的儿子。

“为什么？应该他爹取名字啊。”

“你就是他爹啊。”颜征在说，说完，泪水忍不住掉了下来。

“啊？”叔梁纥吃了一惊，但是随后就高兴起来。他一把把颜征在手中的儿子抱了过来，仔细地端详着。

叔梁纥做梦也在想着再要一个儿子，可是他怀疑老天的意思是要让他绝后，九个女儿和一个儿子，儿子还是个瘸子，今后能不能娶到老婆还要打个问号。如今老天开眼，给自己送了个儿子上门，他能不高兴吗？

“哈哈哈哈，哈哈哈哈……”叔梁纥大声笑起来，脸上的皱纹在那一瞬间被抹平，佝偻着的腰也直挺起来。老婆孩子们都忍不住过来偷看两眼。特别是两个老婆，看着叔梁纥抱着一个孩子在那里大笑，心说这一定是老公在外面风花雪月的结果。可是再想想，老公一直很本分啊，何况老公这身子骨也已经不行了，怎么可能呢？

叔梁纥注意到了两个老婆偷看的眼神，他看到了困惑，也看到了嫉妒甚至仇恨。

“唉。”叔梁纥又叹了一口气，他实在不知道自己能给这个孩子怎样的生活。

按照规矩，只要女方生了孩子，男方就必须无条件接受。叔梁纥很发愁，家里能住人的地方都已经住满了人，去哪里为颜征在母子腾个地方出来？

“想好了名字吗？”颜征在问，勉强笑笑。

“这，我再想想。”叔梁纥现在只顾发愁，哪里能静下心来去为孩子想名字。

“那，我说一个你看行不行？”

“好，你说。”

“这孩子是我们在那个山丘后面怀上的，那，就叫丘好吗？字就叫仲泥好吗？”颜征在问。

泥，通尼，所以后来改为仲尼。

“好，好啊。”叔梁纥也觉得好，同意了。

“那，这孩子就是孔家的孩子了，是吗？”颜征在问。

“当然是，当然是。”

颜征在笑了，眼泪还含在眼里，她从叔梁纥的手中把孩子又抱了过来。

“那，我就走了。”颜征在说完，一转身，匆匆走了。

“你等等，你等等。”叔梁纥要追，却踉跄着根本追不上。

颜征在几乎是跑着离开了孔家，跑出去很远，她才站定了，回头看了看孔家。她知道，她永远不会再来这里了，这里不属于她，她也不属于这里。

“孔丘。”颜征在轻轻地叫着自己刚刚满月的儿子，她很满足，因为这是孔家的儿子，这是贵族的血脉。自己的名分并不重要，重要的是，儿子的身份得到了承认。

在冬日的寒风里，颜征在昂着头，抱着孔丘，微笑着向自己的家走去。

颜征在不知道，她抱着的不仅仅是自己的儿子，她抱着的还是中国的历史。

“哇——”孔丘哭了，颜征在感觉到孔丘的小屁股下一阵发烫，孔丘尿了。

颜征在在孔丘的笑脸上亲了一下，加快了回家的步伐。

《史记》：“纥与颜氏女野合而生孔子，祷于尼丘得孔子。孔子生而首上圩顶，故因名曰丘云。”

“云”就是据说的意思，所以太史公是给了三个答案，为什么给三个答案？因为他知道第一个答案才是正确的。

关于“野合”，历来的解释多是“为圣人讳”，要么一语带过，要么牵强解释以竭力掩盖孔子是私生子这一事实。而事实上，“野合”在当时合理合法合礼，丝毫无损于孔子的形象。

（按：《孔子家语》记载，叔梁纥五十余岁向颜家求婚，颜家三女儿征在欣然往嫁，此说显然为掩饰孔子为野合所生而编造，不采用。）

第二四二章　没爹的孩子像根草

颜征在的家位于曲阜城外很远的地方，那是一处贫民区。孔丘的出生虽然给她带来了生活上的负担，但是却大大提升了她的地位，因为她的儿子是个贵族，尽管是破落的。

颜征在没有兄弟，只有两个姐姐，两个姐姐出嫁以后，家里就只剩下了老父母。所以，颜征在就和儿子住在父亲家里，倒也能够互相照顾。

就这样，孔子在母亲、姥爷和姥姥的照料下，茁壮成长了。

爹不在了

基于遗传，孔丘比别的孩子块头要大，很快可以下地走路，很快就会说话了。

贫民区的孩子们没有什么约束，孔丘的姥爷姥姥身体不好，颜征在忙于生计，没有什么精力管孔丘。平时，孔丘就和其他的孩子们在一起玩闹。终于有一天，孔丘发现了一个问题：别人都有爹，我怎么没有爹？

"娘，我要爹，我要爹。"孔丘向娘要爹了，每个没爹的孩子都会要爹。

"孩子，你爹去了很远的地方。"颜征在只能这样说。自古以来，遇上这样的情况，当娘的都会这样说。

"那，我爹什么样子啊？"孔丘不大弄得懂很远是什么意思，他眨眨眼，又问一个问题。

"你爹，很棒，很高，很帅的。"

"我想看爹。"

"孩子，睡觉吧，等你长大了，娘带你去找爹，乖。"颜征在哄着孔丘，拍着他的小屁股，直到孔丘酣睡过去。

颜征在的泪水默默地流了下来。

她从来不后悔与叔梁纥的那次野合，她也从不后悔生下了孔丘，她甚至也不抱怨自己生活的艰难。其实她可以改嫁，或者说她根本不用改嫁，她直接带着孔丘嫁人就可以了。事实上有人曾经上门求亲，可是被她拒绝了。她可以不要名分，但是她一定要保住孔丘的身份。

“丘，你跟着娘受罪了。”颜征在摸着孔丘红彤彤的小脸，愧疚地说。

孔丘又问过几次爹的事情，可是娘总是用他似懂非懂的话来回答他。

终于有一天，颜征在没有再说“长大后带你去找爹”的话了，因为，爹已经没有了，真的去了很远的地方，再也不会回来了。

孔丘三岁那年，叔梁纥死于贫病交加。

孔家的人来通知了颜征在，这是叔梁纥死前的叮嘱，至死，他的心里对颜征在母子都充满了愧疚。

颜征在哭了，哭得很伤心，自己的男人死了，而自己的儿子永远不会见到父亲了。她没有去孔家，也没有参加叔梁纥的葬礼，只是在叔梁纥下葬之后，偷偷地去墓上祭祀了自己的男人。

孔家，对颜征在来说，已经不复存在。

孔丘上学

时光荏苒，很快，孔丘八岁了。

按照周礼，士以上级别的孩子享受义务教育。义务教育的内容就是六艺——礼、乐、射、御、书、数。六艺又分为小艺和大艺，书、数为小艺，属于基础教育；礼、乐、射、御为大艺，是用来报效国家的。士以上的阶层，到了八岁就要开始学习小艺，也就是书数两艺。

按《大戴礼记·保傅篇》。古者八岁出就外舍，学小艺焉，履小节焉；束发而就大学，学大艺焉，履大节焉。

因此，孔丘八岁的时候，就进入了公立学校，学习小艺。公立学校学费免费，住宿免费，但是吃饭不免费，必须家里定期送粮食到学校。

那么，孔丘作为士的身份怎样确定？叔梁纥生前为他注册了士籍。因此，孔丘是名正言顺的士。

孔丘上学在颜氏家族引发轰动，就像如今穷山沟出了一个大学生一般。颜征在很有面子，颜征在的爹娘也都很有面子。

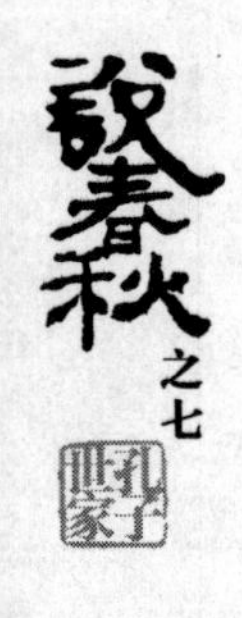

孔丘却没有觉得有面子，因为学校里的同学一个个都比他家富有，很多人上学是坐车来的，有的人还随身带着奴仆，住的条件也远远好于孔丘。孔丘吃得最差、穿得最差，同学们瞧不起他，连老师也懒得理睬他。

攀比成风，孔丘极度自卑。

极度自卑，孔丘成绩极差。

上学不到一个月，孔丘就几乎要崩溃了，于是他请了假回家。

“丘，在学校还好吗?”看见儿子回来，颜征在十分高兴，将儿子揽到怀里，摸着他的头，轻轻地问。

“娘，我不想上学了。”孔丘在娘的怀里说，说着，眼泪流了下来。

“什么?”颜征在吃了一惊，她抓住孔丘的两个肩膀，将他从自己的怀里推到了眼前，两眼狠狠地瞪着他：“你再说一遍。”

孔丘有些害怕，他从来没有见娘这样生气过，他不知道自己怎么惹恼了娘，犹豫了一下，他又说了一遍：“娘，我不想上学了。”

“啪!”一个耳光打了过来，孔丘就觉得脸上热辣辣地痛。

为什么？为什么娘要打我？孔丘愣住了。

“你，你太让娘失望了。”颜征在恶狠狠地说，她的眼睛似乎要冒出火来，“你知不知道你姓什么？你姓孔。你是贵族，你是士。你跟外面的那些野孩子不一样，你能上学，他们不能。他们一辈子就要过这样下贱的生活，像狗一样活着。你不一样，你还有机会成为大夫，你还有机会富贵，你还有机会光宗耀祖。为了你，娘起早贪黑，从来不让你做那些低贱的事情，因为你比娘高贵。娘以为今后能跟着你享福，能跟着你过上贵族的生活，能有车坐有肉吃。可是，你竟然说你不想上学了，你，你，你不配是孔家的儿子。”

孔丘听得似懂非懂，但是他明白娘的意思，娘想要自己过上好日子，娘也想跟自己过好日子。可是要过上好日子，就必须好好上学。

“我要让娘过上好日子。”孔丘这样想，他爱自己的娘。

“娘，我错了，我要好好学习。”孔丘说，说着，扑进了娘的怀里。

“孩子……”颜征在说不出话来，因为她哭了。

在娘的怀里，孔丘也哭了。

那天晚上，颜征在把叔梁纥的故事，把叔梁纥祖先的故事都讲给了孔丘听。

“孩子，不要辜负了你的姓啊，不要玷污了你爹的名声啊。”颜征在哭着说。

“娘，我知道了。”孔丘也哭着说。

从那之后，孔丘开始认真学习了。用现在的话说，就是端正了学习态度。孔丘天资聪明，学习又很努力，经常向老师提问。渐渐地，孔丘成了成绩最好的学生。

可是，好景不长。家里的情况越来越不好，姥爷和姥姥先后去世，娘到处给人做工，养活孔丘。家里的生活越来越艰难，娘每次送粮食去学校，都显得很憔悴。

终于，孔丘决定放弃学业，他要帮衬母亲一同撑持这个家。

“唉。”颜征在叹了一口气，她知道靠她自己是无法供得起孔丘上学的，她觉得对不起孩子，也对不起叔梁纥，更对不起孔家这个高贵的姓氏。可是，她实在也没有别的办法，于是忍痛同意了孔丘放弃学业的想法。

孔丘从学校搬回了家。

孔子的第一份职业

从那之后，小小的孔丘就跟在娘的身边，帮着娘一起干活。

再大一点之后，孔丘跟着街坊邻居们在外面打零工，摆地摊、扫大街等等都干过。还好，那时候还没有城管。

就这样，母子二人相依为命，苦苦生存。孔丘彻底放弃了学业，颜征在也只能认命，对这个儿子不再抱有任何期望。

孔丘家有个邻居专门从事“助祭”、“助丧”的营生，就是从事各种祭祀丧葬活动，当然只是充当下手，譬如打扫卫生、抬棺材、帮人哭丧这一类的活计。这一类的活除了看上去不太有面子之外，其实还有很多可取之处。第一，这不需要太多的技能，很容易上手；第二，这样的活挣钱比较容易，毕竟祭祀丧葬都是大事，事主出手会比较大方；第三，这个行当没有旺季淡季，因为人总是要死的；第四，参加这类活动，基本上都是管饭的。

一个偶然的机会，孔丘跟着这个邻居参加了一次助祭，结果不仅得到了报酬，而且有好吃好喝。

“哇噻，这个生意好啊。”孔丘立即就爱上了这个行当，他觉得这是世界上最好的一个职业了。

从那之后，孔丘就经常找这个邻居带他去参加各种祭祀丧葬活动。邻居也乐意带着他，反正多他一个不多，也不占用名额，事主愿意给报酬就给，不愿意给报酬，至少能混几顿饭吃。此外，孔丘也很懂事很懂礼貌，大家都喜欢他。

基本上，孔丘就是个群众演员，目标就是挣几个盒饭。

按《论语》。子曰：“吾少也贱，故多能鄙事。”

孔丘对于自己少年时的这段历史，从来没有隐讳过。这句话的意思是：我小的时候很低贱，所以会做很多下等人做的事情。

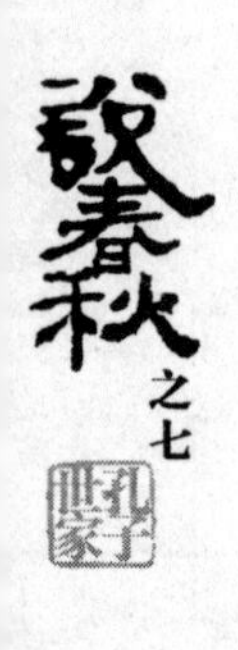

孔丘,一个苦水里泡大的孩子。

一直到长大,孔丘对祭祀和丧葬的礼节都很讲究,这就是因为他从小从事这方面工作的原因。

按《论语》。子见齐衰者、冕衣裳者与瞽者,见之,虽少,必作;过之,必趋。

什么意思?孔子见到穿丧服的、穿官服的和盲人,即使对方年龄小,也会站起来致意,如果是路遇,一定会快步走过。

为什么孔子会这样呢?孔子给了答案:“少年若天性,习惯如自然。”(《贾子新书·保傅》)一句话:习惯成自然,这就是孔子的职业习惯。

习惯成自然,这句常用语出自这里。

原本,孔丘的命运就是这样了,一辈子做一个替人打扫卫生、端茶递水、抬棺材挖墓地、替人哭丧的下贱人。

可是,孔丘十五岁那年发生的一件事情改变了他的命运。确切地说,改变了他的思想。

那一年,是鲁昭公五年(前537年)。

叔孙豹的恼火和烦恼

鲁昭公名义上是鲁国的国君,但是,鲁国实际上控制在三桓的手中,也就是季孙、叔孙和孟孙三大家族手中。

三大家族之间,表面上和和气气,其实也在钩心斗角,互不买账。

鲁昭公元年的时候,晋国和楚国召开第二次世界和平大会,叔孙豹代表鲁国参加。当时,孟孙家族比较弱势,因此,但凡外交,都交给叔孙豹;内政,就交给季孙宿,也就是季武子。

叔孙豹参加盟会去了,季孙宿在后面开始使坏,出兵攻打莒国,拿下了莒国的郓地。为什么打莒国?因为莒国靠着季孙家的地盘,拿下来就是季孙家的。为什么说他使坏?

世界和平大会正在召开,楚国的公子围和晋国的赵武代表两个超级大国宣布世界已经成为和谐社会了,再也没有国家打仗了,和平了,幸福了。

上午刚刚说完,下午莒国的使者就到了,在世界和平大会上控诉鲁国侵略者抢占了莒国的地盘。

“他娘的,鲁国人胆肥了?世界和平大会期间竟然发动侵略战争,这不是不给我们面子吗?这不是破坏和谐社会吗?这不是顶风作案吗?我建议,把鲁国使者给杀了。”王子围正想找点事树立威望,如今机会就送上来了。再说了，鲁国是晋国的跟班，杀了鲁国使者对楚国也没什么坏处。

叔孙豹吓得一身冷汗，平白无故就要被杀，冤不冤啊？

赵武当然不干，要是保护不了兄弟国家，要这世界和平又有什么用呢？

“令尹，我看，就算了吧。”赵武出来打圆场了，说了一段很著名的话：“人鲁国使者叔孙豹是个很贤明的人，怎么能杀贤明的人呢？再者说了，虽然有史以来各国就划定了疆界，可是如今边境争夺很多啊，争来争去的，昨天是你的，今天是他的，谁还能说清楚呢？盟主嘛，大的事情要认真，小屁事就放过算了。就说这个事情，郓地也不是个什么重要的地方，对莒国来说可有可无，鲁国占去有什么关系呢？再说了，如果楚国的邻国吴国和濮国的边境有机可乘，你们楚国还不是也要趁火打劫？算了，和平万岁，理解也要万岁嘛。”

赵武的话，有些强词夺理，可是王子围觉得挺有道理。再说了，赵武这个面子，王子围还是要给的。而且，盟会这里是晋国的势力范围，真闹僵了，没什么好处。

“好吧好吧，既然赵元帅这么说，那就算了，继续开会。”王子围放过了叔孙豹。

世界和平大会结束，叔孙豹和赵武又在郑国逗留了几天，之后启程回国。

回国的路上，叔孙豹是越想越后怕，越想越恼火。

“狗日的季孙，专门趁我去开会的时候出兵，这不是故意要置我于死地吗？要不是老赵跟我关系好，我不被砍头也要劳教啊。季孙，真阴啊。”叔孙豹一路上骂着季孙宿，回到了家。

季孙宿听说叔孙豹回来了，毕竟有些心虚，第二天一大早上门问候。

问候问候，就是问一问，然后等候。

叔孙豹正在火头上，听说季孙宿来了，本来要去院子里晒太阳，这下也不去了，就待在屋里，不肯出去见季孙宿。

季孙宿等了一个上午，看看太阳都到了头顶，叔孙豹还是不肯出来。

“怎么办？咱们回去吗？”季孙宿没办法，问为他驾车的曾夭。

“再等下吧，要不，我去找找我兄弟。”曾夭说。于是他去找他兄弟。

曾夭兄弟两个，分别在季孙家和叔孙家效力，曾夭的兄弟叫曾阜。

“兄弟，从早上等到中午，说明我们已经知罪了。咱们鲁国人一向善于忍让，但是咱不能只在国外忍让，回了国就不忍让了吧？”曾夭找到了曾阜，请他去给叔孙豹通报一下。

“嘿嘿，哥啊，我跟我家主人在国外奔波了几个月，让你们等一个上午算得了什么？就像商人要赚钱，难道还要讨厌市场的喧嚣吗？”曾阜答道，但不管怎么说，还是答应去劝劝叔孙豹。

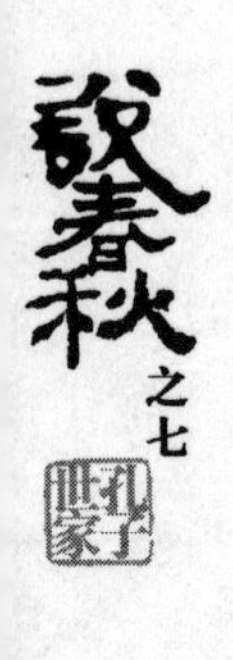

曾卓来到叔孙豹屋里，看见叔孙豹站也不是坐也不是，待在屋子里好像也很难受。

“算了，让他们等了一个上午，他们也知错了，还是出去吧。”曾卓劝叔孙豹。

其实，叔孙豹也正在考虑是不是出去，曾卓来劝，正好下个台阶。

“我虽然讨厌它，可是也不能去掉它啊。”叔孙豹指着屋子里的柱子说，然后，跟着曾卓出去了。

事情虽然在表面上化解了，叔孙和季孙两家的关系实际上已经很糟糕了。

叔孙豹很烦，倒不仅仅是因为吃了季孙宿的苍蝇，家里那摊事更加烦心。

叔孙豹当年北漂去了齐国，去的路上跟一个女人发生了一夜情。到了齐国，成了国家的乘龙快婿，老婆国姜为他生了两个儿子孟丙和仲壬。后来叔孙豹回鲁国回得匆忙，不告而别。国姜一怒之下，改嫁了叔孙豹的好友公孙明。

回到鲁国，叔孙豹成了叔孙家族的族长，成了鲁国的卿。那个一夜情的女人找上门来，还带着他们的“战果”，一个叫牛的儿子。尽管牛长得很丑，毕竟是长子，叔孙豹还是很喜欢他，就养在家里。而因为国姜改嫁，叔孙豹也很生气，索性不把两个在齐国的儿子接回来(事见第四部第一三三章)。

时光荏苒，很快牛长大了，叔孙豹就让牛做了叔孙家的管家，更加信任。直到孟丙和仲壬两人成年之后，叔孙豹才派人把他们给接回来。

“这两个齐国人怎么看上去这么像公孙明？”叔孙豹怀疑这两个儿子根本就不是自己的种，因此很不喜欢他们，称他们为齐国人。

在谁来做继承人的问题上，叔孙豹很纠结。按理说，应该立孟丙，因为这是嫡长子。可是，叔孙豹死活看不上这个儿子，而且怀疑他不是自己的儿子。立牛吧，说不过去，因为牛的老娘是个野人，换今天的话说，连个户口都没有，根本就没有名分，所以牛完全没有资格。叔孙豹还有一个小儿子叔孙婼，是后来娶的老婆生的，叔孙豹倒也喜欢他，可是立他还是有些不够名正言顺，况且几个哥哥恐怕也不满意。

就这样，继承人的问题一直拖了下来。眼看着自己岁数越来越大，这事情也就越来越不好办。

第二四三章　牛的故事

牛是家里的老大，跟父亲的时间也最长。但是，母亲的身份不行，在家里连个名分也没有，连累到牛。

在牛看来，论贡献，自己对家里的贡献最大，父亲经常出差，家里的一切都是自己打点；论能力，自己没得说，谁不说自己能力强？可是，为什么自己就不能做继承人呢？为什么？难道自己生下来就比孟丙他们下贱吗？

“爹，你太不公平。孟丙、仲壬，我恨你们。人人生而平等。”牛常常这样对自己说。敢情人人生而平等这句话是他先说的，只可惜没有被记录下来。

牛愤愤不平，牛决心要从弟弟们手中把继承人的位置抢过来。

牛的诡计

鲁昭公四年（前 538 年），叔孙豹得了重病，卧床不起。这个时候，必须要立继承人了。思前想后，叔孙豹最终还是决定让孟丙来继承这个家族。

“孩子，我前些日子让人铸了一口钟，我准备找个日子宴请卿大夫们，为这口钟举行落成典礼，同时宣布你为叔孙家的继承人。这件事情你来操办，准备好了来告诉我。”叔孙豹把孟丙叫来，就在床边叮嘱他。

孟丙很高兴，熬了这么多年，终于还是熬到了。

两天之后，孟丙把一切该做的准备都做好了，之后，去请示父亲。来到父亲的院子门口，牛挡住了他。

“兄弟，爹吩咐了，现在怕光怕闹，所以谁也不能去见他。有什么事你告诉我，我替你转达。”牛说。

其实，根本没有这样的事。

孟丙没有办法，只好请牛转达，说自己已经准备好了，请父亲定日子。

牛进去转了一趟，撒了泡尿，然后出来了。

“兄弟，爹说了，就后天吧。”牛说。

孟丙没想到牛骗了自己，高高兴兴去准备了，派了人去卿大夫们家里送了请柬。

宴请当天，卿大夫们都早早赶到了，白吃白喝倒不重要，重要的是趁机跟叔孙家的继承人亲近亲近。

人到齐了，一切也都准备好了，孟丙去请父亲。到了门口，又是牛拦住了。

“兄弟，爹已经睡了。爹说了，他不参加了，你自己主持就行了。”牛直接撒了一个谎，眼都没有眨一下。

孟丙很高兴，这样的话，自己就是主角了，自己想怎么表现就怎么表现了。

于是，开宴。

“卿们大夫们，各位来宾各位朋友，父老乡亲们，叔叔大爷们，我代表我父亲宣布，任命我为叔孙家族的继承人，大家请鼓掌。”话不是这么说，但是就是这么个意思，孟丙直接宣布了自己担任叔孙家的继承人。

一窝蜂的叫好声，祝贺声。

“各位，在我就任继承人之后的第一件事，就是主持这口钟的落成仪式。”钟就挂在梁上，孟丙让人把钟上的红布扯下来，然后手持棒槌，准备敲钟。

叔孙豹躺在床上，突然想起自己吩咐孟丙做的事情不知道怎样了。这个时候，牛走进来了。

牛给父亲倒了一碗水，扶叔孙豹起来喝了一口，然后坐在叔孙豹的对面。

“牛，这些天你辛苦了。”叔孙豹说。他觉得这个大儿子对自己挺好，今天还专门来陪自己。

“爹，你安心养病吧，家里的事情我能处理好。”牛说，说得挺贴心。

叔孙豹没有再说话，他觉得很累。

就在这个时候，突然传来一声巨响。“砰”的一声，随后又是一声，又是一声。

钟声，谁在敲钟？

“哪里来的钟声？”叔孙豹问。

“孟丙在请客。”

“请客，请谁？”

“爹，你别问了。”

“告诉我，请谁？”

“他说请他齐国的爹。”牛假装吞吞吐吐，却故意说出一句最让叔孙豹窝火的谎话。

孟丙在齐国的爹是谁？公孙明。叔孙豹这辈子最恨的人就是公孙明，平时有人提起来都会火冒三丈，这个时候孟丙竟然背着自己招待他，还敲钟，这简直是向自己宣战了。

“狗兔崽子，吃了豹子胆了，扶我起来，我要去亲自把公孙明赶走。”叔孙豹火冒三丈，撑持着就要起来。

“爹，别气坏了。今天来的客人不少，闹起来还真丢咱们家的面子。爹，等人都走了再说吧。”牛当然不会让叔孙豹出去，找了个冠冕的理由。

叔孙豹是个爱面子的人，想了想，又躺了下来。

叔孙豹很窝火，本来在立孟丙的问题上他就犹犹豫豫，这个时候更是后悔。

“你去看看他在整什么。”叔孙豹派牛去侦查一下，牛答应了，于是起身出去，安排了手下照看叔孙豹。

牛其实根本没去，上了趟厕所，又在外面转悠一阵，回来了。

“牛，他们在干什么？”叔孙豹问。

“爹，我说出来您老别生气啊。”牛故意吞吞吐吐，欲言又止的样子。

“快说。”

“孟丙他说等您过世了，把他娘和他齐国的爹给接过来。”牛顺口造了个遥，他知道叔孙豹最不想听到的是什么。

果然，叔孙豹大怒。

“狗杂种，我还没有咽气他就这样？牛，你去，把这个杂种给我杀了。”叔孙豹气得吐血，他现在坚信孟丙根本就不是自己的儿子，杀了他一点也不心疼。

“爹，您别生气，孟丙可是您儿子啊。”牛假惺惺地劝。

“他不是我儿子，他是公孙明的孽种。去，杀了这个孽种。”

牛心中暗喜，表面上还要装出不太情愿的样子，直到叔孙豹再次大吼“快去”。

牛出去了，可是并没有去杀孟丙，他知道大庭广众之下杀人会有很多麻烦，甚至有可能弄巧成拙。牛就守在叔孙豹院子的门口，他知道孟丙一定会来。

果然，没有多久，孟丙兴冲冲地来，他要向父亲报告宴会胜利召开了。

“我要去见爹。”孟丙来到院子门口，看见牛，大声说。一来是高兴，二来是觉得自己已经是叔孙家族的主人，牛这个管家必须要听自己的了。

“爹不想见你。”牛冷冷地说。

“为什么？你让开。”孟丙现在不把牛放在眼里了。

“来人,抓起来。”牛一声令下,早已经准备好的手下们一拥而上,将孟丙抓了起来。

“你要干什么?”孟丙高声喊着。

牛没有说话,只是做了一个砍头的手势,手下们没有犹豫,手起刀落,一颗人头滚落在地。

可怜孟丙,到死也不知道自己为什么会死。可怜孟丙,刚刚当上叔孙家的继承人,高兴劲还没有过去就已经身首异处。

之后,牛派人宣告孟丙的罪名:背着父亲私自宴请卿大夫,冒充父亲的名义任命自己为继承人,属于颠覆家族罪。情节特别恶劣,后果特别严重。因此,奉叔孙豹之命,大义灭亲。

孟丙就这么死了,即便有其他的家臣能够见到叔孙豹并且询问这件事情,叔孙豹也是这样回答。

而其实,除了叔孙豹被蒙在鼓里,其余的人都知道这一定是牛在搞鬼。

孟丙被除掉了,下一个,就是仲壬。

对付仲壬,对于牛来说就是小儿科了。

就在孟丙被杀死前几天,仲壬跟着鲁昭公的御者莱书去宫里游玩,鲁昭公接见了他并且送给他一个玉环,仲壬回到家里去见父亲,想要把玉环送给父亲。可是,在门口又被牛给拦住了,牛说进去帮他禀告,其实又是去上了一趟厕所,出来之后谎称“爹让你自己戴上”。

于是,仲壬就自己佩戴上了。

杀了孟丙之后,牛知道叔孙豹对仲壬肯定也有所怀疑,于是去对叔孙豹说:“爹,是不是要立仲壬为继承人了?”

“谁说的?”叔孙豹反问。

“没有吗?仲壬自己到处说呢,还戴着一块国君送给他的玉佩,说是国君已经答应他了。”牛又在撒谎。

“什么?这个小杂种也跟孟丙一样?他吃了豹子胆了,牛,把他给我赶走,我永远不想见他了。”叔孙豹本来就在对仲壬不满,一怒之下,要赶走这个儿子。

牛当然很乐意执行这个命令,当天就把仲壬赶走了。仲壬也不知道自己犯了什么错误,没办法,去齐国投奔继父公孙明了。

牛杀豹

叔孙豹是个聪明人，虽然一口气杀死孟丙赶走了仲壬，回头越想越不对劲，因为这两个儿子的所有罪行，说来说去都不是自己亲眼看见的，都是牛说了，那万一牛是撒谎的呢？

想到这里，叔孙豹基本上明白了：一切都是牛在搞鬼。

一身冷汗，叔孙豹一身冷汗。

叔孙豹还算沉着，他让人把牛叫到了床边。

“牛啊，我快不行了，看这家里，孟丙被大义灭亲了，叔孙婼又岁数太小，看来只能让仲壬接班了。你辛苦一下，去把仲壬给找回来吧。”才把仲壬赶走两天，叔孙豹又要牛去把他找回来。

“好。”牛答应了，然后起身走了。

牛很失望，他原本以为叔孙豹在这个时候会最终选择他为继承人，可是，叔孙豹还是选择了仲壬。

“老东西，你不仁，不要怪我不义。”牛恨恨地说。

牛不仅没有派人去找仲壬，还停止给叔孙豹供应食物。

第二天，牛去找季孙家的管家南遗，管家和管家之间往往是朋友，牛希望能够获得南遗的支持，进而通过南遗获得季孙家的支持。

牛走了，杜泄趁这个当口来了。杜泄是谁？叔孙豹的家臣，也是最信任的家臣。由于为人耿直，牛平时也有些怕他。

杜泄去见叔孙豹，守门的人按照牛的吩咐，一律不给进去。不过看见是杜泄，也不敢一味阻拦，被杜泄臭骂一顿，还是放他进去了。“牛主管回来之前，一定要出来啊。”守门的最后忘不了叮嘱一句。

“老，老杜，你总算来、来了。”叔孙豹躺在床上奄奄一息，看见杜泄进来，眼中闪出一点希望的光芒来，沙哑着嗓子叫着。

“主公，还好吗？”杜泄急忙来到近前。

“我快饿死了，牛不给我饭吃，孟丙也是被他害死的。”叔孙豹说着，眼泪流了下来，他指一指床边的一支大戟。“你，你拿我的大戟出去，把牛给我杀了。”

“主公，来不及了，我做不到这一点。”杜泄拒绝了，喂了叔孙豹几口水，退了出来。

从那之后，再也没有人来看望过叔孙豹，因为牛拒绝所有人进来。

从那之后，叔孙豹再也没有吃喝过一口。

两天之后，叔孙豹被活活饿死了。

三桓瓜分国家

牛立了小弟弟叔孙婼，自己继续做管家。实际上，什么都是自己说了算。

鲁昭公指定了杜泄来负责叔孙豹的葬礼，而杜泄现在成了牛的眼中钉。可是牛拿杜泄也没有什么办法，因为杜泄既是叔孙家的家臣，也是鲁国的上大夫，牛不敢动他。不过，牛有办法对付他。

杜泄决定用大路车为叔孙豹送葬，大路车是一种豪华配置的顶级车，诸侯没有，只有王室才有。当年，叔孙豹出使王室，周王因为喜欢他，送了他大路车。

牛暗中找到南遗，让他去季孙宿那里说杜泄的坏话。

"主公，这杜泄太过分了。叔孙豹活着的时候都没有坐过路车，凭什么死了用路车送葬？再者说了，咱们正卿都不用路车，他是一个次卿，怎么能用？"南遗果然来找季孙宿，拿大路车来说事。

"哎，是啊。"季孙宿觉得南遗说得对，于是派人去找杜泄，要求他换车。

杜泄一听，就知道是牛在背后捣鬼，并不是季孙宿成心要为难自己。于是，杜泄亲自上门来找季孙宿解释了。

"我就还真必须用大路车了，为什么呢？您听我解释。当初周王送给叔孙豹大路车，叔孙豹自己不敢用，回来献给国君了。可是国君说这是周王送给叔孙豹的，自己不敢要，因此当时叫司徒司空司马，也就是你们三家郑重记下这件事情，车还是归叔孙豹。您是司徒，当时也在场，这我没说错吧？您要忘了，咱们去宫里查历史记录去。后来呢，叔孙豹还不敢用，就一直放着了。如果周王和国君赏赐的东西，活着不用，死了还不让用，那这个赏赐不成了扯蛋了？所以，一定要用。"杜泄一番话，有理有利有节，有历史根据，还有逻辑分析。

"哎，是啊。"季孙宿又觉得杜泄说得更有理，点了点头："那，就用吧。"

用大路车给叔孙豹送葬的事情就这么定了。

葬礼之前，季孙宿提出一个建议来：三桓把公室的军队瓜分掉。

"太好了，我爹生前就有这个愿望。"牛代表叔孙家参加了会议，双手赞成这个建议，他是想讨好季孙宿。

"我看行。"孟僖子（孟孙貜）也同意了。

三家都同意了，于是开始动手。

其实，这是三家第二次瓜分公室的部队了。早在鲁襄公十一年（前540年），季孙宿就向叔孙豹提出要瓜分公室部队的建议，当时叔孙豹表示反对，可是在季孙宿的坚持下，叔孙豹最终还是同意了。不过，叔孙豹提出一个条件：把中军留给公室。

当时，三家在鲁僖公的庙门前进行了盟誓，三家平分公室军队；然后到曲阜城外的乱葬岗五父之衢，在孤魂野鬼们面前进行了诅咒，保证不再瓜分中军，否则不得好死。（《左传》："乃盟诸僖闳，诅诸五父之衢。"）

当时，把中军留给了公室，其余的部队一分为三，成了三桓的家兵。

季孙家规定，划入季孙家的贵族，如果把封邑带入季孙家，那么免税。否则，双倍征税。孟孙家强制一半的贵族将封邑带入，另一半依然向公室缴税；叔孙家将全部划归自己的贵族的封邑强制并入叔孙家。

这一次，把中军给瓜分了，不过比例与上一次不同，中军被一分为四，季孙家独得两份，叔孙和孟孙家各得一份。中军贵族的所有封邑全部并入三家，而三家向公室进贡。

至此，公室已经没有军队，而且已经没有土地，他们要完全靠三桓的进贡来维持生活了。混到现在，鲁国国君比周王还要惨一点。

鲁昭公眼看自己的最后一点本钱也被瓜分，敢怒不敢言。

瓜分了中军，季孙宿有点担心当初的诅咒会应验，到时候五父之衢的孤魂野鬼们前来勾魂岂不是很麻烦？想了半天，想了个主意：把责任推给叔孙豹。

于是，季孙宿整了一份策书送给杜泄，要他把上面的内容告诉给已经死了的叔孙豹。上面这样写道：您一门心思想瓜分掉中军，我们继承了您的遗志，把中军给瓜分了，特此告知您。

杜泄看完策书，哭笑不得："这不是睁着眼睛说瞎话吗？当年我家主公坚持在五父之衢诅咒，不就是为了保留中军吗？"

杜泄把策书撕得粉碎，扔到了地上。

到下葬的那一天，杜泄安排叔孙豹的棺材从正门出城。牛又看到了机会，于是他去找好朋友叔仲带去季孙宿面前说杜泄的坏话。

"这样不行啊，我当年听叔孙豹说过了，说是没有善终的人只能从西门出去。不行，要让他们走西门。"叔仲带得了牛的好处，去季孙宿那里挑拨离间。

"哎，是啊。"季孙宿觉得有道理，于是派人去阻止杜泄。

杜泄这边都安排好了，正要出发，季孙宿的人就来了，说是只能走西门。

"去他姥姥的，懂不懂啊？鲁国的规矩，卿下葬，一律走正门，什么时候改规矩了？"杜泄没理季孙宿的茬，依然从正门给叔孙豹送葬。

葬礼结束，杜泄知道自己在鲁国是混不下去了，索性带着全家移民楚国了。

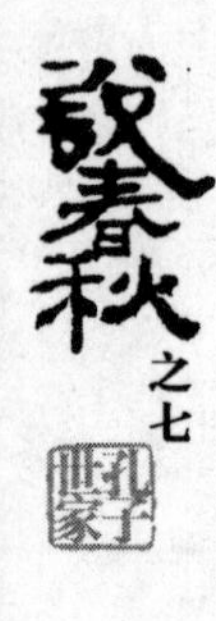

牛死了

好不容易弄走了一个，牛还没有来得及庆祝，又回来一个。

谁回来了？仲壬。

仲壬回来，是来争夺继承人宝座的。所以，他一回来，就托人打通季孙宿的关节，请季孙宿帮忙立他为叔孙家的继承人。

季孙宿答应了，可是，牛不能让他答应。

牛又找到了南遗帮忙，许诺只要季孙宿放弃立仲壬，就把叔孙家东部国境的三十座城邑送给南遗。

有好处的事情，谁不干？

"主公，叔孙家要是强大了，对咱们也没什么好处啊。我看，别掺和他们家的事情了，让他们自己乱下去算了。"南遗去见季孙宿，出这么个主意。

"哎，是啊。"季孙宿觉得有道理，于是不再管仲壬的事情。

南遗把好消息告诉了牛，牛当即决定攻打仲壬，永绝后患。南遗从季孙家里派兵帮助牛，结果，仲壬中箭而死。

叔孙婼（叔孙昭子）正式成为叔孙家的继承人，这得到了鲁国国君、季孙家和孟孙家的认可。牛认为这个小孩可以轻易控制，因此也松了一口气。

叔孙婼年龄虽然不大，但是异常聪明。他知道，牛之所以立自己为继承人，并不是因为他爱自己，而是因为他以为自己好控制。如果自己不想办法，那么今后就是被牛控制，然后在一个不知道什么日子里被干掉，像老鼠一样窝囊地死掉。

趁着某一天牛出外的机会，叔孙婼召集了整个家族大会。

"牛祸害我们孙叔家，害死了我们的两个嫡子，还把我们家的封邑送给外人。这个人吃里爬外，包藏祸心，民愤极大，死有余辜。现在我宣布，判处牛死刑，悬赏捉拿。"叔孙婼在会上痛斥了牛，整个家族一片欢呼。

"我要控诉。"人们纷纷控诉牛的罪行，家族大会成了批斗大会。

牛，确实民愤极大。

牛在外面听说家里连批斗会和审判会都一块开了，叹了一口气，直接逃奔齐国去了。在齐国，牛的日子过得很艰难。后来终于有一天，孟丙和仲壬的儿子追踪到了他，将他杀死之后，把人头扔到了野地里喂狗。

这是后话。

机关算尽太聪明，反误了卿卿性命。这两句话，就是说牛这样的人。

第二四四章　去他娘的周礼

叔孙豹下葬的时候,照例请了很多人来打零工。

孔丘跟着邻居也去了,这是孔丘见过的最隆重的葬礼,所以孔丘非常小心。葬礼的过程中,邻居告诉孔丘,这个被下葬的人是鲁国最有学问的人,名叫叔孙豹。孔丘记住了叔孙豹的名字,对叔孙豹充满敬佩。

"那个人是谁?"孔丘悄悄问,他觉得那个人很有派头。

"那是杜泄。"邻居回答,接着说:"孔丘,你知道吗,这个杜泄一开始跟你一样就是个士。后来在叔孙家做小吏,因为知识渊博被叔孙豹看重,后来一点点提拔,现在是鲁国的上大夫了。"

"啊,真的?"孔丘有些惊讶。

"当然是真的啊,可惜我不是士,否则,我也好好学习,说不准也能像他一样。唉……"邻居叹了一口气,还是认命了。

那一天,孔丘再也没有说一句话。

娘也死了

从叔孙豹的葬礼回来,孔丘又开始学习了。那一年,孔丘十五岁。

按《论语》。子曰:"吾十五而有志于学。"

孔丘对各种知识都感兴趣,他相信说不定什么时候会用上什么。通常他是在家中自学,遇到疑难的时候会去学校请教老师。平时,他依然会跟着邻居去混吃混喝,不过现在不单纯是混吃混喝,同时他也很认真地观察各种祭祀、丧葬的礼节和程序。因此,没有多长时间,他竟然成了祭祀和丧葬问题的专家,不仅自己这些亲戚们弄不懂的地方向他讨教,有的时候事主疏忽的地方他

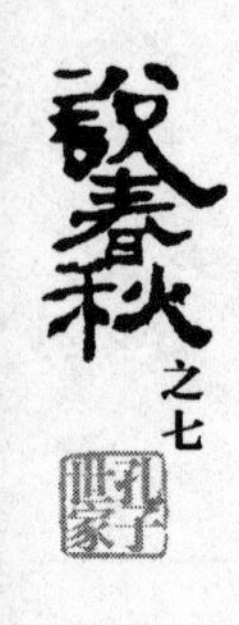

也能指出来。

渐渐地，孔丘从最底层的群众演员上升为特色群众演员，已经能挣到一些钱了。

除了这一类的活动，孔丘还经常帮娘做些事情。

好学生，三好学生。

苦孩子，懂事的苦孩子。

看见孔丘变得懂事了，颜征在十分高兴，她看到了希望。因此，再苦再累，她也觉得值，也觉得很快乐。

可是，快乐的日子总是很容易到头。

两年后，孔丘十七岁了。孔丘长得十分高大，很像他的父亲，这一点也很令母亲宽慰。

可是，母亲的身体一天不如一天。终于，颜征在身患重病，走到了生命的尽头。

“娘，爹葬在哪里了？”在颜征在弥留之际，孔丘问。

“孩子，别问了，我也不知道。”颜征在说。她用最后的力气摸摸孔丘的脸，闭上了眼睛。

“娘——”孔丘伤心欲绝，号啕大哭，娘是他唯一的依靠，也是他唯一的亲人。

娘走了，自己该怎么办？

然而，孔丘这个时候已经没有时间去考虑自己的将来了，他要考虑的是怎样安葬自己的母亲。

孔丘的想法，是把母亲和父亲葬在一处。可是，母亲在孔家没有身份，而母亲的平民身份决定了她不能拥有自己的墓地，她死后的归宿只能是乱葬岗。

孔丘知道，母亲之所以不告诉自己父亲的墓地，就是不想让孔丘为难。可是，孔丘下定了决心，一定要把母亲和父亲合葬在一起。

打听到父亲的墓地并不是一件很难的事情，毕竟这不是秘密。孔丘知道的邻居中有一位车夫当年曾经参加过叔梁纥的葬礼，于是孔丘前来找他。

“车叔。”车夫没有姓，因此以车为姓，孔丘就称他为车叔。平时两个也常常在一起去祭祀葬礼之类的地方混饭吃，混得很熟。

“啊，节哀顺变啊。”车叔看见孔丘来，安慰他。

“车叔，我想问你我爹的墓地在哪里？”

“啊，你问这个干什么？”车叔警觉起来，他猜到了孔丘要干什么。

“我想把我娘跟我爹合葬。”

“不行，我不能告诉你。”车叔拒绝了，他知道，颜征在这样没有名分并且属于社会最底层的平民是没有资格葬在正规的墓地的，否则，就是犯法，吃不了兜着走。

“车叔，求你了，我不能让我娘葬在乱葬岗啊。”孔丘说着，哭了。

“那也不行，我不能害你啊。再说，我也怕受连累啊。”车叔还是拒绝。

孔丘苦苦哀求。

车叔就是不肯松口。

这个时候，车叔的老娘从里屋出来了。

“儿啊，你就告诉他吧，看这孩子多可怜啊，就成全他吧。”车叔的娘被感动得泪流满面，禁不住出来帮孔丘说话。

车叔也被孔丘的诚心感动了，这时候见老娘这么说，终于松口了。

“唉，看在你一片孝心的面上，就告诉你吧，你爹葬在防地了，你们孔家的祖墓在那里。”车叔说了出来。

“谢谢车叔了。”孔丘急忙拜谢，谢完之后正要告辞，突然又想起什么来。“车叔啊，要不，您好人做到底吧。其实我早就听说我爹的墓在防地，可是在防地哪里啊？我去也找不到啊，您说大概也说不清。不如我就雇您的车，你帮我把我娘拉过去吧。”

“不行不行不行，这不合周礼啊。”车叔吓得一个哆嗦，这犯法的事情，怎么敢干？

“去他娘的周礼吧。”孔丘有些愤愤然。

车叔决不松口。

最后，又是车叔的老娘受不了了。

“儿啊，这孩子太可怜了，你帮他出个主意不行吗？”老太太心地善良，想帮孔丘。

车叔是个大孝子，老娘又开口了，只能认真对待了。

“孔丘，你让我想想办法。”车叔先止住了孔丘的哭，之后抓耳挠腮想办法。

孔丘焦急地等待着，他不知道车叔能不能想出办法来。

过了一阵，车叔眼前一亮。

“有办法了。”车叔说。

第一次违背周礼

孔丘为母亲出殡，街坊邻里愿意来的来，不愿意来的不来，合共也就是十几个人。

出殡的地点在五父之衢，曲阜城外的乱葬岗。按着身份，颜征在只能葬在这里。

关于五父之衢是个什么所在，历来的说法是曲阜城外某地，其实这又是为圣人讳。当初三桓瓜分公室部队，在鲁僖公的庙门前进行了盟誓，然后去五父之衢诅咒。《左传》中几次提到五父之衢诅，都是去诅咒的。古人盟誓和诅咒是很讲究地点的，特别是鲁国人。既然专门去五父之衢诅咒，说明这是一个凶地，恶鬼出没的所在。不是乱葬岗，就是刑场。而如今孔子将母亲在这里出殡，自然不是刑场这样的地方，因此一定是乱葬岗。

颜征在的身份，只能是一副薄棺，无椁。简单地说，只有单层棺木。

在五父之衢，简单地进行了一个葬礼，挖了一个坑浅埋了母亲。之后，孔丘在墓旁痛哭，其余的人都默默地走了，只剩下车叔还在旁边，拉棺材的马车就是他赶的。

哭了一阵，孔丘站起身来。

“车叔，人都走了吗？”孔丘问。

“都走了。”车叔说。

紧接着，两人忙碌起来，把墓重新挖开，好在埋得很浅。之后，把棺材抬上了车。车叔赶着车，孔丘在旁边扶着棺材，一路向防地而去。

看看将近天黑，终于来到了叔梁纥的墓地。墓地本来就少人来，又是黄昏，天气又冷，因此看不到一个人。孔丘和车叔把棺材抬下了车，之后在叔梁纥的墓旁挖了一个大坑，把棺材埋了下去。

回到家，天色已经大黑。不过，孔丘的心情好了很多。

“娘，我把你送到爹的身边了。”孔丘对着娘睡的炕说，母亲生前没有名分，孔丘让她身后得到了。

按《史记》。孔子母死，乃殡五父之衢，盖其慎也。陬人挽父之母诲孔子父墓，然后往合葬于防焉。

合葬有两种形式，一种是同棺，另一种是同墓。孔子合葬父母，显然是同墓。

孔丘偷偷地合葬了父母，很快还是被人知道了。

按照周礼，孔丘的做法是要问罪的。不过，有关部门并没有追究这件事情，除非孔家提出这个问题。也就是说，如果孔丘的异母哥哥孟皮不追究，有关部门也就懒得管了。

好在，孟皮是个厚道人，知道有这么个弟弟，也知道弟弟过得很苦，因此对这件事情也就睁只眼闭只眼了。

不过这件事情还是引起了街谈巷议，有赞的有贬的，弄得孔丘也提心吊胆了一阵，免不得有些后怕。

第二次违背周礼

一段时间过去，事情总算再也没有人提起。不过，孔丘已经是小有名气。

因为刚刚吞并了鲁国中军，再加上叔孙婼刚刚继位，季孙宿希望趁这个机会拉拢人心，巩固季孙家的领导地位。于是，季孙宿想了一个办法：请曲阜地区的所有士到季孙家吃饭喝酒看歌舞表演。

消息传出，曲阜的士们欢欣鼓舞，纷纷前往。一来，没来由弄顿酒肉，不去白不去；二来，趁机跟季孙家搭上关系，说不定被看上了，那就发财了。

孔丘知道这个消息比较晚，因为他住的地方没有士，只有他一个。不过听到消息之后，孔丘与其他的士的反应是一样的：去吃他娘的。

因为时间紧，孔丘听说之后，没有回家，直接就奔向了季孙家。对于孔丘来说，这不仅仅是一顿饭，这还是自己首次以士的身份出席公众活动。所以，他的心情既激动，又有些忐忑不安。

还没到季孙家门口，远远就听到季孙家的庄园里人声鼎沸，歌舞升平，肉香酒香扑鼻而来。

孔丘咽了咽口水，这辈子就没有吃过什么好的，今天可要甩开腮帮子撮他一顿了。

来到季孙家门口，往里望去，人山人海，红男绿女，漂亮的美眉们跳着舞，宾客们已经端着碗吃起肉来。人太多，只能自助餐了。

孔丘眨了眨眼，定了定神，就要进去。

“哎哎，伙计，你谁啊？哪个单位的？谁让你进去了？”这个时候，门旁一个人拦住了孔丘，话虽然不是这么问，基本上就是这么个意思。

孔丘这才注意到门口还有守门的，这个守门的看上去比自己大个六七岁，长得十分高大，与自己身高相仿，不过比自己壮实。

“啊，那什么，今天不是招待士吗？我，我是孔丘，士。”孔丘小心翼翼地说。

“啊，你就是孔丘？看见里面跳舞呢吗？看见喝酒呢吗？你看看你，穿着孝服，你能来这种地方吗？啊，这点规矩都不懂，没学过《周礼》吗？你还是士？你得了吧你，我们今天是招待士，不招待你这种人，走走走走。”此人很不耐烦地训了孔丘一顿，把他赶走了。

孔丘欲哭无泪，一种空前的挫折感油然而生。

他默默地走开了，找到一个没人的地方大声痛哭起来。第一次以士的身份出现就遭到这样的打击，难免让人伤心悲恸。

"他娘的看门狗,狗眼看人低。我今后一定要混出个模样来让你看看,臭狗屎,去你大爷的《周礼》吧。"孔丘对着季孙家远远地骂了几声,擦干眼泪,回家了。

不过话说回来,这件事情孔丘并不占理,因为按照周礼,服丧期间确实不能参加这样的活动。孔子之所以犯这样的错误,首先是他急于通过这样的方式感受士的优越性,其次他并不知道这样的活动除了吃肉还有歌舞,再次就是确实很想吃点好的。

其实,就在孔子骂看门狗的时候,"看门狗"也在暗中骂着几乎同样的话。

"看门狗"名叫阳虎,他是孟孙家的后代,不过是庶子的庶子的庶子,基本上,除了小时候比孔丘多个爹之外,跟孔丘也差不太多。

也就是十七八岁的时候,阳虎就通过熟人介绍外加套亲戚,来到季孙家当了小吏。混了六七年了,也没混出个眉目来。今天季孙家大宴曲阜的士人,阳虎只能站在门口迎接客人,酒肉近在咫尺,却只能咽口水看别人吃。

所以,阳虎也是满肚子的火,恰好看见孔丘傻乎乎地穿着孝服就来了,于是满肚子的火就发在孔丘身上了。

"他娘的,不让老子吃,老子以后要吃最好的给你们看看。"赶走了孔丘,阳虎的心情好了一些,不过还是对着院子里低声地骂着。

按《史记》。孔子要绖(音迭,春秋时期服丧时结在头上或腰间的麻布带子),季氏飨士,孔子与往。阳虎绌曰:"季氏飨士,非敢飨子也。"孔子由是退。

(按,《孔子家语》中称阳虎上门戏弄羞辱孔子,恐怕又是为了遮掩孔子当时的失礼举动。孔子当时十七岁,穷困潦倒,阳虎为何要去登门羞辱他?于理不合,不采用。)

兄弟相会

受到阳虎的羞辱,孔丘并没有被打倒。相反,他下定了决心要出人头地。

由于在各种礼仪上很有研究,孔丘在各种助祭和助丧活动中的地位有所提升,有时甚至作为主持人的助手,既有面子也挣得更多。也就是说,从一个普通的群众演员成为一个特色演员,渐渐地,有人请了。

一年的丧期很快过去,十八岁的时候,孔丘除掉了丧服,也搬家到了体面一点的地方,尽管还是贫民居住区。

这一年,孔子要考虑结婚的事情了。不过,他绝对不会娶一个平民的女儿,他要避免自己的苦难在自己儿子身上重演。问题是,孔丘又穷又没有背景，稍有点地位的人，谁家的女儿愿意嫁给他？没有。

举目无亲，这个时候孔丘想起自己还有一个哥哥来了。在母亲与父亲合葬这件事情上，孔丘内心里非常感激哥哥孟皮。

于是，孔丘置备了一些礼物，登门拜访哥哥。说起来，这也是孔丘这辈子第二次回到孔家，第一次是被母亲抱着去的。

"你是孔丘吧?"孔丘来到孟皮家中，被孟皮第一眼就认了出来，因为孔丘与父亲叔梁纥非常相像。

孔丘吃了一惊，眼前这个人比自己矮了一头，是个瘸子，看上去岁数足有五十多岁，实际上应该就是三十多岁。孔丘知道，这就是传说中的哥哥孟皮了。

"哥哥，你是哥哥吧?"孔丘问。他有些不自然，因为他从来没有叫过哥哥。

"兄弟，真是你啊。快坐快坐。"孟皮有点喜出望外，他也过得孤苦伶仃，突然冒出来这么个兄弟，也很高兴。

孔丘有些意外，原本他还担心哥哥会不会瞧不起自己，如今看来，担心都是多余了。再看哥哥的家，显然也不富裕，孔丘的心里就更加平和了。

兄弟两个相见，孟皮让老婆做了些好菜，与兄弟边吃边聊。

原来，孟皮早已经娶了亲，如今还有一个儿子孔篾。

兄弟俩谈的无非就是各自的成长经历，哥哥又给弟弟讲了很多家族里的事情，孔丘听得津津有味。孔丘说起自己从小到大的艰苦生活，哥哥连连叹息。说到母亲与父亲合葬一事，孟皮表示完全的理解并且认为父亲地下有知也会赞同的。

"兄弟，你今年多大了?"说着说着，孟皮问起孔丘的年龄来。

"十八了。"

"成亲没有?"

"没呢，谁家的女儿肯嫁我啊?"

"兄弟，这么多年你吃了这么多苦，我这个当哥哥的也没帮上什么忙。这样吧兄弟，哥哥我为你说一门亲事，娶亲的事情交给我了，聘礼我来出。"孟皮倒是个很仗义的人，感觉父亲亏欠弟弟这么多年，应该自己这个当哥哥的来补偿。

"哥哥，聘礼还是我自己出吧。"孔丘有些感动，不过看哥哥家境也不富裕，不忍心让哥哥破财。

"兄弟，不要跟我争了，这事情交给我了，你就等着娶媳妇吧。"

"那，就多谢哥哥了。"孔丘没有再坚持，他心里说今后一定要报答哥哥。"那，哥哥，准备给我说哪里的亲？那什么，一定要是士人家的女儿啊。"

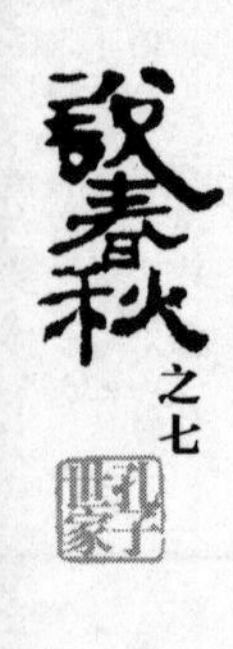

门当户对，这是孔丘的想法，尽管自己也算不上什么富家豪家，可是好赖是个士人，不能娶老娘那样没有地位的女人。

“兄弟，我知道你的顾虑。不过呢，咱哥俩实话实说，哥哥我的条件就已经很差了，但是好歹还有点田地，兄弟你的条件就更差了，寻常好人家没人愿意把女儿嫁给你。所以呢，哥哥只有一个办法能让你娶到士人的女儿。”孟皮说话倒也直截了当，还好，他还有办法。

“什么办法？”孔丘急切地问。

第二四五章　鲤鱼跳不过龙门

孟皮的办法是:回宋国老家给孔丘娶一个老婆。

这些年来,宋国战乱不断,家族纷争,国君又不懂得爱护百姓,因此民不聊生,百姓生活十分困苦,有女儿的都恨不得嫁到国外,首选是齐国,其次是卫国和晋国,鲁国和郑国也行。所以,鲁国穷一些的士都会去宋国娶老婆。

“哥哥,不行吧,同姓不婚啊。”孔丘的第一反应是不行。

“兄弟,同姓不婚那是周人的规矩,咱们祖上是商人,不讲究这个,宋国遍地都是族内婚。”

“是么?”

“兄弟,哥哥怎么会骗你?”

孔丘最终还是同意了哥哥的办法,因为实在没有别的办法。

跨国婚姻

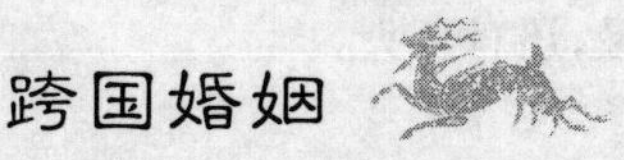

孟皮对弟弟的事情很上心,很快就托人去宋国给孔丘提亲了,立即得到了同意。女家说起来也是宋国的公族,姓丌(音机)官。这个姓氏很少见,不过每个国家都有,因为这是官名。各国都有专门掌管笄礼的官(笄与丌相通),笄礼是少女年至十五岁时,在头发上插笄的仪式,作为成年的象征。

所以,孔丘的新娘就叫做丌官氏。

孟皮把聘礼送过之后,第二年,也就是孔丘十九岁那年,孔丘亲自前往宋国迎亲。孔丘置办了一身新衣,驾着哥哥家里的那辆旧车,前往宋国去了。

到了老丈人家,孔丘忐忑的心放下来一半,因为丈人家很穷。

“鲁国大款来了。”村子里的人都这么说。在他们眼里,外国人都是大款。

“女婿，我女儿今后可以跟着你享福了。”老丈人也很高兴，当初来提亲的人忽悠了他，把孔丘说得家境富裕，颇有财产。

孔丘哼哼唧唧，也不好说自己实际上也是个穷光蛋。当然，他也绝不会去忽悠老丈人。孔丘有做人的原则：不说假话；如果被迫一定要说假话，不创造性地说假话。

总之，老丈人对这个高大的女婿很满意，老丈人的女儿对未来也很期待。村子里的人们很羡慕这一家，因为即便没有嫁给齐国人，能嫁给鲁国人也算不错了。

就这样，孔丘带着丌官氏回到了鲁国，回到了自己家里。

“哦。”满怀希望的丌官氏看到自己的新家，难免有些失望。看上去，这里还不如自己的娘家。“原来你这么穷啊。”

孔丘的脸一下子变得通红，他知道会有见光死的这一天的。

“娘子，我知道说媒的人忽悠你们了，不过我真不知道他会忽悠你们。你看这样吧，我也不想骗你，如果你不愿意嫁给我，那，我再送你回去。”孔丘说得很真诚，他真是这么想的。

丌官氏原本是一肚子怨气，可是孔丘这么说，她反而无从发作了。一路上，孔丘对自己都很照顾，人肯定是个好人。再者说了，自己嫁出来了，怎么还回得去？好歹说吧，鲁国大环境还算比宋国好，说不定今后的日子会好起来。

“唉，嫁鸡随鸡，嫁狗随狗吧。只要你对我好也就行了。”丌官氏也是没有办法，索性认命了。

“我不会让你受穷的，我很努力，我们会过上好日子的。”孔丘有些激动，拉着丌官氏的手说。

不管怎样，两人都接受了这个现实，大家都年轻，还有奔头。

新婚是甜蜜的，即便还是很穷。

孔丘更加的努力学习，努力工作。

孩子出生了

转眼又是一年，这一年孔丘二十岁。

二十岁这一年，孔丘有两件大喜事。

第一件是他在季孙家谋到了一个职务，这个职务叫做委吏，具体地说就是管理仓库的仓库主管。当然，不是总库，只是季孙家的一处仓库。这是孔丘有生以来的第一份固定职务，算是跻身白领阶层。

成为白领之后，孔丘咬咬牙，用自己的积蓄在白领社区买了一套房，这是他生平的第一套房。不管怎么样，现在脱离了贫民窟，周围都是士人，能够得到一些士的待遇和福利了。

第二件喜事接踵而来，亓官氏为孔丘生了一个儿子。买房也是为了儿子，孔丘说了："不能让我儿子生在贫民区。"

按照鲁国的规矩，曲阜一带士以上家里生男，国家都要以国君的名义赠送礼物，通常是小鸟或者鱼。孔丘生子之后，负责送礼的官员以鲁昭公的名义给孔丘送来一尾鲤鱼。

"孔丘，这尾鲤鱼是国君送给你的，祝你的儿子健康结实，长大以后为国效力。"基本上，来人就说了这样一番话，留下鱼，走了。

孔丘激动得半天说不出话来，国君送的鲤鱼啊，自己一个小小的士生个孩子，国君竟然来给庆贺，这太让自己感动了。更让孔丘激动的是，这彻底证明自己是个士，阳虎那狗东西再也不能瞧不起自己了。

"老公，孩子叫什么啊？"这个时候，亓官氏问。

"叫，叫，就叫孔鲤。"孔丘索性把儿子取名孔鲤，字伯鱼。

其实，家家生男都有国君的贺礼，鲤鱼也不知道送了多少家了。如果都像孔丘这样，鲁国就不知道有多少叫鲤的了。这说明，孔丘比别人更激动。对于他来说，国君的贺礼有更重要的意义。

可是很快孔丘就知道一切不过是自己的幻想，一条鲤鱼并不能改变自己的命运。如果真有龙门的话，会有成群的鲤鱼跳过去，而不仅仅是自己。

所以，孔丘只能继续管理自己的仓库。一年后，被轮岗为乘田吏，管理畜牧，整天和牛羊打交道了。

不过，孔丘依然执著于学习周礼和其他的知识。

季孙家的内讧

孔丘二十二岁的时候，已经是在季孙家里打工的第三年。这一年，季孙家中出了一件大事。

就在孔丘母亲去世的那一年年尾，季孙宿也鞠躬尽瘁了。季孙宿的儿子季悼子接任不久也去世了，于是季悼子的儿子季孙意如（季平子）现在是季孙家的主人。而季孙家的大管家南遗也已经追随主人而去，儿子南蒯成为季孙家的大管家。

"连管家都世袭了？"孔丘感到惊讶，看来诸侯架空了周天子，三桓架空了

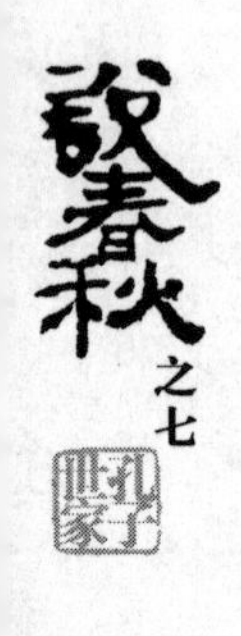

鲁国国君,现在家臣要把三桓也架空了。“君不君,臣不臣啊。”

南遗是季孙家的老家臣,季孙宿在世的时候对南遗就很客气,所以南家在季孙家中地位很高。可是,季孙宿和南遗相继去世以后,如今的季孙意如对南蒯很不敬重,这让南蒯非常恼火。

“小兔崽子,跟我斗?整死你。”南蒯暗中咬牙切齿,要想办法收拾季孙意如。

具体怎么整呢?南蒯决定找两个好朋友一起整。

公子慭(音印)是鲁昭公的哥哥,算是朝中比较有地位的人。可是,鲁国的地盘和军队都归了三桓,公子慭虽然是个公子,名下没有几亩地,常常喊穷,暗地里恨得三桓牙痒痒,尤其恨季孙家。

南蒯来找公子慭了,这是个天然盟友。

“公子,我给你带了几斤肉来。唉,你说你,名义上贵为公子,实际上还不如我富裕。”南蒯故意这样说,要激怒公子慭。

南蒯的话果然正戳在公子慭的软肋上,公子慭的脸色一下子变得很难看。

“唉,天理何在啊,天理何在啊?”公子慭抱怨着,眼中发出仇恨的光芒。

三言两语之后,公子慭的情绪已经很高昂了。

“公子,我也为你不平啊。你说我这人吧,虽然给季孙家打工,可是心里装着的还是国君和国家啊。我有个想法,咱们合作把季孙赶出鲁国,把他们的土地财产都收归国有,公子您来接替季孙的地位。我呢,就把费地给我,我当个大夫就行了。”南蒯和盘托出了自己的计划,充满了诱惑力。

“好好好。”公子慭连说了三个好字,他有什么理由拒绝呢?

两人商量好之后,派人去找他们的另一个朋友,这个朋友叫叔仲小(子仲)。叔仲家族是从叔孙家族中分离出来的,看着叔孙家吃香的喝辣的,叔仲小的心里也是早就不平衡了。

所以,三人一拍即合。

同志是有了,可是办法呢?南蒯早就想好了。

“叔孙婼继位以来,已经接受了国君的二命和三命为卿,三次任命,这地位已经超过了他的父亲,可是他何德何能?啊?叔仲,这个事情我和公子慭都不方便出马,你去比较合适,你就对季孙意如说叔孙婼三命为卿超越了他的父祖,是违反周礼的,让他自己把三命给退了。”南蒯的主意,就是要首先离间季孙家和叔孙家,然后再对季孙家动手。

叔仲小找了个机会去见季孙意如,把南蒯教给他的话对季孙意如说了。

“哎,是啊。”季孙意如觉得有道理。

于是，季孙意如派人去找叔孙婼，说是你不应该接受三命，你自己去找鲁昭公，把那最后一命退回去吧。

叔孙婼一听，火气腾地上来了。

“这些年来，你们季孙家可没少祸害我们叔孙家。如果你们认为我们不对，你们可以讨伐我们。不过，我这三命是国君给的，是我该得的，我凭什么退回去？”本来叔孙家和季孙家就面和心不和，如今你季孙意如管得宽，管到了我们的头上，好啊，既然这样，咱们就撕开面皮算了。

赶走了季孙意如派来的人，叔孙婼一不做二不休，随后去了朝廷。

“我要打官司，我要和季孙打官司，太欺负人了，这日子没法过了。”叔孙婼在朝廷一通大闹，闹得人人皆知。

大家好劝歹劝，总算把叔孙婼给劝回了家。

季孙意如万万没有想到叔孙婼的反应这么大，心里有些害怕。于是，又派人去叔孙婼家道歉，说这个事情是自己被人忽悠了，忽悠自己的这个人就是叔仲小。在此表达诚挚歉意，希望双方捐弃前嫌，建立信任。

好歹，叔孙婼算是消了气，这件事就算是过去了。

流产政变

成功离间了季孙家和叔孙家，南蒯三人开始进一步的谋划。

“以季孙家现在的实力，我们不能硬来，凭我们三个的力量还是不够。”南蒯说，他还算明白自己的分量，“这个事情必须要得到国君的支持。”

在这一点上，三人的意见是一致的。或者说，另外两个人没什么主见，南蒯说什么他们都说好。

“这样，公子慭去跟国君商量，我们找个机会把季孙意如给骗到宫中，就在宫中宣布他的罪名，没收他的家产和土地。”南蒯见公子慭和叔仲小都赞同自己的看法，非常高兴，提出了具体的办法。

大家都说这个办法好。

忽悠季孙意如是派叔仲小干的，忽悠鲁昭公的任务就交给了公子慭。

公子慭找了个机会把三个人的计划告诉了鲁昭公，并且希望鲁昭公能够发挥作用。

“什、什么？”鲁昭公的反应大大出乎公子慭的预料，按照公子慭的想法，除掉季孙家就等于帮助鲁昭公夺回国家，鲁昭公应该高兴才对，可是鲁昭公的反应不是很高兴，而是很害怕。“你们吃了豹子胆了？这，这不是找死吗？我

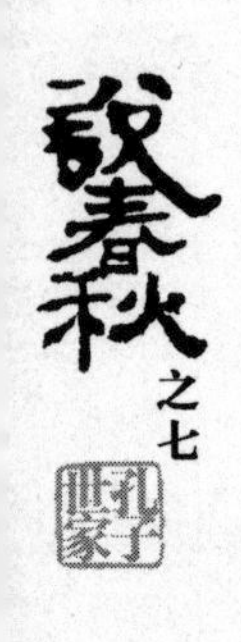

不干。”

公子憖有点傻眼，现在鲁昭公是关键人物，如果鲁昭公不肯参与，这事情要成功就基本没戏。

“主公，这样的机会可不多啊。机不可失，时不再来啊。”公子憖劝说鲁昭公。

“别说了，这事我坚决不干。要干，你们自己干。”鲁昭公铁了心，坚决不干。

公子憖再三劝说，鲁昭公再三不肯。到最后，公子憖没有劝动鲁昭公，倒被鲁昭公把自己说得动摇起来。

“是啊，军队都在人家手里，咱们凭什么跟人家斗啊？”公子憖越想，越觉得这事情有点没谱。

“没错啊，你们凭什么跟人家斗？你以为季孙家和叔孙家成仇人了？别傻了，一旦季孙家危险，你看叔孙和孟孙家帮谁吧。”现在，轮到鲁昭公来劝公子憖了。

公子憖是越想越后怕，现在想的不是怎样对付季孙了，而是怎样保护自己。

“主公啊，我也觉得这件事情很弱智了，可是我已经答应了南蒯了，要是我反悔，得罪了南蒯，也没好果子吃啊，我可怎么办啊？”公子憖很为难，有些骑虎难下的意思。

“那我不管你了，反正，我躲开，我过两天去晋国国事访问，你们爱怎么闹怎么闹。”鲁昭公要闪人。

“那什么，主公，你要去，带上我呗？”公子憖的想法，就是金蝉脱壳，找个借口开溜。

“好吧。”鲁昭公同意了。

三天之后，鲁昭公宣布前往晋国进行国事访问，公子憖随行。宣布之后，当日启程，走了。

公子憖和鲁昭公这么一走，南蒯知道这两位是开溜了，自己被晾在旱地里了。

“我晕，我为你们卖命，你们倒先闪了？”南蒯这叫一个郁闷。

还有更郁闷的事情。

公子憖的胆子小也就罢了，可是叔仲小的嘴碎。南蒯的计划还没有实施，消息就已经传出去了。整个曲阜城里都在传说南蒯要联合鲁昭公和公子憖动手收拾季孙意如，季孙意如自然听说了，虽然不敢动南蒯，可是已经提高了警惕。

南蒯知道，以现在的形势发展来看，摊牌是必然的结果，要么被驱逐，要么自己先下手为强。问题是，缺少了鲁昭公和公子慭，自己名不正言不顺，一旦自己动季孙家，另外两家肯定会联手对付自己，这样自己就成了全民公敌。可是，要等鲁昭公和公子慭，基本上就等于等死，何况那两个回来又能怎么样？

到了这个时候，南蒯很后悔，可是，后悔有什么用？现在只能想办法收拾这个烂摊子了。

三十六计，走为上计。

南蒯想来想去，只有一个办法：回到自己的封地费地，带领费地投靠齐国，寻求保护。

说起来，费地还是季孙家封给他的。

错过战争

南蒯带着费地投奔了齐国，而公子慭在听说之后，不敢回到鲁国，也去齐国政治避难了。

季孙意如很愤怒，现在他知道当初叔仲小挑拨自己与叔孙昭子之间的关系是什么目的了。如今南蒯和公子慭都跑了，季孙意如觉得不应该放过叔仲小。

"我建议驱逐叔仲小。"李平子向叔孙婼建议，他觉得叔孙婼会赞成。

"不，冤冤相报何时了？何必得罪这个人呢？"叔孙婼拒绝了，不仅拒绝了，还专门派人去找叔仲小，说自己原谅了他。

季孙意如很恼火，这下坏人都是自己做了。

"攻打费地。"季孙意如发布了命令。

季孙家进行紧急动员。

所有季孙家的雇员都在紧急动员之列，包括孔丘。

孔丘有生以来头一次正式穿上了皮甲，登上了战车，开始作战训练。

从一开始，大家认为孔丘既然是叔梁纥的儿子，而且这么高大，一定武艺高强，力大无穷，所以适合充当车右。不过很快发现孔丘好像不具备打仗的天分，射箭似乎也不太灵，没办法，只好让他当御者。

御者是个技术活，孔丘学过，可是实习的机会不多，所以技术很一般，再加上因为高大而体重比较重，他当御者马比较累。

弄来弄去，孔丘似乎什么也不适合。出兵的时候，孔丘被留在曲阜了。

孔丘唯一的一次战斗机会，就这样失去了。实际上，孔丘很愿意参战，因为这是一个机会，表现自己的机会。

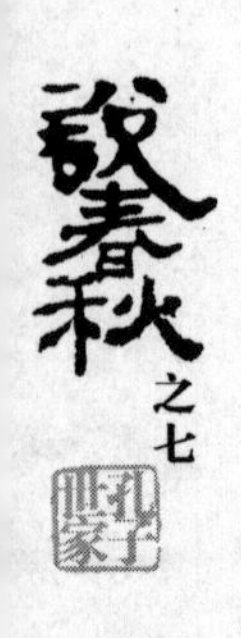

事实证明,落选是幸运的。

季孙意如派叔弓领军攻打费地,结果,反而被南蒯率领费地击败了。叔弓,就是公孙婴齐,是弓姓的得姓始祖。

季孙意如非常愤怒,下令看见费地人就抓起来。

“不能这样啊,这样就等于逼着费地人跟着南蒯了。我们应该做的是收买费地的人心,看见费地人,缺吃的给吃的,缺穿的给穿的,费地人自然就会抛弃南蒯,重新投入祖国的怀抱。”一个叫做冶区夫的家臣急忙阻止他,提出一个截然相反的建议。

“哎,是啊。”季孙意如觉得有道理。

在季孙意如的和平演变之下,两年之后,果然费地人赶走了南蒯,重新投入祖国的怀抱。南蒯则逃奔齐国。不过,在齐国,南蒯的日子过得很糟糕,因为齐景公很不喜欢他。

“叛夫。”齐景公这样称呼他,显示对他的蔑视。

“主公,我不是叛徒啊,我只是想帮鲁国国君对付季孙家啊,我是为国尽忠啊。”南蒯急忙为自己辩解。

“啊呸,”齐景公没有骂他,齐国大臣子韩皙插了一嘴,“你是季孙的家臣,却帮着国君对付季孙,你罪莫大焉。”

看来,忠君爱国是需要资格的。或者说,在忠君爱国的问题上,也是不可以越级的。

第二四六章　私立学校

"乱，太乱了。"孔丘很是感慨，鲁国的乱让他思绪万千，常常晚上一个人在月亮下思索。季孙意如本来是鲁昭公的臣下，可是他不买鲁昭公的账；南蒯本是季孙家的家臣，却要除掉季孙家族；而费地的人民本是南蒯的属下，却把南蒯赶到了齐国。

整个乱成了一锅粥，而乱成一锅粥的根本原因是什么？是大家都不遵从周礼了，是国君不像国君，大臣不像大臣了。这样的话，国家就失去了秩序，还成其为什么国家？

那么，如果大家都遵从周礼呢？

研究周礼

孔丘开始潜心研究周礼，越是研究，就越是感觉周礼是个好东西。

"那些没用的东西，你研究它们干什么？咱们小老百姓，想办法挣几个钱养老婆孩子是正路，整天整那些公卿大夫们才整的东西干什么？也不撒泡尿照照自己，哼。"孔丘的老婆丌官氏一肚子火发向了孔丘。这也难怪，在生了孔鲤之后，丌官氏又为孔家生了一个女儿，由于这一次国君送来了一个麻雀作为贺礼，女儿的名字就叫孔雀。本来家里就不富裕，如今再添一口，生活就紧张起来。丌官氏原本就觉得自己是被骗来的，如今看见老公不好好挣钱，反而整天研究些没用的东西，自然怒火中烧。

"老婆，你没看这个国家一天天衰败下去吗？如果有一天国家完蛋了，咱们都是亡国奴啊，那时候就惨大了。我研究这些，就是要保证国家富强起来，咱们老百姓的日子也就安稳了。再说了，我研究这套要是被国君看中了，我也

能当卿大夫啊。老婆，好日子就在前头了。”面对老婆的抱怨，孔丘耐心解释着。

由于不能给老婆富裕的生活，孔丘对老婆一直有一种愧疚之心，除了平时体贴入微之外，老婆发脾气的时候，孔丘也都忍让着。可是，越是这样，老婆的脾气就越大。刚嫁过来的时候，丌官氏虽然也有不满，可是毕竟远道而来，举目无亲，老公对自己也很体贴，也就认了。可是后来生了孔鲤，孔丘得到了一条鲤鱼，以为是国君亲自送的，因此难免野心膨胀，在床头给老婆描绘了美好明天。谁知，美好明天很快成了泡影，丌官氏被吊起来的胃口却怎么也消不下去了，她盼望美好生活，可是孔丘不能给她，于是她开始发脾气，孔丘一再的忍让让她的脾气越来越大。

“好日子？别做梦了，跟着你，能不出去讨米就算老天开眼了。”丌官氏恨恨地说，之后越想越伤心，竟然掉下了眼泪：“我的命怎么就这么苦呢？怎么就嫁给了你这么个窝囊废呢？呜呜呜呜……”

孔丘不说话了，他忍着。

丌官氏哭着走开了。

而孔丘一天的情绪都不好，第二天他拼命调整情绪，继续研究周礼。

鲁昭公十五年(前527年)，这一年孔丘二十五岁。

春天的时候，鲁昭公决定祭祀鲁武公，祭祀仪式由叔弓主持。可是仪式刚刚开始，叔弓突然心脏病发作，死在祭祀现场。

“怎么办？”孔丘去围观了祭祀活动，这是他学习周礼的最佳时机了。祭祀的时候遇上这样的事情，该怎么办？孔丘很好奇，他确实不知道。

现场的做法是把叔弓的尸体抬了下去，然后换人主持，祭祀活动继续进行，不过把音乐歌舞的部分取消了。

后来孔丘知道，这样的做法是合乎周礼的。不过，孔丘这个时候感觉到，自己对周礼的研究远远不够，特别是涉及诸侯这个级别的部分。问题是，如果要引起国君的关注和重视，恰恰是这个部分的周礼最为重要。

怎么才能学习诸侯这个级别的周礼呢？孔丘一时还没有想到办法。

鲁昭公十七年六月一日，鲁国发生日食。

“这个时候该怎么办？”孔丘来了兴趣，按照周礼，应该怎样应对。

日食也算是件大事，因此卿大夫们都上朝讨论。负责祭祀的祝史前来请示，问需要什么样的祭品，以及该祭祀谁。

“按照周礼，发生了日食，天子就应该减少自己菜肴的数量，并在土地庙击鼓驱邪；诸侯则在土地庙祭祀，向土地神献上供品，同时也要击鼓驱邪。”叔孙婼给了答案，他对周礼比较有研究。

祝史正要按照叔孙婼的说法去做，季孙意如说话了。

"不能这么做，据我所知，只有在正月一日发生了日食才这么做，其他时间发生日食什么都不用做。"季孙意如反对。

这下，大家都有些傻眼，上卿和次卿意见不一样，该听谁的？这时候，太史说话了，在这类问题上，太史是权威人士。

"叔孙说得对，季孙说得不对。"太史终于发话了，他支持叔孙婼。"恰恰是这个月发生了日食才这么做。这个时候日月星互相侵犯，因此才发生了日食。在这样的情况下，百官都要脱下朝服穿上便服，君主减少菜肴，搬出正寝，要派人击鼓驱邪，在土地庙祭祀并且献上祭品。这个月是夏历的四月，因此叫做孟夏。"

季孙意如的脸色很难看，在这么多人的面前丢面子真是一件很没面子的事情。

"不对，你说得不对，我说了，什么都不用干。就这样了，散朝了。"季孙意如决定来个不讲理，管你对不对，反正我来决定。

季孙意如发了话，谁也不能反对，于是一哄而散。

孔子知道了这个事情，又长了见识。不过他又感慨自己的知识不够用，还要好好学习。

终于，秋天的时候，孔丘有了一个学习的好机会。

秋天，郯（音谈）国国君来国事访问了，因为属于东夷国家，没有爵位，因此就称为郯子。郯国在今山东郯城县，郯国的祖先是东夷族的少昊氏，嬴姓。话说如今郯国有一棵古老银杏树已有三千岁高龄，高四十二米，树围八米，直径二点六米，树冠根系面积五六亩。现在依然枝繁叶茂，生机盎然。

郯子来到，鲁昭公亲自设宴招待，叔孙婼作陪。

叔孙婼是个很好学的人，他问了郯子一个问题："我想请教，当初少昊氏的官名都以鸟来命名，这是为什么？"

"少昊氏是我们的祖先，所以这个我倒知道。"郯子很得意，毕竟有人向自己请教。"从前黄帝以云来记事，因此他的官名都是云；炎帝以火记事，因此以火来命名他的百官；共工以水记事，因此以水来命名百官。太昊氏以龙记事，因此用龙命名百官。我们祖先少昊继位的时候恰好有凤鸟飞来，于是就用鸟来命名百官了。"

之后，郯子把当时用鸟命名的官名和现在的官名对应着说了一遍。最后，郯子说道："自从颛顼继位以后，就改变了这些做法，因为百官实际上都是管理百姓的，所以都用百姓的事情来命名了，一直延续到今天。至于上古的官名，

就都被忘记了。”

叔孙婼非常高兴，再三道谢。

孔丘听说这件事情之后，专门去求见郯子，向他请教。

“我听说，天子失去了古时百官的制度，可是这些学问却保存在四周的蛮夷小国，看来真是这样了。”孔丘从郯子那里出来，逢人就说。

说起来，这是孔丘第一次与一国国君面对面交谈，而郯子也就成为有文字记载的孔子的第一个老师。

三十而立

鲁昭公二十年（前522年），孔丘作了人生中最重要的一个决定。

孔丘决定辞去季孙家的工作，自己开设一所学校。之所以有这样的想法，出于以下几点原因。

首先，孔丘不是一个能说会道、讨人喜欢的人，在季孙家中他的工作成绩不错，可是因为不懂得怎样讨好上司，因此看不到前景。说起来有些巧合，他的上司恰恰就是阳虎。阳虎对他还算不错，也曾经对当年驱赶他表达了歉意。不过，阳虎也并不是太喜欢他。换句话说，孔丘没有在阳虎的圈子里，因此也就根本没有进入上升通道。

其次，世界和鲁国都在急剧变化，士农工商四种人之间的转化越来越多，很多农工商的人希望学习知识，却没有地方去学习。还有大量的野人获得土地，生活越来越好，也希望融入主流社会。如果自己开设私校，这些人就可以来学习，而自己靠收取学费也能过上不错的生活。

再次，由于三桓瓜分了鲁国，国君只能靠三桓的进贡生活，那么，原有的国家机构都面临生存危机，包括公立学校，多数名存实亡，大量的士也无法受到教育。

孔丘下定了决心，于是从季孙家辞职出来，开始招生讲学。

在鲁国历史上，此前曾经开设学校的只有一个人，那就是展禽。不过严格说来，展禽算不上开设学校，因为那时候展禽年事已高，就在自家门前的大柳树下讲课，听者来去自由，也不需要交纳学费。说起来，类似公开讲座。

因此，孔丘算得上是鲁国历史上第一个开设私学的人，也是中国历史上第一个开设私学的人。所以说，孔丘是中国私人教育的祖师爷。

这一年，孔丘三十岁。

在三十岁上开创自己的事业，孔丘自立了。

按《论语》。子曰：“吾三十而立。”

从这里开始,我们要改称孔丘为孔子了,因为他已经是孔老师了。

孔子兴办私校的事情在整个鲁国引起轰动,因为这是开天辟地的一件事情。从前,学校都是公立,只有贵族才有受教育的权利。如果孔子开设私校,等于向所有人开放了受教育的权利。

这符合周礼吗?周礼中对此没有规定。不过,从周礼的精神来推论,这是违背周礼的。

所以,孔子从一开始就是用反周礼的方式来教授周礼,以周礼叛逆者的身份来鼓吹周礼。

从一开始,孔子就是一个矛盾体。

还好,礼崩乐坏的鲁国已经开始无视孔子对周礼的破坏了,已经可以包容孔子这样的挑战周礼的行为了。没有人对孔子的做法提出质疑,大家都怀着好奇心来看这个年轻人要做出些什么。

孔子开设的课程为六艺中的书、数、礼、乐,射和御没有开设,一来办学条件不具备,二来这两门学科有些忌讳,三来这两项技艺对于老百姓来说并不实用。

孔子私学的收费为十根腊肉,包含整个课程。走读,因为孔子家中不具备寄宿条件。

按《论语》。子曰:"自行束修以上,吾未尝无诲焉。"

孔子办私学虽然引起轰动,但是看热闹的多,真正报名的少。对于普通老百姓来说,学费是一个方面的问题,另一方面,大家心存疑虑,认为自己这个阶层就不应该有学问,就应该受剥削被管制。所以,即便有的人财力足够,也不来上学。

招生一个月,孔子私校也只招来了不到十名学生,其中有秦商、曾点、颜繇、冉耕,这些人中只有少数是士。

孔子很失望,他没有想到情况会是这样。

然而,比他更失望的是老婆亓官氏,亓官氏原本以为孔子找到了一条发财的捷径,今后自己吃香的喝辣的当上了贵妇人。可是,无情的现实破灭了她的美梦。

"当初叫你别辞职别辞职,你不听,这下好了,全家喝西北风吧,哼。说什么自己创业,创你个头啊。说什么下海,淹死你吧。你看人家叔衡,人家跟你一块去季孙家打工,人家都混成副总管了,再看看你,你就是个窝囊废。"亓官氏喋喋不休,很多天阴沉着脸。

孔子的心情本来就不好,亓官氏这个时候还风言冷语,让孔子感到阵阵心寒。

“你嫌我穷，你说我窝囊废，那你可以改嫁啊。”孔子实在忍不住了，第一次发起了反击。

“什么？你要赶我走？你这个没良心的东西，你以为天下就你一个男人，啊呸！”亓官氏发起了更猛烈的反击。

孔子没有再说什么，他对眼前这个女人实在已经厌倦了，他转身走了，任凭身后的亓官氏怎样哭骂。

尽管家庭生活很郁闷，孔子在教学上还是很尽心尽力，学生们都感觉十条腊肉交得值。孔子因材施教，针对每个人不同的情况进行教学，让每个人都有收获。

中间，有人入学，也有人退学，孔子的学生数量基本上在十个人左右，收入勉强维持生计。

不管怎样，孔子的名声逐渐打了出去，特别是他对周礼的理解受到多方的称赞，有时也有贵族专门来请教周礼的内容。

第二年的春天，孔子招收了一名学生，这一名学生的到来改变了孔子的命运。

这个学生是谁？南宫敬叔。

南宫敬叔是谁？这要从一段风流韵事说起了。

送上门的美女

孟孙家传到了孟僖子这一辈，孟僖子这人平时大大咧咧，不学无术，这也就算了，最糟糕的是，不会生儿子。孟僖子娶了几个妻妾，结果女儿生了一大堆，儿子一个也没有，把孟僖子给急得要命。

整个鲁国把这件事情当成一个笑谈，可是，有一个女子从中看到了机会。所以，在别人看笑话的时候，谁能够从另外一个角度去发现机会，这样的人一定能够成功。

一个泉丘（今山东宁阳）的女子，家里很穷并且连士也算不上，但是人长得很漂亮并且非常聪明。她一直试图改变自己的命运，现在，她看到了机会。

“想过上好日子吗？”泉丘女问她的闺密，邻居家的女儿，这个女儿也长得很漂亮。

“做梦都想啊。”邻家女不假思索地说。

“有一个机会，愿不愿意搏一搏？”泉丘女问。

"愿意。"

"那好,明天一大早跟我走。"

"去哪里?"

"别问那么多,跟我走就行了。"

第二天一大早,泉丘女和邻家女上路了,目标直奔曲阜。来到曲阜,直奔孟孙家,求见孟僖子。

美女求见,孟僖子照例是要见的,孟家世世代代有一个传统,那就是风流倜傥。

"两位美女,找我有什么事?"孟僖子问。看见美女,心情爽朗很多。

"我昨天做了一个梦,梦见我们家的帷幕挂在孟家的宗庙上了。一个神人在梦里对我说,孟家的后代就在我的肚子里。所以,我一大早就赶来了,我要嫁给你。"泉丘女直奔主题而来,不过编了一个做梦的故事。

"真有这事?"孟僖子有些将信将疑,难道自己生不出儿子,就是因为老天注定要让这个女子为自己生?

"如果我骗你,生小孩没屁眼。"

"那,找地方盟誓。"孟僖子决定试试,反正自己不吃亏。

于是,孟僖子跟泉丘女和邻家女来到了土地庙盟誓。盟誓的内容是这样的:如果不能为孟僖子生儿子,泉丘女后果自负,自己回家并不得索要青春损失费;如果泉丘女生了儿子,孟僖子就不能抛弃她。

最后,泉丘女提了个附加条件:我这闺密跟我一块来了,反正多一个不多,算我买一送一。如果生了儿子,我们两个都跟定你了。

孟僖子立即答应了,确实是多一个不多,万一这邻家女能生儿子不是也挺好?

泉丘女为什么拉上邻家女呢?因为人多力量大,两个人生儿子的概率就提高了一倍,一旦生了儿子,两人的后半辈子就都有依靠了。

之后,孟僖子在郊外安置了二人,孟僖子搬过去跟她们同住,结果泉丘女果然厉害,不仅生了儿子,而且一生就是两个,没办法,双胞胎。大儿子自己养,小儿子给邻家女养。于是,两人都名正言顺进入了孟孙家,过上了好日子。

这大儿子名叫仲孙何忌,后来接掌孟孙家,就是孟懿子;小儿子名叫仲孙阅,因为后来居住在南宫,因此被谥为南宫敬叔。

孔子那年头,私奔是很寻常的事情。

第二四七章　公款出国

鲁昭公七年的时候,鲁昭公去楚国朝拜,谁也不愿意跟着去,说楚国人是蛮子,不懂礼节。孟僖子自告奋勇要跟着去,为什么?因为他不懂外交礼节,别的地方不敢去,正好去不懂周礼的楚国。

孟僖子就这样跟着鲁昭公去了楚国,谁知道,一路上没别的,只剩下丢人了。

去楚国的路上路过郑国,郑简公很热情,亲自到城外为鲁昭公接风洗尘,礼节非常周到。可是孟僖子作为首席陪同官员,竟然不知道怎样答谢,一时尴尬非常。

到了楚国,楚灵王也在城外宴请鲁昭公,在周礼中叫做郊劳。楚国人的礼仪做得非常好,可是鲁国人完全傻眼,不知道怎样答谢。

弄来弄去,蛮夷之邦礼数周到,礼仪之邦反而很无礼。

孟僖子受了刺激,这叫一个后悔,这叫一个惭愧,这叫一个没面子。回到鲁国,直接把两个儿子叫过来,千叮咛万嘱咐要好好学习,不要像自己一样不学无术,走出国门为国家丢人。

到现在,孟僖子听说孔子开讲周礼,据说还讲得不错,于是派南宫敬叔前来看看。就这样,南宫敬叔就来了。

高贵的学生

南宫敬叔来了,孔家学堂立即引发轰动。想想也是,别的学生连士都未必是,可是南宫敬叔是卿的儿子,天生的级别就是大夫。家里有权有钱什么都不缺,而且还享受义务教育,他来干什么?

"老师，我想来听听老师讲周礼，可以吗？"南宫敬叔非常恭敬地对孔子说。这让大家都感觉意外，看来，高干子弟也并不都是飞扬跋扈的。

"当然可以。"孔子求之不得，南宫敬叔来听课，不仅表明国家领导层对自己办学的认可，更加是为自己在做广告。

南宫敬叔就这样听了一课，孔子则拿出自己最擅长的内容来讲了这堂课。

"老师，说实话，您比那些义务教育的老师讲得好太多了，我明天就来正式报名，做您的学生。"南宫敬叔对孔子的学问非常佩服，当即决定拜师。

孔子非常高兴，想想看，国家领导人的儿子来做你的学生，哪个老师不高兴？

当晚，孔子决定请学生们吃肉，并且第二天放假。

第二天，南宫敬叔提着十块腊肉就来了。南宫敬叔的腊肉，比其他人的块头都大很多，而且色泽也好得多。顶级腊肉，绝对的顶级腊肉。

从那之后，南宫敬叔时常来上课，他听课非常认真，态度也非常谦恭，即便对那些地位低下的师兄弟们，也都非常友善。遇上不懂的地方，也都主动提问，有的时候下了课，还私下向老师请教。

"这个学生真好，别看人家是高干子弟，一点也不以高干子弟自居，好学生，好学生。"孔丘非常喜欢南宫敬叔，逢人就夸，"国家政治清明的时候，他一定能做个好官；国家政治昏暗的时候，他也能保住自己的家族。"

按《论语》。子谓南容："邦有道，不废；邦无道，免于刑戮。"

这一天，孔子讲授完周礼，其余的学生下了课该干什么干什么去了，南宫敬叔原本准备回家，可是想起一个问题来，于是来找孔子。

"老师，我有个问题想问。"南宫敬叔很有礼貌地说。

"说。"孔子微笑着说。

"当年羿是神射手，浇善于水战，但是两人都死得很惨。而大禹没别的本事，就会种地，结果是大禹拥有了天下。老师，这是为什么？"南宫敬叔问，他搞不懂为什么有能耐的反而不如没能耐的。

孔子想了想，想不出个所以然来，颇有些为难，这时一个人推门进来。

"叔叔，我们来了。"一个清脆的女声传过来，孔子转头去看，只见一个十五六岁的小姑娘走了进来，小姑娘不是别人，是孔子的侄女，孟皮的女儿。因为性格活泼又长得十分漂亮，孔子也很喜欢她。孔子和哥哥平时的走动也多，今天是孟皮带着女儿来这里串门。

侄女来得真是时候。

孔子对她笑了笑，再看南宫敬叔，发现南宫敬叔的眼睛死死地盯在侄女的脸上，嘴微张着合不拢。

孔子又笑了，他知道南宫敬叔这小子对自己的侄女惊艳了。

紧接着，孟皮也走了进来。

兄弟相见，好一番寒暄，南宫敬叔不好再待下去，只得告辞，临别，还依依不舍地望着孔子的侄女。

“兄弟，这人是谁?”孟皮问孔子。

“这人？君子啊，是个品德高尚的君子啊。”孔子回答。

“究竟是谁?”

“南宫敬叔啊。”

“啊，是他。”孟皮吃了一惊，没想到自己竟然在这里遇上了南宫敬叔。

“我看，他对侄女倒是一见钟情啊。”孔子对哥哥说。

“我看出来了。”

“不如这样，我来做个媒，咱们就结了这门亲戚吧。”

“那敢情好，可是，人家愿意吗?”

“包在我身上。”孔子拍了胸脯，哥哥帮他娶了老婆，他这下一定要帮哥哥找个好女婿。

孔子说到做到，第二天就向南宫敬叔提起了这门亲事，正中南宫敬叔下怀，欣然同意。于是，孟皮攀上了高枝，女儿这一辈子算是衣食无忧了。

不过，依照当时的风俗以及孟皮的地位，孟皮的女儿应该是做妾而不是妻。

按《论语》。南宫适问于孔子曰：“羿善射，浇荡舟，俱不得其死然。禹稷躬稼而有天下。”夫子不答。南宫适出。子曰：“君子哉！若人。尚德哉！若人。”

按《论语》。南容三复白圭，孔子以其兄之子妻之。

关于南宫敬叔的年龄，历来说法不一。通常认为南宫敬叔这个时候只有九岁，理由是南宫敬叔母亲私奔到孟家记于鲁昭公十一年，那么到鲁昭公二十一年，南宫敬叔顶大也就是九岁。但是，私奔一事记于鲁昭公十一年，不等于事情就发生在鲁昭公十年。譬如昭公七年就记载了孟僖子临死嘱咐两个儿子要向孔子学习周礼，而那一年孔子不过十七岁，孟僖子也不是死在那一年，而是死在十七年之后。类似的事情，《左传》中还有很多。

所以，这个时候，南宫敬叔应当在刚过二十岁的年龄。

公派出国

把侄女嫁给了南宫敬叔，孔子和南宫敬叔之间的关系一下子拉近了许多。原本的师生之间的关系，高干子弟和士之间的关系，现在成了亲戚关系。

南宫敬叔到孔子的学校上学引起了轰动,一时间有很多人上门来试听课,而且都是士以上的阶层。孔子以为报名人数会大增,收入自然也就会大增。可是出乎意料的是,看热闹的多,真正愿意报名的少。为什么呢?

因为孔子虽然学识渊博,可是毕竟出身贫寒,对很多周礼的内容只有理论没有实践,有很多漏洞出来,因此真正有见识的人往往感觉失望。

孔子自己也意识到这一点,怎么办?

俗话说:外来的和尚好念经。当然,那年头还没有和尚。不过,道理是这么个道理。孔子知道自己要当外来的和尚是不可能了,可是,出去留个洋镀镀金还是可以的,如果去伟大的首都学习学习,那回来之后身价立马就不同了,见识也增加了,不愁没人报名学习。

想法虽然是个好想法,可是要实施还有些困难。困难具体为两个方面:第一,经费问题,去一趟伟大首都可是一笔不小的开销;第二,就算凑齐路费去了伟大首都,可是人生地不熟的,谁搭理自己啊?

不过,这点困难是难不倒孔子的。

这一天,讲课结束,下课之后,孔子请南宫敬叔留下来说话。

"老师,什么事?"南宫敬叔恭恭敬敬地问。为什么他叫敬叔呢,因为他很恭敬。

"我听说吧,王室国家博物馆的老聃博古通今,上知天文下知地理中知人和,诗书礼乐无所不通,不是小通是大通,还精通道德。你叔叔我呢,想去王室跟他请教学问。我想呢,这样的事情公室应该鼓励,不知道能不能赞助一些车马费什么的,方便的话,替我问问。"孔子的意思,请南宫敬叔去鲁昭公那里帮他申请些经费。

"好啊好啊,包在我身上了。"南宫敬叔一口应承下来,一来有把握;二来,即便鲁昭公不肯出钱,自己掏钱也要帮老师走一趟;三来,要讨老婆欢心。

第二天,南宫敬叔就去见鲁昭公了。

"主公,孔子您知道吗?"南宫敬叔问。

"嗯,听说过,说很有学问啊,怎么,你拜他为师了?他学问怎么样?"鲁昭公的消息还挺灵通,早就听说过孔子了,也听说南宫敬叔放下身份前去求学的事情了,他还觉得挺好奇。

"主公,我老师是真有学问,怎么个有学问法呢?我觉得臧文仲、叔孙豹他们都没有我老师有学问。这么说吧,他说自己的学问是第二,鲁国没人敢说自己是第一。"南宫敬叔一通忽悠,把孔子捧上了天。

"哇噻,这么厉害?咱们鲁国不愧是礼仪之邦文明之国啊,真出人才。"

"有学问也就罢了,我老师还特别好学。昨天老师跟我说了,咱们鲁国是礼仪之邦，可是最近这些年在周礼方面还真做得不好，大家都不重视了。反而是我们丢弃的东西被外国人拣起来了，人家反而比我们正宗了，这不是太给我们丢脸了吗？这不是太给主公您丢脸了吗？所以，我老师想去王室学习周礼，回来之后好为国效力，让我们鲁国到哪里都有面子。”南宫敬叔开始把鲁昭公往自己的道上领。

“孔子说得对啊，当年你爹跟我出国访问，真是丢老了人了，唉，我们还真是落后了。去吧，我支持。”鲁昭公上道了。

“多谢主公的支持啊，不过我老师常说名正则言顺，名不正则言不顺。你想，我老师如果以民间教师的身份去伟大首都，谁理他啊？再者说了，我们堂堂鲁国竟然不派官方人士前往，而由民间人士自费前往，这跟咱们的地位太不相称了，这是丢主公您的人哪。所以我跟老师说了，我来找主公，主公肯定在人财物上全力帮助，并且给一个官派的名义。就这么着，我来找主公您了，您看这事怎么办？”

“好啊，你说得对啊，咱丢不起这个人啊。你去告诉你老师，所有费用我都包了，出车出人出钱还出介绍信。”鲁昭公毫不犹豫地答应了。

忽悠成功，非常成功。

现在，事情已经由孔子自费留学变成了公派出国考察学习，这不仅是经费的问题，这也是规格的问题。公派，代表了官方认可的地位。鲁国这么多公立学校的老师鲁昭公不派，却单单派了一个私立学校的老师，这说明什么？别的不说，仅仅是鲁昭公资助孔子去王室这件事情本身，就已经在鲁国引发轰动了。

参观学习

鲁昭公为孔子安排了一辆车，两匹马拉的车，一个御者，一个小童，此外，还有足够的路费以及一路通行的单位介绍信。南宫敬叔主动请缨，陪同老师前往伟大首都洛邑。

鲁昭公二十一年（前521年），这一年孔子三十一岁。一行四人上路，一路上，无非是饥餐渴饮，晓行夜宿，不则一日，来到了伟大首都洛邑。

考察学习，当然首先要考察。

孔子和南宫敬叔首先来到了周王室的明堂参观，这里，是周天子宣布政令的地方，也用来作为祭祀、选贤、纳谏、劝赏等重大国家事务的场所。平时，这里也对外开放，平民随便参观。

明堂门口的墙上画着尧、舜和桀、纣的画像，画像的下面罗列了他们的事迹或者罪行,还有相应的儆戒的评语。再旁边的墙上,则画着周公辅佐成王,抱着年幼的成王背对屏风,面向南接受诸侯朝拜的画像。

南宫敬叔也是第一次来伟大首都,看到周公的画像,不免好一阵激动,这就是自己的老祖宗了。

而孔子更加激动,他对周公的敬仰如江水滔滔,绵绵不绝。看见周公的画像,禁不住肃然起敬,来来回回地审视着。

"这就是周朝兴盛的原因了,明镜可以见已,学古可以知今。君主如果不能学习如何安身立命,忽略眼前的危险,就如向后跑却想追上前面的人一样,不是很荒唐吗?"孔子喃喃自语,又像在和南宫敬叔说话。

在洛邑的第二个参观场所是太祖庙,也就是周朝始祖后稷的庙,庙堂右边台阶前有一个铜人。铜人的嘴巴被封了三层,铜人的背上刻着这样一段话:"这是古代说话谨慎的人,小心啊,小心啊。不要多说话,说得越多,越容易坏事。不要多事,多事多祸患。必须要居安思危,才能避免做后悔的事情。不要说人和不好听的话,不要做任何不好的推测和判断,否则,就会招来祸患。不要以为自己说话没人听见,鬼神分分钟知道你在说什么。小火扑不灭,就会成为大火;小水拦不住,就会汇聚成河流;细线斩不断,就会织成罗网;树苗砍不断,就会长成大树。说话不谨慎,就是一切祸患的根源。不要小看了这一点,这就是祸患的大门。

"强横的人不得好死,好胜的人一定会遇上对手;盗贼仇恨主人,群众厌恶官僚。君子知道自己不能面面俱到,因此保持谦恭谨慎,让人们喜欢自己,没有人与自己相争。人们都争着去那边,我就守在这边;人们都随大流,而我只按自己的想法去做。所以我虽然比大家都高明,却没有人来仇恨我。江河能够汇集山谷的流水,就在于它的卑下;上天不会偏私,可是常常帮助好人。谨慎啊,慎之又慎啊。"

孔子和南宫敬叔看完了这段话,都深有感触,对视一笑。

"那天你问的问题,我回答不了。现在我终于明白了,你呢?"孔子问。

"老师,我明白了。"南宫敬叔回答。

"记住啊,这上面的话虽然鄙俗,可是合乎事理啊。《诗经》上说:'战战兢兢,如临深渊,如履薄冰。'如果一个人立身处世像这个样子,难道还会因为说话遭遇灾祸吗?"孔子指着铜人,对南宫敬叔说。

以上原文见于《说苑·敬慎》。

孔子之周,观于太庙右陛之前,有金人焉,三缄其口而铭其背曰:"(此处省略若干字)夫江河长百谷者,以其卑下也;天道无亲,常与善人。戒之哉!戒之哉!"

孔子顾谓弟子曰:“记之,此言虽鄙,而中事情。诗曰:‘战战兢兢,如临深渊,如履薄冰。’行身如此,岂以口遇祸哉!”

三缄其口,这个成语来自这里。

带着满怀的感慨,师徒二人进到了庙里。所到之处,两人都保持着恭敬和小心。孔子按照自己学习过的知识来认真地观察着,与自己的知识印证的地方,就会心一笑;恍然大悟的地方,就轻轻点头。一路下来,孔子的心情十分舒畅,感觉自己学到了很多东西。

突然,孔子看到一个奇怪的容器。他实在想不出这个容器的名称和用途,于是,他要发问了。

这是孔子的习惯,只要不懂的地方,他一定要问个清楚。

“请问,这是什么容器?”孔子小心翼翼地问守庙的人。

“啊,这个叫做右坐之器。”守庙人说,守这么多年庙,这个问题还是第一次被人问。

孔子愣了一下,右坐之器他是学过的。

“我听说,右坐之器有一个特点,盛满了水就会倒,水太少就会倾斜,只有水的高度恰当的时候,才会立得正,是不是这样?”孔子问。

南宫敬叔盯着孔子,老师连这个都知道,真是太有学问了。

“哦,你知道?”守庙的人有些惊奇,他以为没人知道这个容器的秘密呢。“你说得对,是这样的。”

“可以试试看吗?”孔子想要验证一下。

“当然,那边有水,你们去盛点过来吧。”守庙的人很高兴,欣然同意。

南宫敬叔没有等老师发话,事实上老师还真不好意思发话,所以南宫敬叔主动地走过去,用一个罐子从水池里灌了水,拿了过来。

右坐之器原本装着水,立得很正。守庙的人接过水罐,向里面倒水,水越来越多,直到装满。这个时候,右坐之器猛地倒了下来,里面的水都倒了出来。

“哇,果然啊。”孔子很高兴,尽管倒出来的水溅了他一脚。

南宫敬叔把右坐之器扶起来,守庙的人再向里面倒了一点水。然后南宫敬叔的手松开,果然右坐之器就歪歪斜斜地立着。之后,守庙的人继续向里面倒水,右坐之器一点点正起来,水装到一半的时候,右坐之器完全立正了。

“嗯,哪有满了而不倒的东西呢?”啧啧称奇之余,孔子有了一番感慨和领悟。

“老师,那么,要让满的东西不倒,有什么办法?”南宫敬叔问道。

“有啊,就是把里面的东西弄出来一些,不要让它那么满。”

“那,对应到人呢?”

“地位高的，要谦恭；事事圆满的，要谦虚；富有的，要节俭；出身尊贵的，要平等待人；聪明的，要能吃亏；勇敢的，要保持畏惧；口才好的，要敢于认错；博学的，不要卖弄高深；能看透世相的，要让自己糊涂一些。这样的做法，就是减损自己，避免太满。能做到这一点的，都是最有德的人啊。所以，《周易》里说：将要满的时候不自己减损反而增加的，最终一定会受损；将要满的时候懂得自损的，结果一定会很好。”

以上原文见于《说苑·敬慎》。不过，随同孔子的不是南宫敬叔而是子路。但是子路并没有随孔子去过洛邑，因此事实上应该是南宫敬叔。

原文如下(节选)：

孔子喟然叹曰：“呜呼！恶有满而不覆者哉！”

子路曰：“敢问持满有道乎？”

孔子曰：“持满之道，挹而损之。”

子路曰：“损之有道乎？”

孔子曰：“高而能下，满而能虚，富而能俭，贵而能卑，智而能愚，勇而能怯，辩而能讷，博而能浅，明而能闇；是谓损而不极，能行此道，唯至德者及之。易曰：‘不损而益之，故损；自损而终，故益。’”

(按：《史记》中孔子三十岁之前去洛邑，明显有误，历来不被采用，本书也不采用。现流行说法是孔子在鲁昭公二十四年去洛邑，可是，此时正是王子朝之乱，老子被胁从。兵荒马乱之中，孔子怎么可能去？去了怎么能见到老子？又怎么能考察？因此，本书也不采用。

据《礼记·曾子问》：孔子曰：“昔者吾从老聃助葬于巷党，及堩，日有食之。”据《史记》：鲁昭公二十一年，日食。

因此，可以确定地推断，孔子前往洛邑是在鲁昭公二十一年。

另，据《孔子家语》，孔子还曾经“访乐于苌弘”，而其他典籍中没有这项记载。以当时苌弘的地位，孔子恐怕难有机会见到，即便见到，恐怕也没有时间探讨音乐了。)

第二四八章　老子见孔子

孔子在伟大首都过得很充实,也很开心。他感觉自己的眼界开阔了许多,境界也提升了很多,真有一种豁然开朗的意思。

在洛邑,孔子常常向人请教,于是常常有人说起老聃,说老聃才是伟大首都最有学问的人。孔子早就听说过老聃,现在则更渴望能够见到老聃。

南宫敬叔帮助老师去联系老聃,除了求见老聃之外,还希望能够浏览周朝的典籍。

终于,老聃同意见孔子。不过,由于最近身体不好,推迟了几日。这推迟的几天,正好安排孔子到国家图书馆学习周朝典籍。

孔子非常高兴,于是带着南宫敬叔去国家图书馆学习周朝典籍,抄录了大量的典籍。后来孔子研究周易、周礼、诗等等,多半是这个时候从伟大首都抄录回来的。

老子对孔子的教导 

晴空万里,万里无云,云开雾散。

总之,天气不错,温度适中。阳光明媚,微风轻吹。

这是一个圣人见面的日子。

老子终于在家里接见了孔子,老子不算热情,但是很有礼貌,伟大首都的人接见外地来的朋友多半就是这样。而孔子很小心谦卑,毕竟土包子来到大城市,惴惴不安是必然的。

宾主双方进行了客气但是不算热情的会谈,分别介绍了周朝和鲁国的情况,之后,两人之间形成了共同的话题,理由很简单:两国都处于内部利益集团激烈斗争的阶段，周王和鲁国国君都成了摆设。

老子重点讲述了自己的道德理论和无为而治，而孔子还没有理论，他认为周礼是救世良方，古人的教训对于当今世界具有指导意义。

老子站在道的高度看孔子的想法，觉得实在单纯得可以，没办法，地方和中央是没有办法相比的，大家的高度确实有差距。不过对于孔子的好学，老子还是非常欣赏。

孔子激烈地批判了鲁国三桓专政，认为他们违背了周礼，直接导致了鲁国的衰败。

南宫敬叔就在一旁，脸色非常尴尬。

老子看出来，孔子还是太年轻，有激情却又容易激动，对当权者非常不满，是典型的愤青。再看看南宫敬叔的表情，老子知道自己应该提醒孔子了。

老子曰："子所言者，其人与骨皆已朽矣，独其言在耳。且君子得其时则驾，不得其时则蓬累而行。吾闻之，良贾深藏若虚，君子盛德，容貌若愚。去子之骄气与多欲，态色与淫志，是皆无益于子之身。吾所以告子，若是而已。"(《史记》)

简单翻译：你所说的太腐朽了，说话的人都已经变成土了，只有他们的话还留着。君子如果得到时机就发挥，否则就隐居起来。我听说，高明的商人不暴露自己的底牌，高尚的君子不显露自己的贤能。我建议你少一些骄傲，少一些欲望，你亢奋的神色和不切实际的目标，对于你都没有好处。我能忠告你的，就是这些了。

"是、是。"孔子心悦诚服，老子的话让他想起那个三缄其口的铜人。

第一次会面就这样结束了，谈不上特别愉快，但是还算融洽。孔子对老子佩服得五体投地，而老子对孔子也很喜欢，尽管他觉得这个年轻人还很不成熟。

基于大家的高度有差距，老子对于再见孔子兴趣不大。不过，孔子在接受了老子的教训之后，实际上也不愿意再谈论天下事。所以，孔子再次请求见面的时候，提出想要专门请教关于丧葬礼仪方面的问题。

鉴于孔子的诚意，老子决定再见他一次。

这一天，恰好老子主持一个葬礼，于是老子邀请孔子前来，代替自己主持，自己则在旁进行指导。孔子的主持中规中矩，完全按照周礼进行。在灵柩运往目的地的途中，突然天色暗了下来，抬头看，太阳被月亮一点点挡住，发生日食了。

孔子有些傻眼，他从来没有遇到过这样的事情，不知道应该怎样处理。

"孔丘，把灵柩停在路的右边，大家停止哭泣，等待自然的变化。"老子给孔

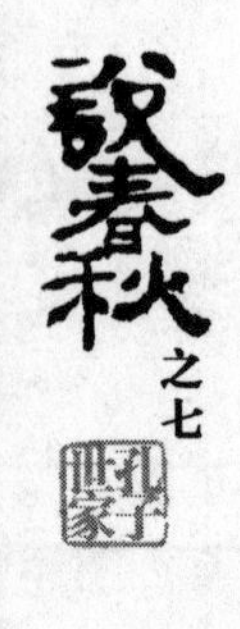

子下了指令，于是孔子急忙照办。不久，日食结束，于是继续行进。

“老师，为什么这样？”孔子问。

“因为这是合乎礼的。”老子回答。

等到葬礼结束，回到老聃的家中，大家坐定了，孔子还有问题要问。

“我知道，灵柩已经出殡就不能返回，而谁也不知道日食会持续多长时间，既然这样，当时为什么要停下来呢？与其等待着耽误时间，继续走不是很好？”孔子问。一路上他就在想这个问题。

“这个问题没有现成的答案，可是我们可以推理。诸侯朝见天子，早上太阳出来就出发，太阳落山就歇息。大夫出使，也是这样。下葬的时候，不能天不亮就出发，也不能天黑以后才歇息。披星戴月行走的人，不是江洋大盗，就是奔父母丧的。今天发生了日食，跟夜晚有什么区别呢？再说了，如果发生日食继续走，就等于诅咒大家的父母，这是不可以的。”老子的一番分析，见情见理，孔子恍然大悟，深受启发。

“老师，你太高明了，这就是传说中的举一反三吧？”孔子对老子的敬佩，是越来越强烈。

“老师，我还有个问题。”孔子是带着问题来的，自然还有问题。

“你说。”

“从前，八到十一岁的孩子死了，就在园子里埋葬，因此就用活动的床把尸体抬到墓坑旁，然后入殓下葬。后来下葬不在园子里了，地方远了，该怎么办？”孔子的问题很刁钻，不刁钻的问题也不用请教老子了。

“是这样的，当初史佚的孩子死了，墓地很远，召公就建议他先把孩子入殓了，然后再抬去墓地。史佚就说他不敢，于是召公去找周公，周公说有什么不敢，就这样做了。于是，史佚就把孩子装殓了，这才送去墓地埋葬。所以说，这个规矩早在史佚那里就改过来了。”老子讲了一个典故，解决了这个问题。

“哦，原来这样，我真是孤陋寡闻了。”孔子很高兴，困惑他很久的问题就这么解决了。“可是，我还有个问题。”

“还有？说吧。”

“父母死后，到了卒哭(约在死后一百日)之后，这个时候受征召打仗，是不是合乎周礼的？还是有什么先例的？”孔子问。这年头战争多，这个问题倒很有现实意义。

“嗯，夏朝和商朝的规定呢，就是守孝三年期间不用应征。这就是所谓的‘君子不夺人之亲，亦不可夺亲也’。这事情到了周朝原本也是这么规定，不过呢，”老子看了看孔子，又看看南宫敬叔，接着说，“贵国的开国君主伯禽破了一次例，他在卒哭之后立即出兵攻打了徐国。当然，当时的情况也是迫不得已。

现在是个什么情况,我也说不清楚了。”

孔子笑了笑,他知道老子的意思,就是说当今没人讲究这个了。

“那,我还有个问题。”孔子还要问。

“说吧。”

……

孔子问了很多问题,老子耐心地一一解答。

终于,到了离别的时候。

老子将孔子师徒送到了门口,对孔子说:“年轻人,我听说有钱人送人钱财,仁义者送人忠言。我没什么钱,还好有点仁义的名誉,所以我送你几句忠告吧:‘聪明睿智但是却很危险的人,是因为他喜欢议论别人的是非;博闻善辩但是陷入麻烦的人,是因为他总是揭别人的短。所以,做子女的要站在父母的立场考虑问题,做臣下的要站在君主的立场发表看法。”

老子原话见于《史记》:“聪明深察而近于死者,好议人者也。博辩广大危其身者,发人之恶者也。为人子者毋有以有已,为人臣者毋以有已。”

“感谢老师的金玉之言,孔丘牢记在心。”孔子再三表示感谢之后,与南宫敬叔拜辞而去了。

“孔丘,唉……”望着孔子远去的背影,老子摇摇头,叹了口气,他知道以孔子的性格,恐怕很难按照自己的忠告去做,所以,即便他很执著很好学,恐怕在政治上也不会有什么成就。

首都效应

从伟大首都回到鲁国,孔子变了。

孔子更有学问了,也更有涵养了,即便说话,都有了一些伟大首都的范儿了。在鲁国,真正有机会去伟大首都的人少之又少,即便是大夫,要去趟伟大首都也不是一件简单的事情。因此,人们都用羡慕和敬佩的眼光来看孔子。

“老师,伟大首都是什么样?”学生们亲戚朋友们和邻居们都这么问。说起伟大首都,就像我们现在唱“北京的金山上”或者“我爱北京天安门”一样带着向往和仰慕。

每次这个时候,孔子就会绘声绘色地将自己在伟大首都的见闻和感受说给大家,大家则毕恭毕敬地听着,时而发出赞叹声。

每次的最后,孔子都会专门说到老子。

“哇噻,你们知道全世界最有学问的人是谁么?就是老聃啊。鸟,我知道能飞;鱼,我知道能游;兽,我知道能跑。野兽,可以用网捉住它;鱼,可以用鱼钩钓住它；鸟，可以用箭射它。可是，龙是我所不知道的，龙乘风上天，我们根本无法企及。我跟老子见面之后，发现他就是龙。”孔子开始赞叹。听的人则瞪大了眼睛，拼命去想老子会是一个什么样的人。

孔子原话见于《史记》。孔子谓弟子曰：“鸟，吾知其能飞；鱼，吾知其能游；兽，吾知其能走。走者可以为罔，游者可以为纶，飞者可以为矰。至于龙，吾不能知，其乘风云而上天。吾今日见老子，其犹龙邪！”

从伟大首都回来，增长了这么多见识，提高了如此大的境界，接受了世界第一学问家老子的教诲并且跟老子成为朋友，如此一层层的光环套在了孔子的身上，孔子一时间迅速成为广受尊重的学问家。

于是，很多人前来求学，包括此前不愿意屈尊前来的卿大夫的子弟们。

据《史记》：“孔子自周反于鲁，弟子稍益进焉。”

为什么太史公特意提到了这一句？《史记》的学问高深啊。

不管怎么说，如今留洋镀金的人，你们的祖师爷就是孔子了。

报名的学生多了，收入大大增加了，孔子的经济条件迅速好转。

可是，新的问题来了。

学生增加了，特别是住校的学生增加了，管理上就有些困难了。生活上要管理，吃喝要管；学习和宿舍管理也需要人。怎么办？

吃饭的问题上，孔子开始让老婆帮厨。老婆尽管一百个不愿意，最终还是接受了。

学习的问题上，孔子的想法，要找一个班长或者助教一类的人。一开始，孔子觉得南宫敬叔很合适，可是南宫敬叔委婉地拒绝了，一来他不住校；二来最近的家族事务比较多，缺课的时候越来越多；三来，他觉得这不符合自己的身份。

终于有一天，孔子找到了班长的人选。

子路求学

这一天正在讲课，就听到院子门口一阵吵闹声，吵得声音巨大，连课也没法继续上下去。孔子有些恼火，让学生们继续背诵《诗》，自己则来到了院子外面。

只见院子门口两个人正在争吵，一个是守门人，另一个是一条大汉，十分魁梧，身高略低于孔子，但是宽大厚实，十分强壮，脸上是黑压压的胡子。

“好一条汉子。”孔子暗暗称奇，来到近前。

"怎么回事？为什么争吵？"孔子问。

"主人，这个伙计真不讲理，来到这里二话不说，就要闯进去，我急忙拦住他，结果他就跟我争吵。幸亏你来了，否则我拦不住他。"守院门的急忙解释。他要拦住这条大汉，确实不大可能。

孔子转过头来，问大汉："请问这位好汉，你来找谁？"

"找谁？找孔子。"大汉气哼哼地说，好像自己受了委屈。

"哪，我就是孔子，你找我什么事？"

"啊，你就是孔子？"大汉上下左右瞧了孔子一个遍，看得孔子浑身发毛。

"啊，我就是。"孔子不由自主地说。

"我听说你是世界上最有学问的人，是吗？"大汉问，尽管声音很粗，但是看得出来没有恶意。

"那也不是，也就鲁国第一，世界第二吧。"孔子舒了一口气，谦虚了一下。

"那我问你，学问有什么鸟用？"大汉问，话很粗俗。

孔子心说这小子怎么说话这么粗？算了，他是个粗人。不过，孔子决心要教训他。

"那我先问问你，你，有什么才能？"孔子反问。当了这么长时间的老师，孔子有很多办法对付这些不知天高地厚的小混蛋。

"我？"大汉没想到孔子会反问，愣了一下之后说："我会舞剑，到现在没碰上过对手。"

大汉说着，从腰里抽出剑来，就要开始舞起来。

"别、别、别。"孔子急忙制止他，大汉迟疑了一下，把剑收起来。于是，孔子接着说："我不是问你会什么，我是想问你，你固然会舞剑，可是你知不知道除了会舞剑之外，你如果再学会了知识，谁还能比得上你？"

"别扯了，我就不信学问有什么鸟用处。"大汉笑了，笑得很憨。

"话不能这么说，国君如果没有有学问的人给他提意见，国家就没法管理了；士人如果没有有学问的朋友提醒，人品就会糟糕。马要用鞭子驾驭，弓要用手来掌控。木头用绳墨才能削平，人接受规劝才能进步。接受知识注重学问，人就能够成功；远离知识，毁弃仁义，那就要犯罪。所以，君子不能不学习知识。"孔子讲了一堆，都是他常说的。

"嘿嘿，南山有竹子，本来就长得很直，砍下来做箭，就可以射穿犀牛皮，又哪里需要学习呢？"大汉反驳。

"那我问你，如果在箭尾装上羽毛，箭头上装上铜头并且磨尖，不是能射得更远射得更深吗？"孔子反驳。

"哎，是哦。"大汉想了想，觉得孔子说得对。

三言两语说服了大汉，孔子很得意。

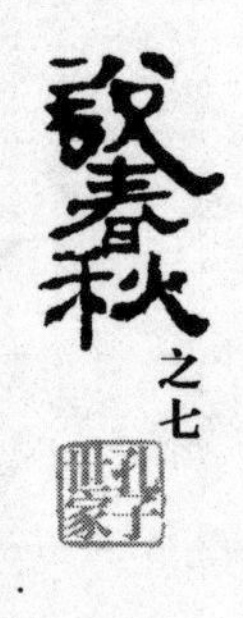

“那,你说得这么有道理,我要跟你学。”大汉提出要求,想要入学。

孔子犹豫了一下,他看看大汉身上,除了那把宝剑之外,什么也没有。

“这个,好汉,你要来学习,我无任欢迎。不过,我要收学费。”孔子说。

“学费?啊,还要收学费?”大汉很吃惊,从来没上过学,也没听说过学费。不过在吃惊之后,他还是接受了现实。“那,学费是什么?”

“十块腊肉。”

“十块腊肉?俺一块腊肉也没有啊。”大汉有点发愁,他是个穷汉,哪里有十块腊肉?“那这样吧,我从我自己身上割肉下来行不?”

大汉说着,撩开了衣服,露出了粗壮的大腿,操起剑来就要割自己的肉。

“慢、慢、慢着。”孔子急忙叫停他,从前听说过介子推割肉,没想到眼前就有一个割肉的。“身体都是父母给的,怎么能说割就割呢?再者说了,你那肉,我们敢吃吗?”

大汉停住了手,看着孔子,意思是:你不让我割肉,我割什么?

孔子也看着大汉,猛然,他眼前一亮:这个人不就是班长的材料吗?憨直,勇猛,哪个同学敢不听他的?

“算了,看在你好学上进的份上,你的学费我就免了。不过,你要给我做些家务学务充当学费。”孔子决定收第一个免费生。

“谢谢老师。”大汉高兴得抓耳挠腮,不知道说什么好。

“那,你叫什么?做什么的?”孔子问。

“我,我是个野人,居无定所,整天在路上。”大汉说。所谓野人,就是士农工商之外的人,多半是从外国流落过来的奴隶或者奴隶的后人。看上去,大汉似乎是被抓来的胡人奴隶的后人。“我,我没有名字,他们都叫我由。”

“那我问你,你排行第几?”

“我,我有个哥哥,早死了。”

“那你就是老二,从今天起,你就叫仲由。因为你整天在路上,字就叫子路。”孔子好人做到底,给大汉取了名字。

仲由,字子路。子路记不得自己的岁数,大约小孔子十岁。

第二四九章　离婚

子路成了孔子的学生，说起来，这也是孔子的第一个野人学生。从前的弟子，多数是庶人，也就是农工商之类，现在多了个野人，立即引起了人们的关注。

子路是孔子学生中基础最差的一个，一二三四五都不认识，需要孔子从头教起。别人已经在解应用题的时候，子路还在背一加一等于二；别人在开始学习《诗》的时候，子路还在学习认字。

好在，子路是个有恒心的人，认准了什么就一条道走到底的人。所以，尽管天生资质一般，并且基础极差，可是学习刻苦认真，进步也很大。

"嗯，我宣布，子路担任班长，大家的生活作息，由子路管理。"没有多久，孔子就任命子路为班长了。

没人反对，理由有两条。首先，子路做事认真，卖力而且公平，大家乐得看他多干活；其次，子路高大威猛，性格火爆，没人敢惹他。

就这样，子路当了班长。

说起来，班长的祖师爷就是子路了。

子路当班长

虽然当上了班长，子路身上的那种野人气质不是一天两天能够改变的。大家虽然嘴上不说，背地里免不得还是有些瞧不起他，对他的一些做法也有意见。孔子知道，子路这个人，用好了是自己的好帮手，用不好则会成为一个累赘。所以，孔子决定要改造他。

第一个改造的项目是最迫切的项目，那就是子路对大家造成的那种不安

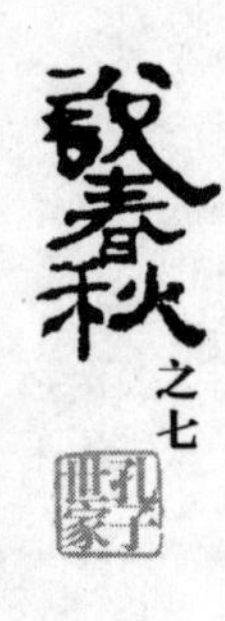

全感。

子路总是带着剑，上课的时候也带着。而他脾气暴躁，有时候发怒起来，恨不得拔出剑来砍人，因此同学们个个都怕他，上课的时候都离他远远的。

“由，你总是带着剑干什么？”这天上课，孔子问子路。

“嗯，如果别人对我友善，我就对别人友善；如果别人欺负我，我就用剑来自卫。”子路毫不犹豫地回答，流浪的日子里，常常有人欺负他，他就用剑自卫。

“由啊，从前你是野人，可是现在不一样了，我要把你培养成君子，知道不？君子以忠诚为立身之本，以仁义来自卫。君子不需要走出家门，千里之外的人都知道他。遇到恶人，就用忠诚来感化他，用仁义来震慑他，哪里用得着剑呢？”孔子一本正经地说。

“真的？”

“老师还会骗你？你想当君子还是想当野人？”循循善诱。

“那，老师，我把剑收起来还不行吗？”从那之后，子路再也没有带剑上课了。

按《说苑》。**子路持剑，孔子问曰：“由，安用此乎？”子路曰：“善，古者固以善之；不善，古者固以自卫。”孔子曰：“君子以忠为质，以仁为卫，不出环堵之内，而闻千里之外；不善以忠化寇，暴以仁围，何必持剑乎？”子路曰：“由也请摄齐以事先生矣。”**

子路的基础很差，可是自尊心很强，决不允许别人笑话他。尽管不带剑上课了，可是脾气还是那么大，大家还是很怕他。

有的时候孔子提问，子路为了证明自己不比别人差，争着回答问题，可是往往回答错，错了也不肯认错，别人还不敢再回答了。孔子说过他几次，可是成效不大。所以孔子决定给他来点狠的。

这一天，又是上课提问。

“同学们，上堂课我给大家讲了学习的方法，上半句是‘学而不思，则罔’，下半句是什么？”孔子提问。

“我知道。”子路抢着回答，他要回答，别人就不回答了，一来不敢跟他抢，二来，要看他出糗。“下半句是：吃而不拉，则滞。”

哄堂大笑。

“错了，应该是‘学而不思，则罔。思而不学，则殆。（《论语》）’只学习而不思考，就学不到知识；只思考不学习，就不会有长进。”孔子板着脸说，忍住了笑。

“老师，我也没错啊。只吃饭不拉屎，肚子就会涨啊。”子路受不了大家的嘲笑，强词夺理起来。

“子路，告诉你学习的态度吧。知道就是知道，不知道就是不知道，这样的态度才能学到知识。”孔子看上去有些生气，严肃地说。

按《论语》。子曰：“由，诲汝知之乎！知之为知之，不知为不知，是知也。”

子路低下了头，喃喃地说：“老师，我知道了。”

大家依然在笑，有人重复着子路刚才的那句话，让子路非常难堪。

看着子路的脸色越来越难看，孔子知道，这时候必须要给他个台阶。

“你们都不要笑话子路了，我告诉你们，你们没有人能比子路更自信的。”孔子大声说。大家收了声，子路则抬起头来看着孔子。

孔子知道，子路是一个极度自卑的人，所以总要在大家面前表现出极度自尊。所以，他需要老师和同学们的肯定。

“穿着破袍，跟你们这些穿着好衣服的人在一起，却能够不感到羞愧的，也就是子路一个人了。不嫉妒，不贪得，还有谁比他快乐吗？”孔子说着，扫视大家。

大家的目光都集中在了子路的身上，他的破衣服已经破得可以了。

子路回扫了大家一眼，很自信的样子，挤出一丝微笑，算是配合老师所说的快乐。

可是，子路万万没有想到，他的笑容还没有收回去，就遭到了老师的一盆冷水。

“子路，你也不要得意。如果你一辈子就安于这样，你就不过是个造粪机。”孔子提高了声音，呵斥子路。

子路愣住了，大家都愣住了，不知道孔子到底是表扬子路，还是批评子路。

“不嫉妒不贪得是你的美德，但是，你要去争取，要去奋斗，要告诉自己今后比他们都要穿得好。怎样才能做到呢？好好学习，不要不懂装懂。子路，我对你有信心。说，你自己有没有信心？”孔子盯着子路的眼睛说。

“我有信心。”子路脱口而出。

“有什么信心？”

“比他们都穿得好。”

“好。”孔子大声叫好。

同学们愣了一阵，也都跟着叫好起来。

打击与激励相结合的教育，被称为冰火两重天教育方法。孔子用在子路身上，大获成功。

按《论语》。子曰：“衣敝缊袍，与衣狐貉者立，而不耻者，其由也与？不忮不求，何用不臧？”子路终身诵之。子曰：“是道也，何足以臧？”

从那之后，子路像变了一个人，学习更加努力，而且人变得谦恭起来，不再不懂装懂。子路的进步很快，这一点让大家都很佩服他。

很快，子路开始学习周礼了。

周礼的学习让子路感到痛苦，书、数的学习虽然也不容易，但是那些知识与子路本身的习惯并不冲突，而周礼的内容与子路的生活习惯大相径庭，一个野人，是无论如何也无法理解周礼的含义和用途的。

孔子发觉了这个问题，不过他假装什么也不知道，依然向子路灌输周礼的知识。因为他知道，子路自己会提出来的。

果然，子路实在忍不住了。

“老师，我能不能只学周礼，但是按照我自己的行为方式做人啊？”子路终于还是向孔子提出了这样的问题。

“不行。”孔子说得不容辩驳。“当年一个东夷女子仰慕周朝的文化，老公死了之后，决定终身不再嫁。可是，她找了个性伴侣。不嫁虽然不嫁了，可是却违背了中原文化守贞节的原意。苍梧有个人，也是仰慕中原文化，他娶了个老婆很漂亮，于是就跟哥哥交换了老婆。虽然这样体现了兄弟之情，可是这违背了人的伦理啊。你说你按照自己的习惯做人，怎么知道是不是做对了呢？到时候再后悔，就来不及了。所以，你必须强迫自己按照周礼来为人处世。”

“老师，我明白了。”子路明白了学习周礼的重要性了，对周礼热爱起来。

按《说苑》。子路问于孔子曰：“请释古之学而行由之意，可乎？”孔子曰：“不可，昔者东夷慕诸夏之义，有女，其夫死，为之内私婿，终身不嫁，不嫁则不嫁矣，然非贞节之义也；苍梧之弟，娶妻而美好，请与兄易，忠则忠矣，然非礼也。今子欲释古之学而行子之意，庸知子用非为是，用是为非乎！不顺其初，虽欲悔之，难哉！”

离婚

按照约定，子路的学费由做家务来抵。子路很自觉地遵守了这一条，每天下课之后的第一件事，以及早上起床后的第一件事，都是做家务，孔子家里的重体力活都由子路包办了。

在孔子看来，子路这人除了鲁莽一些、愚钝一些，其余的都是优点，诚实、直爽、勤奋、好学、忠诚等等，让孔子对他非常放心。

可以说，子路来了之后，孔子感觉轻松了很多。

于是，孔子决定给子路做套衣服，作为对他的奖励。

“老婆，明天去买点布料回来，给子路做件袍子。”孔子叮嘱丌官氏。

“什么？”出乎孔子的意料，丌官氏的反应出奇的激烈。“给他做衣服？他白吃白喝白上学，还给他做衣服？你脑子进水了？你怎么不说给我买点布料做件衣服呢？”

孔子愣住了，半天没说话。

孔子和丌官氏的关系一直不算太好，等到孔子开始办学校的时候，两人的关系就更加糟糕。丌官氏一直抱怨孔子不会挣钱，不能给她体面的生活。那时候，孔子已经不太愿意理睬丌官氏。

开办学校之后，由于招生情况不理想，孔子的心情也很不好，丌官氏唠唠叨叨，夫妻两个吵过几架，冷战过几次。

等到孔子从伟大首都回来，一门心思忙于招生教学，完全没有时间去管丌官氏，丌官氏认为自己受到冷落，整天阴沉着脸，对谁都没有好话，有时还让孔子在学生面前没有面子。为此，孔子非常生气，索性与丌官氏分居。

“我再问你一次，去不去买？”半天没说话，孔子尽量压住气，问道。

“不去。”丌官氏也不害怕。

“去不去？”

“不去。”

“那好，你回宋国吧，咱们离婚。”

“什么？”

“离婚。”

“你这个没良心的男人，千刀杀的男人，呜呜呜呜……”

丌官氏哭了，她没有想到孔子竟然要休了她。

孔子冷冷地看着，什么也没有说。

孔子不是个冷酷无情的人，但是他是一个一旦决定了，就决不改变的人。他忍的时间太长了，他认为自己无法再忍受下去。他认为，如果让丌官氏再待下去，自己的事业将会毁在她的手里。

丌官氏还是被送回了宋国的娘家，送他回去的就是子路。孔子让子路带了许多腊肉和布料，即便是休了老婆，孔子也想做得仁至义尽一些。

关于孔子休妻，在《大戴礼记》中有记载。

至于孔子为什么休妻，答案在《论语》中。

按《论语》。子曰：“唯女子与小人为难养也。近之则不孙，远之则怨。”

这句话翻译过来是这样的：孔子说，唯有女人和小人难养，亲近他们就放肆，疏远他们就怨恨。

作为一个学问家，孔子说这样的话不会是心血来潮，更不会是道听途说，一定是他自己的感受。

孔子养过的女人有几个？他母亲没有被他养过，他养过的只有老婆丌官氏和女儿孔雀。而能够“近之则不孙，远之则怨”的，就只能是丌官氏了。

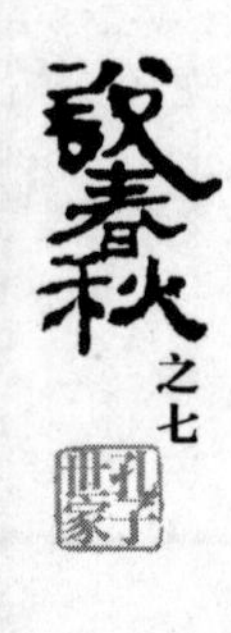

所以,孔子所说的“近之则不孙,远之则怨”的女子就是指的丌官氏。而丌官氏被休,也就是因为她的“不孙”和“怨”。

近年有所谓的专家认为孔子所说的“女子”应该是汝子,以此证明孔子对女子没有偏见。这样的说法荒谬可笑缺乏常识,当面骂自己的学生,这是孔子吗?再说,汝与子可以放在一起用吗?汝近乎于蔑称,子则是尊称,汝子的意思大致就是“尊敬的王八蛋们”。

传统上,后世以为孔子瞧不起妇女,其实不然。

在《论语》中能够找到的孔子关于妇女的说法实际上就是两条,“唯女子与小人为难养也。近之则不孙,远之则怨”是第一条。不过,这句话只是孔子对自己家庭生活失败的一句感慨而已。

《论语·泰伯第八》有如下一段:

舜有臣五人而天下治。武王曰:“予有乱臣十人。”孔子曰:“才难,不其然乎?唐虞之际,于斯为盛,有妇人焉,九人而已。三分天下有其二,以服事殷,周之德,其可谓至德也已夫!”

周武王说自己有十个贤臣,其中一个是自己的夫人武姜。孔子在这里偏偏说“其中一个是女人,实际上只有九个贤臣”。

历史上,不管是赞成孔子的还是反对孔子的,都把这句话看成是孔子歧视妇女的证据,其实不然。按照周礼,夫妇一体,因此武姜并不是周武王的臣,甚至武姜的父亲姜太公都因此不算周武王的臣。所以,孔子的意思是,武王并没有十个贤臣,而是武王和武姜有九个贤臣。

所以,这句话非但不是歧视妇女,反而是替妇女正名。其实,孔子不歧视妇女,也未必就很喜欢妇女,之所以有这样的说法,源于他喜欢咬文嚼字,一定要把这句话的关系表达清楚。

可以说孔子对妇女有一定程度的偏见,但是他绝对没有想法要改变妇女的地位。

准备站队

孔子休妻的当年,伟大首都发生了王子朝之乱。孔子一方面为老子的安危担心,一方面开始思考这个世界出了什么问题。

孔子发现,王室已经没有实力,基本上名存实亡,财富和权力都到了卿大夫的家族那里,反而王室的子弟两手空空,于是,利益和权力之争必然爆发。而这个问题的根源在哪里?在于周礼被破坏了,如果大家始终遵守周礼,那么周王就不会被架空，王子王孙们就总是吃香的喝辣的，卿大夫的家族也就没有机会把持国政，把国家掏空。而国家的权力集中在周王手中的时候，国家就有力量。

想到了中央，自然也就要想到地方。

回头看看鲁国，似乎情况与王室也没有太大的区别，三桓瓜分了这个国家，因此这个国家就分成了三股势力，本来国家就不强大，现在则变得更加弱小。国家要强大，要生存，唯一的办法就是三桓把权力和土地交出来，恢复国君的统治。

而鲁国的情况与王室的情况还是有一个明显的区别，王室是大宗小宗之间的斗争，鲁国则应该直接是国君和三桓之间的对立。如果给自己一个选择的机会，自己会站在哪一边？

宁可杀错人，不能站错队。

遗憾的是，孔子并没有政治斗争的经验，他完全不知道站队的重要性，更没有想到站错队的危险性。

“我要站在国君的一边。”孔子理所当然地这样认为，这不仅合乎周礼，也符合孔子对于三桓家族那些飞扬跋扈的家臣们的厌恶心理。

当然，不是人人都有资格站队的，譬如孔子，现在他只能说是站队准备中。

第二五〇章　仇恨和阴谋

鲁国虽然名义上是被三桓瓜分,实际上真正控制鲁国的是季孙家。自从季孙意如接掌季孙家,更加飞扬跋扈,甚至到了无恶不作的地步。

很快,季家成了全民公敌。甚至,季家的疏族也对季家充满仇恨。

下面,就来介绍季孙意如是怎样得罪人的。

偷情引发的仇恨

季公鸟和季公若是两兄弟,他们是季家的疏族。两年前,季公鸟脑膜炎发作死了,留下了老婆季姒和孩子季甲,而家里的事情由季公若、族人公思展以及家臣申夜姑来照管。季姒年纪轻轻,死了老公,自然耐不住寂寞,结果没有多久就跟厨师檀勾搭上了,两人白天进食,晚上进补,过得很滋润。

可是好日子总是不长,你这里偷腥,难免被别人闻到味,渐渐的季姒和厨师偷情的事情就被人察觉了,两人感觉到了危险,怎么办?

对这段得来不易的爱情,两人自然割舍不得。如果不想从此金盆洗手,那么就只有两个办法了。第一,私奔;第二,铲除潜在的威胁。可是私奔是很危险的,何况私奔之后去哪里过这样衣食无忧的生活呢?所以,只有一个办法:先下手为强。

谁是潜在的威胁呢?季公若、公思展和申夜姑。

季姒先让自己的丫环把自己打了一顿,专拣要害的地方打,譬如乳房抓破了一道,屁股拧青了一块,小肚子还留了一个手印。之后,季姒让这个丫环把自己的小姑子秦姬给请来了,哭哭啼啼脱个精光给她看。

"大妹子,自从你大哥不在了,我就成了孤儿寡母,原指望你二哥能帮着我拉扯孩子，管好这个家，谁知道你二哥竟然人面兽心，对我起了歹意。昨天晚上你二哥窜进我的房间，说怕我睡觉冷，非要陪我睡觉。当时我已经脱了衣服准备睡觉，我不从，可是你二哥就霸王硬上弓。我反抗，他就打我，你看看这奶上，再看看屁股上，再看看肚子上。唉，要不是看在还要拉扯孩子的份上，我死的心都有了。妹子，俗话说，家丑不可外扬，这样的事情我又不能对外人说，就只能对你说了。妹子，我的命怎么就这么苦呢，呜呜呜呜……"季姒表演得不错，如果拍成电影，够三级片了。

"啊。"秦姬万分惊讶，她万万没有想到季公若竟然是这么个人面兽心的人。

秦姬答应嫂子要帮她，却万万没有想到实际上嫂子才是个人面兽心的人。

当年公鸟活着的时候，跟季孙意如的叔叔公甫的关系最好，两人是堂兄弟。季姒这个时候又派人去公甫那里哭诉，说是季公若要诱奸自己，被自己拒绝之后，公思展和申夜姑两个狗腿子就来威胁利诱自己，逼迫自己跟季公若好。

公甫很愤怒，恰好这时候弟弟公之来找他，说是秦姬向他反映情况，说季公若对季姒图谋不轨，动手动脚。

于是，公甫和公之两人就来找季孙意如，向侄子汇报季公鸟家的情况。

"什么？这不是败坏我们季家的名声吗？"季孙意如是个出了名的不动脑子，听风就是雨，当时大怒。

按着季孙意如的想法，把季公若三人都抓来砍了，不过公甫和公之劝他，说季公若怎么说也是你叔叔辈的，这点事也不能就杀了他，再说了，家丑还是不要外传，不如把公思展撤职，把申夜姑给杀了算了。

后世有城市大火，把临时工当替罪羊，就是从这里学的。

季孙意如办事的效率挺高，立即派人拘留了公思展，捉拿了申夜姑，把申夜姑送去了士师那里审判。

季公若听到了风声，一打听，知道是被人陷害了。

"这不等于是我连累他们吗？要是他们罪名成立了，不就等于我真的做过那种事了吗？"季公若急了，去找季孙意如评理。

季孙意如根本不见他，直接命令人把申夜姑给杀了。

从那之后，季公若对季孙意如恨之入骨。

斗鸡引发的仇恨

郈家也是鲁国的公族，在鲁国也混得不错。

那时候鲁国很流行斗鸡，这是一项全民参与的运动，平头老百姓斗鸡，卿大夫也斗鸡。季孙家斗鸡，郈家也斗鸡。

这么说吧，那时候的斗鸡，就是现在的奥运会。

季孙家和郈家住在隔壁，两家经常斗鸡，并且下赌注。

那一年两家斗鸡斗得厉害，赌注也下得大，季孙意如对这件事情非常关注，下令只准胜不准败，说是事关家族荣誉。

季家的斗鸡士们有些坐立不安了，因为他们知道郈家的鸡非常生猛，恐怕自家的鸡不是对手，怎么办？斗鸡士们大眼瞪小眼，瞪成了斗鸡眼的时候，终于想出了办法。

第二天，斗鸡大赛开始了，郈家的鸡率先出场，雄赳赳气昂昂，好不威风。之后季家的鸡也出场了，立即引起全场哗然，为什么？季家的鸡的头上竟然戴着皮甲。

两只鸡斗起来，胜负立判，郈家的光头鸡自然不是季家盔甲鸡的对手。

郈家很气愤，但是又不敢指责季家，只好输钱认倒霉。

又过几天，两家又约好了再战一场。

季家的鸡依然戴着盔甲出场，再看郈家的鸡，也戴了盔甲，不仅戴了盔甲，鸡爪子上都安装了金属爪，锋利而且坚硬。这一回，吃亏的就是季家的鸡了，被郈家的鸡一顿蹂躏，抓得奄奄一息。

季家斗鸡斗输了，按理，既然你们先装备了鸡，就不能指责别人装备了鸡。可是，季孙意如不这么想，在他看来，季家的鸡就代表了季家，只能赢不能输，如今不仅输了，而且基本被抓死了，这不是太丢人了？

季孙意如首先把鸡追认了烈士，之后强占了郈家的宅基地，还派人活捉了郈家的金爪鸡，以违背斗鸡规则的罪名杀掉，并且为自己的鸡陪葬。

郈家惹不起季家，只能忍了这口气，不过，郈家全家恨死了季孙意如。

阴谋引发的仇恨

臧家也是鲁国的公族，而且是世袭的司寇，当初臧文仲还是鲁国的执政，臧家的实力在鲁国仅次于三桓。

臧家和季孙家很早以前就结下了梁子。

鲁襄公二十三年(前550年),孟孝伯诬告臧纥(臧武仲)想要造反,季武子信以为真,于是出兵进攻臧家,臧纥逃到了齐国,他的弟弟臧为接掌臧家。从那之后,臧家和季家就算记下了一笔账。

后来臧为死了,儿子臧昭伯(臧赐)继位,与季家的关系还是非常冷淡。

那一年臧昭伯去晋国出差,他的堂弟臧会趁机偷了臧昭伯名叫偻句的龟壳,这可不是一般的龟壳,而是著名的龟壳,据说用来占卜百发百中。臧会拿来占了一卜,占卜的问题是诚实好还是虚伪好,占卜的结果是虚伪比诚实好。

"太好了,我这人就比较虚伪。"臧会很高兴,平时就喜欢坑蒙拐骗,这下有理论支持了。

恰好臧家准备派人到晋国去探望臧昭伯,臧会主动请缨,于是代表臧家去了晋国。臧昭伯看见家里来人,非常高兴,询问家里的情况,臧会回答得一五一十。可是等到臧昭伯问起自己的老婆和自己的亲弟弟的情况,臧会就不回答了,还作出一副有难言之隐的样子。

"难道,他们之间有什么问题?你说,我能挺得住。"臧昭伯看臧会的样子,猜想大概是老婆跟弟弟上床了。

"没什么,真没什么,真的。"臧会继续装。

"兄弟,你就别瞒着我了。"

"大哥,没有的事,我怎么说呢?再说了,那些流言蜚语,不能相信的。"臧会装得挺像,越这么说,臧昭伯就越是怀疑。

最终,臧会还是没说,此后臧昭伯在晋国过得非常压抑。

终于,臧昭伯出差的任务完成了,急匆匆赶回国。刚进入鲁国,臧会就来迎接了。原来,臧会早就算好了臧昭伯这个时候会回来。

"那什么,兄弟,我老婆和我弟弟没什么吧?"臧昭伯就关心这个问题,一见面就问。

"啊,那,什么?没,没什么吧。"臧会吞吞吐吐,欲言又止的样子。

"你怎么这么磨叽?你说啊。"

"我,我真不知道。"

臧会就是不说,可是看表情,绝对是知道什么隐私。

臧昭伯很愤怒,看来弟弟和老婆确实有奸情。怎么办?家法处置。

臧昭伯让臧会先回去,嘱咐他不要透露自己已经回来了,自己要突然袭击,直接将老婆和弟弟处死。

臧会得意洋洋地回去了,他就希望看到这样的效果,只有等臧家乱了,自

己才有机会接掌臧家。

然而,臧昭伯在愤怒之后渐渐冷静下来,左思右想,想来想去觉得自己的老婆不是这样的人,弟弟也不是这样的人。于是,臧昭伯悄悄地来到了曲阜的城郊住下来,然后派人潜回自己家中进行观察。一连三天过去,潜伏的人的报告都是一样的:没有任何情况发生。

"奶奶个腿的,太阴险了。"到这个时候,臧昭伯算是识破了臧会的诡计,心中还是一阵的后怕。

臧昭伯随后回到家中,立即派人捉拿了臧会。

"狗日的挑拨离间,杀了他。"臧昭伯下令杀了臧会。

可是,臧会设法逃跑了,逃去了郈家的封地郈,郈家任命他为贾正,掌管价格,相当于今天的地方物价局的局长。

人都逃了,臧昭伯也不好去捉,就这样算是放过臧会一条小命。不过臧昭伯说了:"你最好就躲在郈,你要是敢回曲阜,最好不要让我知道,否则一定宰了你。"

在郈地躲了一段时间,臧会觉得事情已经过去了,应该没事了,恰好郈家要去曲阜给季孙家送账簿,臧会就回了曲阜。

臧会回曲阜的消息不知道怎么就被臧昭伯知道了,立即派了五个人去捉拿他。恰好臧会从季孙家出来,看见有人捉他,转身就跑,结果还是没跑掉,就在季孙家的家门口被捉住了。

本来,臧会这下就算交待了。可是这小子运气真好,正好碰上季孙意如出门,亲眼看见臧会被捉。

按理说,季孙意如跟臧会也没有什么交情,要是在大街上遇上这事情,根本就不会管。可是今天这事情就发生在季孙家的家门口,而且,臧会是来给季孙家送账簿的,要这样被捉了,季孙家不是很没有面子?

"胆肥了,在我们家家门口捉人!打狗还要看主人呢,再怎么人家臧会是来给我们家送账簿的,好歹算是个客人。啊,你们是不是不把我们家放在眼里啊?"季孙意如当时就火了,下令立即将捉拿臧会的五个人全部捉拿。

这下热闹了,捉人的反而被捉了,臧会受到了季家的保护。后来,季家和臧家两家协商,臧家向季家道歉,季家放人,同时要求臧家承诺不再追究臧会。

从那以后,臧家和季家的仇恨更深了。

求亲引发的仇恨

鲁昭公二十五年(前517年),叔孙婼前往宋国聘问,宋元公亲自宴请他,两人谈得投机,喝得大醉,竟然双双泪流满面,就差热烈拥抱了。宋国大夫乐祁也参加了宴会,回到家里对老婆说:“我看国君和叔孙婼恐怕都活不长了,该高兴的时候却悲哀,该悲哀的时候却高兴,这都是神经有毛病的。”(《左传》原文:哀乐而乐哀,皆丧心也。)

除了聘问之外,叔孙婼还捎带着要给季孙意如办一件事情,为他迎亲。原来,季孙意如元配早死,因此又求娶了宋元公的女儿。按理,国君娶亲才是卿去迎亲,季孙意如娶亲竟然委托叔孙婼给迎亲,固然很低碳,可是在礼节上有问题。叔孙诺没好意思拒绝,不过季孙意如自己也觉得有点过分,于是另外派了季公若随行,就算是季公若来为自己迎娶夫人,这样就说得过去了。

季孙意如为什么派季公若呢?说起来也有道理。

原来,季公若的亲姐姐是小邾夫人,宋元公的夫人是小邾夫人的女儿,也就是说,季公若是宋元公夫人的舅舅。可是,宋元公夫人的女儿这下就成了季孙意如的远房外甥女。还好那时候论辈分只论男方,这样就没有人说季孙意如娶了外甥女了。

问题是,季公若对季孙意如恨之入骨,当初季孙意如派自己来,就打定主意要破坏这门亲事。

“外甥女啊,我看你别把自己女儿往火坑里推了,这季孙意如可不是个东西了,人品很差,而且我听说国君要驱逐他。”季公若对宋元公夫人说季孙意如的坏话,少不得添油加醋海阔天空。

宋元公夫人一听,原来宝贝女儿要嫁的竟然是这么个东西,当时就不愿意了。于是,宋元公夫人去找老公,要求悔婚。

宋元公一听,也没主意了。可是,悔婚可不是件小事,何况这是国际婚姻。于是,宋元公请乐祁来出个主意。

“主公,这婚不能悔。如果鲁国国君要驱逐季孙,其结果只能是鲁国国君自己被驱逐。鲁国的政权已经在季孙家族三辈了,近四代的鲁国国君都是个摆设。鲁国国君已经丧失了百姓,拿什么去驱逐季孙?”乐祁看问题看得透彻,一针见血。

宋元公这才放下心来,依然把女儿嫁给了季孙意如,把季公若搞得很失落。

回到鲁国,季公若把宋元公的女儿送给了季孙意如,表面上很高兴,心里面在打鼓。季公若知道,一旦宋元公的女儿成了季孙意如的老婆,人家就是一家人了,当初自己在宋元公夫人面前说的坏话迟早会被宋元公女儿在床头说给季孙意如,那时候,自己恐怕就要吃不了兜着走了。

季公若很害怕,一边后悔,一边想着怎么样才能摆脱危险。想着想着,想起嫂子来了。想起嫂子什么来了?想起嫂子当年恶人先告状,先下手为强来了。

"干脆老子也先下手为强,赶走季孙意如那个孙子,老子来当季家的主人。"季公若这样想。

季公若也是这样做的。

大阴谋

季公若从宋国带回来一把弓,找了个机会把弓献给了鲁昭公的儿子公为,顺便约了他一同出外去打猎。公为是鲁昭公的嫡长子,被立为太子。

"公子,你觉得季孙意如这人怎么样?"打猎的当口,季公若假装不经意地问公为。

"好啊,好人哪。为了国家日夜操劳,大公无私,运筹帷幄,这么说吧,这个国家就靠他了。"公为不知道季公若为什么问这个问题,心说你们都是季家的,我就闭着眼睛拣好听的说就行了。

季公若没说话,盯着公为看,还带着笑容。公为不知道季公若什么意思,被看得心里发毛。

"我说伙计,你不说话盯着我看,什么意思?"

"什么意思?我要看看说瞎话的人是什么样的。"

"我,我没说瞎话,我说的是真话,没有季孙意如,哪有我们今天的日子啊。"

"行了,你就别装了。三桓瓜分了鲁国,最恨他们的就是你们这些公子了,这谁不知道?是,没有季孙意如就没有你今天的日子,可是这是好日子吗?你别以为我姓季就向着季孙意如。告诉你,我季公若深明大义,大义灭亲。季孙意如的做法我看不惯,我早就想着帮助公室拿回自己的权力,扫荡三桓,拨乱反正,为鲁国的繁荣昌盛而奋斗终身了。"季公若把自己那点私仇提升到了大义灭亲的高度,说得慷慨激昂。

"那,你什么意思?"公为心中暗喜,但是还是不知道季公若想干什么。

"我要除掉季孙意如这个狗兔崽子,把他全家都赶走,把土地还给公室。"

季公若说，看公为有点迷茫，于是压低了声音说："可是，靠我自己做不到这一点，这必须你爹亲自牵头。现在恨季孙意如的人海了去了，只要主公登高一呼，全国人民都会跟从的。到时候灭了季孙意如，公子您可是最实惠的。"

其实公为一直就对三桓不满，土地被三桓瓜分了，自己名义上是太子，其实就那几块干巴地，日子也就过得比士强一点。如今季公若提出这么个主意来，公为自然要眼前一亮。

"好，我再请几个兄弟过来，大家一块商量。"公为欣然同意。

第二五一章　三桓一体

季公若的计划让公为非常兴奋，两人进行了分工，外部力量由季公若来组织，鲁昭公这边，自己来动员。

公为悄悄地把弟弟公果、公贲给请到了自家中，把季公若的想法跟两个弟弟说了一遍。

“好啊好啊，太好了。”两个弟弟叫了一通好，换了谁，谁都会叫好。

可是，干叫好，谁也不敢去动员父亲。因为父亲早就告诫过他们：“谁也别到外面抱怨去，咱们还有口饭吃就不错了。”

怎么办？三兄弟商量来商量去，最后想出一个办法：让鲁昭公的侍卫僚苴去说。

决心难下

僚苴是个二愣子，没什么心眼的人，平时跟三个公子的关系还算不错，这一次公为特地给他送了一件礼物，就是季公若送给他的那把弓。

“好说。”得了礼物，僚苴爽快地答应了，全然不去想这是件什么样的事情。

第二天该僚苴值班，接班的时候恰好鲁昭公还在睡觉，僚苴就进了卧室了。

“主公，醒醒，醒醒。”僚苴不管那些，直接把鲁昭公给叫醒了。

“什、什么事啊？”鲁昭公迷迷糊糊问，看见是僚苴，有些不高兴。

“那什么，是这样的。”僚苴也不管鲁昭公高不高兴，反正把自己任务完成再说，当时将公为的计划说了一遍，劝鲁昭公当机立断。

鲁昭公原本还半梦半醒，寻思再睡一会，可是听到僚苴说的是这个事，当时就清醒了。没等僚苴说完，鲁昭公已经光着脚跳到了地上，顺手操起一把大戟，一边骂一边向僚苴刺来："你个挑拨离间的王八蛋，我今天非杀了你不可。"

僚苴一看大事不妙，转身就跑，一口气跑回家，这班也不敢上了。

其实，鲁昭公倒也不是真想杀他，否则，哪里能让他跑掉？

两三个月，僚苴不敢去上班。直到鲁昭公派人来找他，说是既往不咎，可以回去上班，僚苴这才继续上班。

僚苴恢复上班了，公为三兄弟又来找他帮忙，又给了礼物，僚苴于是又答应了。

"什么，你又说这个？"鲁昭公再次操起大戟了，不过这次没真刺他，只是吓唬他一下，警告说以后不许再说。

基本上，第二次的效果比第一次要好一些，僚苴也没有不敢上班。

公为三兄弟又来找他帮忙，又给了礼物，僚苴又答应了。

这一次，鲁昭公没有再拿大戟了。

"傻孩子，这样的事情不是你这样的人应该管的，专门当侍卫吧，啊。"鲁昭公语重心长地说。他知道僚苴只是缺心眼而已。

基本上，第三次的效果就已经很好了。公为三兄弟一商量，觉得父亲的态度基本上就是想干但是不敢干，所以，现在可以直接去劝说父亲了。

公果一向比较受宠，因此劝说父亲的任务就交给了公果。

"孩子，这事情可是件大事啊，弄不好就得搬家，再弄不好，脑袋就得搬家，要小心啊。"鲁昭公对公果说了实话，叮嘱公果要保密，自己再探探其他几个家族的口风。

到现在，鲁昭公基本上是被说动了。不过，还没有下定决心。

鲁昭公先是悄悄地找来了臧昭伯，他知道臧家和季孙意如有仇。

"我觉得很难成功，季孙家的实力太强大。"臧昭伯还比较客观，感觉这事情太冒险。

鲁昭公又悄悄请来了郈昭伯，他知道郈家和季孙意如也有仇。

"我看行，季孙家虽然实力雄厚，可是仇家也多啊。俗话说：多行不义必自毙啊。"郈昭伯报仇心切，大力支持。

鲁昭公这个时候冷静分析了一下，臧昭伯这人生性小心谨慎，他反对是正常的；郈昭伯跟季孙意如仇恨极大，因此他支持也是顺理成章的。但是，正是因为这样，这两人的看法恐怕感性大于理性。要正确分析这件事情的前景，最好是找一个没有什么利害关系的人来讨论。

于是，鲁昭公找来了子家懿伯。

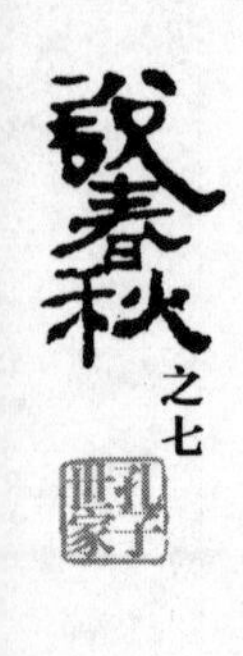

“主公，这事情不能干啊，来劝您干这事的，都是怀着私心的。您想想啊，季孙家掌握鲁国政权也不是一年两年了，虽然他们的仇人不少，可是他们对自己的人还是不错，可以说人心在他们手里啊。这要是失败了，主公您还能住在这里吗?”子家懿伯极力反对，子家家族也是鲁国公族，与三桓家族相处得也都不错，因此他的看法比较客观。

“这个……”鲁昭公有些犹豫了，他知道子家懿伯的话更有道理。“那，你走吧，不过千万要保密啊。”

子家懿伯知道鲁昭公这是信不过自己，既然这样，不如自己识趣一点。

“主公，我知道您怕我泄漏了秘密。我要是把事情泄露出去，我不得好死。”子家懿伯先表了态，看鲁昭公还是不放心的样子，索性继续表态：“这样吧，主公给我腾间屋子，我就住在宫里。”

子家懿伯就这么住在宫里了，有吃有喝还有美女陪聊天，倒也不错。

决定好做

鲁昭公迟迟下不了决心，直到秋季的时候，一件事情让他不再犹豫，决定动手了。

九月，鲁国祭祀鲁襄公，同期，季孙家举行家祭，祭祀季孙家的祖上季友。

因为三桓已经瓜分了鲁国，公室的收入只能勉强维持后宫的费用，已经养不起原先的国家歌舞团。因此，国家歌舞团的演职员工们平时四处走穴，基本上成了社会演出团体，国家演员成了艺人。国家祭祀的时候，花钱雇他们来演出。

按照周礼，鲁国可以使用天子规格的礼仪，因此祭祀鲁襄公用祭祀天子的标准。于是，鲁襄公的庙里上演祭祀舞蹈，舞蹈名称为《万舞》，一共需要六十四名演员，组成八八演出方阵，称为八佾(音义)。

与此同时，季孙家的祭祀竟然也采用天子规格，也上演《万舞》。

可是，会跳《万舞》的人只有六十六人。

怎么办？艺人们是见钱眼开的，谁出价高，就去谁家跳。

结果，季孙家上演正宗《万舞》，而鲁襄公的庙里只有两个上了年纪的艺人在跳《万舞》。

鲁昭公非常恼火，鲁国公族都很恼火。

孔子是不会错过这样的学习机会的，他去了季孙家观看《万舞》，他也觉得季孙意如太过分了。

按《论语》。孔子谓季氏：“八佾舞于庭，是可忍也，孰不可忍也？”

“是可忍，孰不可忍”，这个成语，出于这里。原意是“这都能做出来，还有什么做不出来”，后来转化为“这样的事情都能容忍的话，还有什么不能容忍的”。

连一个民办教师都觉得太过分了，何况堂堂一国国君的鲁昭公？

是可忍，孰不可忍？鲁昭公决定动手了。

鲁昭公召集了臧昭伯和郈昭伯，商议出兵攻打季孙。到了这个时候，臧昭伯也是义愤填膺，赞成动手了。公为兄弟几个又联络了季公若作为内应，伺机行动。

当时的形势是这样的，孟孙家族势力最小，与季孙家族几乎没有往来；叔孙婼因为看不惯季孙家用天子之礼，因此前往家族地盘阚地巡视去了。其余家族，对季孙家族都是既恨且怕。

九月十一日，根据季公若提供的情报，季孙家祭祀结束，该放假的都放假了，家里最为空虚。

“动手。”鲁昭公下令。

宫中卫队、臧家家兵、郈家家兵，三路人马合在一起，鲁昭公亲自带队，神不知鬼不觉杀奔季孙家。季孙意如万万没有料到鲁昭公会出兵讨伐自己，防备不及，被鲁昭公的部队杀进家中。

季孙意如知道大事不妙的时候，已经无路可逃了。好在家中修了一个高台，原先就是为了预防不测的，现在用上了。季孙意如带着亲兵躲上了高台，据台坚守。

鲁国已经多年不打仗，臧家和郈家的队伍更是根本不知道怎么打仗，因此虽然人多，却攻不下季孙家的高台。

季孙意如在高台上也是战战兢兢，生怕下面的点火烧楼，那时候非烤熟了不可。

“主公，我犯了什么罪啊？拜托调查清楚好不好？能不能让我到沂上去，等待您调查清楚啊？”季孙意如对鲁昭公高喊，想要鲁昭公放自己去南面的封地。

“不行。”鲁昭公拒绝。

“那，能不能先双规啊，把我软禁在费地好不好？”季孙意如继续哀求。

“不行。”鲁昭公再次拒绝。

“那，那让我带五辆车出国逃亡行不行？”季孙意如还在哀求。

“不行。”鲁昭公仍然拒绝。

季孙意如绝望了，现在他只能拼命抵抗，然后期待奇迹的出现。

子家懿伯看三家联军拿不下高台，感觉事情有些麻烦。

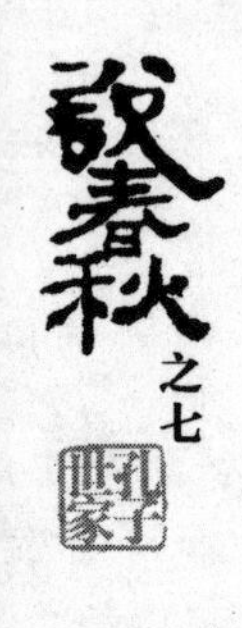

“主公,还是让季孙流亡算了。现在我们拿不下高台,而季孙家的人很可能就快赶来,到时候恐怕就麻烦了。”子家懿伯建议见好就收。

“不行,斩草要除根,知道不?”鲁昭公是下定决心一定要杀掉季孙意如了。

“对,非杀了他不可。”郈昭伯说得咬牙切齿,恨不能亲手杀掉季孙意如。

问题是,攻不下高台,空有决心是不行的。而时间,对鲁昭公们更为不利。

“郈昭伯,你去一趟孟孙家,说服他们帮助我们攻打季孙。”鲁昭公的主意很好,一旦孟孙加入攻打季孙的行列,无论在士气上还是在实力上就都有保障了。

郈昭伯去了孟孙家。

就在鲁昭公攻打季孙家的同时,叔孙家和孟孙家在做什么?他们都没有闲着,两家都在讨论应对的方法。

叔孙家因为叔孙婼不在家,有些群龙无首,拿不定主意。这个时候,管家管不了这事,这事要由管兵的来管。于是,叔孙家的司马名叫鬷(音宗,古时烹调的用具)戾挺身而出了。

“各位,主人不在家,我呢,虽然是管兵的,可是这么大的事情,我也不敢做主。我问问大家,如果季孙家被灭,对我们叔孙家来说,是好事还是坏事?”鬷戾搞了个民主决策大会,把家臣们都给找来了。

大家议论纷纷,不过最后达成一致意见:季孙家如果被灭,下一个就是我们家了。

“那还有什么好说的?出兵,救季孙。”鬷戾当机立断,是啊,还有什么好说的?

叔孙家的队伍杀奔季孙家,从季孙家西北角杀入,掩杀三家的队伍。三家联军原本就实力不强信心不足,如今看见叔孙家的队伍杀到,知道没戏了,于是蜂拥而逃。鲁昭公见形势不妙,也只好逃回宫里。

那么,孟孙家呢?

孟懿子拿不定主意,正在犹豫,郈昭伯来了,请求孟孙家出兵讨伐季孙。孟懿子还是犹疑不决,于是登上自己家的高台远眺叔孙家,看见叔孙家出兵,知道那是去救季孙了。

“既然叔孙救季孙,孟孙也只能救季孙了。”孟懿子终于下了决心。

孟懿子下了决心,郈昭伯就成了送死,被孟懿子当场处死。

随后,孟孙家族出兵,帮助叔孙解救季孙。

三桓一体,平时看不出来,一旦遇上大事,三桓一定团结一心。为什么这样?说白了,他们的利益是一致的。

做人就是虚伪好

鲁昭公仓皇逃回了后宫，好在，不管是叔孙、季孙，还是孟孙，都没有追击鲁昭公的意思，甚至在鲁昭公逃回之后，三家也并没有派兵前来讨伐。

可是，谁也不知道明天会发生什么。

“主公，您可以派人告诉季孙家，就说是被我们这伙人劫持了才攻打他。之后，我们都逃亡到国外。那样，您还可以待下去。不过，今后季孙家恐怕对您的态度不会像从前那么客气了。”子家懿伯为鲁昭公出了个主意，牺牲大家，保全鲁昭公。

“唉。”鲁昭公叹了一口气，他知道子家懿伯的好意，也知道这是个可行的方案，事实上这样的做法历史上有过很多次，而在鲁国尤其可行，毕竟鲁国人是讲亲情的，也是讲面子的，给个台阶让季孙下来，今后自己这个国君还有得做。可是，鲁昭公不想再这样窝囊地待下去了。“子家，当初听你的就好了，两次劝我我都没有听，是我的不对。我知道你的主意很好，但是，好汉做事好汉当，我忍不下这口气，我也不会把责任推给大家。”

“唉。”子家懿伯也叹口气，他知道鲁昭公是个有担当的人，既然做了，他一定也做好了最坏的思想准备。

第二天一大早，鲁昭公到祖庙祭祀了祖先之后，带着臧昭伯、子家懿伯、季公若等人仓皇出逃，逃到了齐国。

季孙意如转危为安，在对叔孙和孟孙两家表示感谢之后，他要考虑怎么收拾眼前的烂摊子了。

臧家、郈家、季公若以及子家懿伯都不是问题，没收他们的封邑是至少的事情，可是，鲁昭公该怎么对付？季孙意如很是挠头。尽管实际上鲁昭公只是个名义上的国君，可是鲁国是周礼国家，动国君这样的事情从来没有发生过，如果自己把鲁昭公废掉或者赶走，今后怎么向祖宗交代？

就因为这些顾虑，季孙意如并没有动手，他甚至也在想办法给鲁昭公一个台阶，让双方能够和平共处下去。可是，第二天醒来的时候，他发现问题解决了，鲁昭公自己跑了。

“是他自己要跑，这不能怪我了。”季孙意如这样对自己说。

既然鲁昭公已经跑了，既然他的帮手们也都畏罪潜逃，那么，没收他们的封邑就是顺理成章了。

季孙意如首先没收了郈家的地盘和季公若的封邑，之后准备没收臧家的地盘，不过他再三考虑之后感觉如果让臧文仲的后代沦落到士的水平，是不是

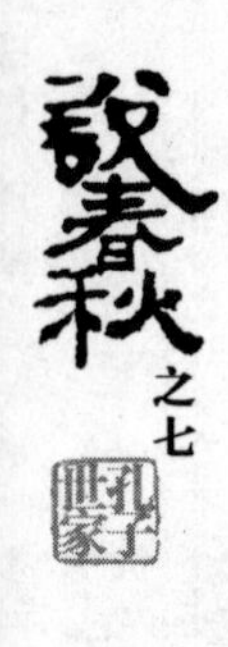

有点于心不忍。

“这样吧，臧家封地保留，臧会接任族长。”季孙意如保留了臧家的封地，给了臧会。

“哎呀妈呀，偻句太灵了，做人就是虚伪好。”臧会兴奋得无地自容，真是做梦也没有想到臧家竟然归了自己，而他把这一切归功于那个龟壳。

既然放过了臧家，季孙意如决定也放过子家懿伯，不仅保留封地，甚至根本不去管他们家的事情。也就是说，子家懿伯随时可以回来。

鲁昭公在齐国

鲁昭公到了齐国，按照国际政治避难的规矩，齐景公热情招待。

“这样吧，我暂时把莒国以西的两万五千户给您，我们随时听候您的命令，我会亲自率领齐国军队帮您打回鲁国。您放心，您的忧患，就是我的忧患。”齐景公送了一块地给鲁昭公，挺够意思。

鲁昭公非常高兴，千恩万谢，以为复国在望。

可是，子家懿伯劝鲁昭公不要接受齐景公的土地。

“主公，那块土地最好别要，一旦接受了土地，鲁国人就会以为您愿意留在齐国做齐国的臣子了，原先想帮您的人就会失望。再者说了，齐国人说话一向不算数的，靠他们是靠不住的。我看，咱们还是去晋国，请晋国人帮忙靠谱一些。”子家懿伯每次的主意都很正，这一次也不例外。

“不，晋国人更不靠谱，那帮腐败分子肯帮忙？”鲁昭公再一次拒绝了子家懿伯的建议，他很讨厌晋国人，也在晋国人那里吃过苦头，因此很不愿意跟晋国人打交道。

说起来，鲁昭公的想法不是没有道理。所以，子家懿伯没有坚持。

这一边，鲁昭公准备借助齐国的力量杀回鲁国，那么，鲁国国内怎样了呢？

叔孙婼在阚地听说首都发生战乱，鲁昭公被迫流亡，于是星夜赶回曲阜。在了解了事情始末之后，去见季孙意如。

季孙意如原本就有些怕叔孙婼，再加上这一次叔孙家救了自己，因此看见叔孙婼来到，十分的恭敬。

“季孙，你竟然把国君给赶走了，大逆不道啊，连累我们两家也跟你挨骂啊。”叔孙婼没客气，指着鼻子斥责季孙意如。

在这件事情上，季孙意如本来就很心虚，被叔孙婼一骂，当时就慌了神。

“我错了，我错了还不行吗？我认打认罚行吗？随便你怎么处置我吧。”季孙意如给叔孙婼跪下，请求处置。

“哼，你了不起，你连国君都敢赶走，你连遗臭万年都不怕，我能把你怎么样?”叔孙婼白了他一眼，依然没好气。

“那什么，咱们把国君请回来怎么样？那我算不算改正错误了?”

“嗯，这是唯一的办法了，那就这么说了，我去齐国迎请主公回来。”叔孙婼想了想，事到如今，如果能把鲁昭公请回来，倒也算是个补偿的办法。

就这样，叔孙婼马不停蹄，立即北上齐国，请鲁昭公回国。

第二五二章　孔子北漂

按照叔孙婼的想法,鲁昭公是愿意回鲁国的,因此,只要自己去请,鲁昭公回国就是水到渠成的事情。可是,他没有想到的是,事情比他想象的要复杂得多。

不错,鲁昭公是想回国。可是,跟随鲁昭公的人并不想就这样回国。对于臧昭伯和季公若来说,季孙意如可以放过鲁昭公,但是绝对不会放过他们。也就是说,如果鲁昭公就这样回国,他们是不能跟随着回去的,即便是季孙意如勉强放过他们,他们的封邑也是肯定讨不回来的,他们只能做一个士。所以,对于他们来说,回鲁国只能有一种方式:打回去,推翻季孙意如,夺回自己的封地。

当大家的目标不一致的时候,要做成任何一件事情都将是困难的。

回国没指望了

臧昭伯和季公若最担心的事情,就是季孙意如把鲁昭公迎回鲁国这件事情。为了防止这样的事情发生,臧昭伯想了一个办法。

臧昭伯把所有跟随鲁昭公流亡的人召集在一起,进行了一次"洗脑大会",洗脑的主要内容是两个方面。首先,告诉大家三桓很坏很阴险,而且不择手段,他们很可能会利诱鲁昭公和大家,然后秋后算账收拾大家,所以,大家要保持警惕性,绝对不相信三桓的任何说法;第二,要相信在齐国人的帮助下,鲁昭公反攻倒算杀回鲁国只是时间问题,到时候赶走三桓,大家分田分地分女人,好日子就在眼前了。

一通忽悠,臧昭伯把大家忽悠得群情激奋,性趣盎然,好像金玉美女就在眼前。趁着大家兴奋,臧昭伯提议大家盟誓,盟书早就准备好了,是这样写的:“戮力壹心,好恶同之。信罪之有无,缱绻从公,无通外内。”(《左传》)

什么意思?就是大家齐心合力,好恶一致,分清坏人,坚决跟着鲁昭公走,不跟国内外敌对势力有任何瓜葛。

戮力同心,这个成语出于这里。

大家稀里糊涂都跟着盟誓,只有子家懿伯看出了臧昭伯的意图。所以,他坚决不参加盟誓。

“我认为,三桓固然有罪,我们的做法也不恰当。如果我们能够跟三桓谈判,让国君回去,有什么不好呢?你们喜欢流亡就流亡好了,国君是应该回国的。为了自己的利益而让国君流落在外,这才是最大的罪过。所以,我不参加盟誓。”子家懿伯果然是个聪明人,话说得一针见血。

叔孙婼从鲁国国内来到,鲁昭公很高兴,他知道叔孙婼与季孙意如不同,他一定是来请自己回去的。

果然,叔孙婼代表季孙意如向鲁昭公请罪,恳请鲁昭公回国。鲁昭公一口答应,毕竟在别人的地盘上住着不是那么自在,何况齐国也未必真的能够帮助自己。

臧昭伯听说叔孙婼来到,立即就猜到了是怎么回事。

“看见没有,我没说错吧?这三桓立即就来忽悠主公了,主公很可能会听信他们的花言巧语。可是我们要保持清醒,要保护主公。”臧昭伯对流亡的人们说,之后安排鲁昭公的亲兵埋伏在路边,等叔孙婼回国的时候,半路上杀掉他,这样,鲁昭公也就回不去了。

鲁昭公的一个亲随叫左师展,他知道了臧昭伯的安排之后报告了鲁昭公,于是,叔孙婼不敢再从来路回去,绕了一个大弯回鲁国去了。

臧昭伯一计不成,再生一计,派人赶在叔孙婼之前到了曲阜,以鲁昭公的名义要求季孙意如恢复臧昭伯和季公若的地位,交还所没收郈家的封邑,否则鲁昭公就不回来。季孙意如一听就火了:“不行,爱回来不回来。”

所以等到叔孙婼从齐国回到曲阜,把鲁昭公愿意回来的事情对季孙意如说了之后,没料到季孙意如却变卦了:“算了,他根本就不想回来,那就别回来吧。”

叔孙婼万万没有想到季孙意如会变卦,更万万没有想到这一切都是臧昭伯在搞鬼,他只觉得自己被耍了,有一种吃苍蝇的感觉。

“我,我这不是成了傻逼了吗?我,我这不是欺骗了国君吗?我,我活着还有什么意思?”叔孙婼痛不欲生,干脆不想活了。

十月四日回到曲阜当天,叔孙婼斋戒沐浴,让家里的祝史祈祷老天让自己

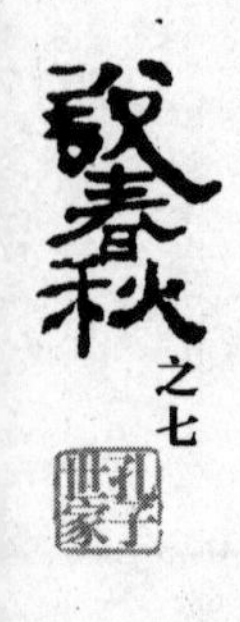

早点死去。十一日，叔孙婼的愿望实现了。

叔孙婼，一个鲁国好人，就这样死去了。

好人不长寿，说的就是叔孙婼这样的人。

臧昭伯派人搞鬼，鲁昭公不知道；季孙意如变卦，鲁昭公也不知道；叔孙婼在家里求死，鲁昭公也不知道。所以，鲁昭公还筹划着赶紧回国呢。

可是，整个流亡阵营中，只有两个人支持他回去，一个是子家懿伯，另一个是左师展，即便他的儿子公为等人，也都跟臧昭伯站在一条阵线上。

"我看，咱们当初是逃出来的，现在恐怕还要逃回去。"子家懿伯看清楚了形势，要想公开回去是绝对不可能的，只能悄悄地溜回去。

于是，子家懿伯和左师展商量，决定子家懿伯留下来迷惑大家，左师展悄悄驾车带鲁昭公回去。

计策算是个好计策，可是真正实施起来，才发现什么计策都没有用。左师展的车刚刚备好，鲁昭公还没有上车，就被鲁昭公的亲兵们发现了，直接把左师展揪了下来，要不是鲁昭公亲自出面，左师展就被当成内奸砍掉了。

没办法，鲁昭公和子家懿伯只好暂时忍着，另找机会。几天之后从鲁国传来消息，说是季孙意如变了主意，叔孙婼自己求死得逞。鲁昭公和子家懿伯知道，要回国是不可能了。

现在，鲁昭公只好安心住在齐国，等齐景公为他出兵了。

孔子看到机会

鲁国的剧变震惊了全世界，这个周礼模范国家竟然也发生了这样的事情，有人惊愕，有人困惑，不过多数人在看热闹。

这个时候，一个鲁国民办教师敏锐地看到了机会。至少，他以为自己很敏锐。

孔子是一个性格略微内向的人，平时比较不善言辞，更不善于溜须拍马。因此，他自己也明白，以自己的性格，要混入官场以及一步步混上去，几乎是没有可能的。因此，要实现自己的富贵梦，就要靠某些特殊的机遇了。现在，这样的机遇来了。

鲁昭公流亡国外，必然需要更多的追随者。而这个时候去投靠他或者说辅佐他，一定会受到重视。那么，如果有一天鲁昭公复国，在他落难时期追随他的人也就都是功臣，必然受到重用。而有齐国的帮助，鲁昭公复国只是时间问题了。

孔子是这么想的，于是他决定这样做。

“季孙大逆不道，赶走了国君。国君流亡在外，我怎么能够安心留在国内呢？当年国君赞助我去伟大首都，对我有知遇之恩，我已经是国君的臣子了。偌大的鲁国，已经放不下一张书桌了。各位同学，我决定前往齐国，协助国君完成复国大业，有没有人愿意跟从我前往的？”孔子对学生们说。原话不是这样的话，但是意思是这样的意思。

孔子的决定让学生们大为吃惊，大家都是没有见过世面的，骤然说起要辅佐国君，难免都有些忐忑。

“老师，我还要种地养老婆孩子，我，我去不了。”弟子冉耕首先表示不能去，冉耕字伯牛，老实诚恳，比孔子只小七岁。

绝大多数弟子都以各种理由表示不能跟随孔子前往齐国，只有两个人最终决定跟孔子前往，一个是班长子路，孔子去哪里他就去哪里；另一个是班上岁数最小的闵损，闵损字子骞，只有二十岁，性格随和厚道，孔子很喜欢他。闵子骞其实对当官没有太大兴趣，不过见老师无人追随，这才挺身而出。

闵子骞是鲁闵公的后人，闵姓得姓始祖就是鲁闵公。所以，闵子骞的身份是士。

老师要走，有一个问题出来了：学费是不是要退？

弟子们都没好意思提出这个问题，毕竟老师平时对他们不错，他们对老师也都很尊重。只有一个人来找孔子退学费，谁？颜繇，字季路。

颜繇比孔子只小六岁，说起来，还是孔子母亲那一边的族人，八竿子之外算是个亲戚。因此，孔子当初看在远亲的份上，收了十根腊肉，又暗地里退回去五根，算是半费入学。

也许是家里太穷，颜繇总觉得自己的学费交得有点亏，平时孔子叫他干活也都哼哼唧唧的不愿意，所以孔子对他也没什么好脸色。

有一次颜繇听孔子讲完祭祀的事情，觉得鬼神这东西有点奥妙，于是下课了来问老师怎么样事奉鬼神。

“伙计，人还没伺候好呢，怎么能事奉鬼神？”孔子对他没好气。

“那，那要是事奉不好鬼神，死了之后是不是很惨？”颜繇看不出眉眼高低，还问。

“嗨，先活明白了，再去想死的事情吧。”孔子又噎了他一句。

按《论语》。季路问事鬼神。子曰：“未能事人，焉能事鬼？”“敢问死？”曰：“未知生，焉知死？”

这一次，颜繇又来找孔子了。

“老师，那什么，上到一半不上了，那，学费退不退啊？”颜繇小心翼翼地问，想要讨回学费。

孔子原本就有些不大高兴,看见颜繇更不高兴,听他说这话就更加不高兴了。

“伙计,脑袋被门夹了吧? 你的学费本来就只交了一半,别人能来要学费,你也不能来要啊。再者说了,我这一去不会太长,等我回来的时候说不准是什么呢,你还怕亏了自己吗?”孔子自然不会给他好脸色看,三言两语打发了他。

热脸贴上冷屁股

俗话说:干革命要跟对人。

孔子没有干过革命,不太懂这个道理。其实,就算懂,也没有用,因为他现在根本没有资格去跟对人。

鲁昭公二十五年(前 517 年)十月,这一年孔子三十五岁。

一乘车从曲阜出发了,车还是当初去伟大首都时候鲁昭公送的。闵子骞驾车,子路为御,载着孔子,师徒三人就这样上路了。

一路急行,就来到了齐国阳州(今山东东平县),鲁昭公就暂住在这里。孔子和两个弟子兴冲冲去找鲁昭公,第一次见国家领导人,尽管是前任的,难免还是有些紧张。在去之前,孔子还专门和两个弟子演练了见国君的礼仪。

可惜的是,白练了。

“你们是干什么的?”鲁昭公的住处,弥漫着警惕的气氛,孔子师徒三个被拦在了大门口,守门的大声喝问。

“在下是孔丘,国君蒙难,特来探望,希望为国君效力。”孔子小心翼翼地说,有些害怕。

“哪个单位的?”守门的接着问。原话不是这样,意思就是这样。

“我,我……”孔子到这个时候突然发现,自己什么都不是,好像为国君效力的资格都没有。

子路在旁边看着老师尴尬的样子,忍不住插了话:“我老师是鲁国最有学问的人,现在教书育人。”

“哈哈哈哈,原来是民办教师。”守卫们笑了起来,然后突然板起了面孔:“滚,快滚得远远的。告诉你们,不要再来惹我们生气了,否则别怪我们把你们当奸细。”

守卫们骂骂咧咧地赶人,要不是看着子路身材魁梧样貌凶恶,几乎就要动手打人。

闵子骞见势头不好,赶紧赶车离开了。

郁闷，绝对的郁闷。

孔子现在欲哭无泪，豪情万丈而来，谁料到当头一记闷棍。正是：一张热脸，贴上了冷屁股。

“怪不得国君会被赶走，看看他手下这帮人，唉。”孔子叹了一口气，对鲁昭公表示失望。

现在孔子的处境非常尴尬，就这样回去实在是太没有面子，大家都会瞧不起自己，甚至连这个私人学校也未必能开下去了，而且要担心季孙是不是会派人来收拾自己。可是，如果不回去，怎么办？

孔子很后悔，早知这样，绝不会来冒这个风险了。可是，后悔是没有用的。问题是，不管后悔不后悔，现在该怎么办？

关键时刻，闵子骞出了一个主意。

“老师，我姥姥是齐国人，我舅舅姓高，是高家的人，要不让我舅舅帮个忙，先在高家谋个职，在齐国待一阵子？”闵子骞是个聪明人，虽然岁数不大，但是比子路看得清楚，他知道这种情况老师是绝对不能就这样回鲁国的，不如先在齐国待一阵子。

“嗯，也好，这样离国君也近，随时可以听候召唤。”孔子求之不得，还心存侥幸。

还好，闵子骞的舅舅还很卖力，高家的家长高昭子（高张）给了孔子一个职务，基本上相当于家庭教师，辅导高家子弟们的学业。子路和闵子骞作为助教，同时留下。

按《史记》。孔子适齐，为高昭子家臣。

君子和而不同

孔子就这样成了北漂一族，留在齐国打工了，但是他的目的并不是打工，而是过渡一段时间。不过，在过渡的这段时间里，孔子有了新的想法。

“我想去见见齐景公，在齐国当个大夫。”孔子对两个弟子说。在这个时候，他还没有资格也没有底气说自己要在齐国推行自己的思想。

“老师啊，我们可是鲁国人，不为鲁国效力，怎么为齐国效力呢？”子路问，老师总是说要忠于祖国，怎么现在不忠于祖国了？

“不能这么说啊，如果我们能帮助齐国遵从周礼，那齐国就变成了另一个鲁国了，跟鲁国还有什么区别呢？之后我们再帮助鲁国恢复原先的秩序，那鲁国就回到了最初那个美好的时代了。”孔子说。他就知道子路会有这个问题，也早就想好了答案。

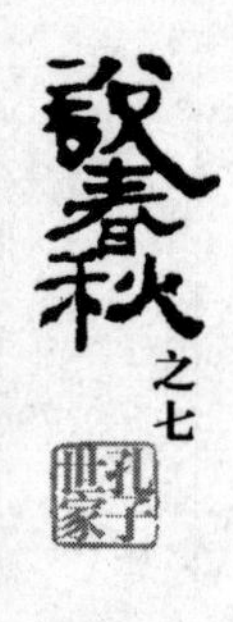

按《论语》。子曰:“齐一变,至于鲁,鲁一变,至于道。”

于是,孔子请求高昭子把自己引荐给齐景公,高昭子对孔子的学问非常欣赏,因此帮了这个忙,而齐景公也很乐于接见各国来的贤士,因此接见了孔子。

在这次会见中,孔子提出了著名的“君君,臣臣,父父,子子”的理论,这个理论得到齐景公的赞赏,齐景公因此准备在齐国给孔子一个封邑,把孔子留在齐国重用。不过,因为国相晏婴对孔子的人品和治国理念极不认同,阻止了齐景公。

按《论语》。齐景公问政于孔子。孔子对曰:“君君,臣臣,父父,子子。”公曰:“善哉!信如君不君,臣不臣,父不父,子不子,虽有粟,吾得而食诸?”

这一段,见于第六部第二三七章。

按《史记》。鲁昭公之二十年,而孔子盖年三十矣。齐景公与晏婴来适鲁,景公问孔子曰:“昔秦穆公国小处辟,其霸何也?”对曰:“秦,国虽小,其志大;处虽辟,行中正。身举五羖,爵之大夫,起累绁之中,与语三日,授之以政。以此取之,虽王可也,其霸小矣。”

这段记载十分可疑,根据《左传》,鲁昭公二十年齐景公并没有访问鲁国。即便是齐景公来访,向一个民办教师请教秦穆公的事迹也是没有可能发生的。

所以,可以确切地说,孔子第一次见齐景公是在鲁昭公二十六年。

孔子在齐国的政治前途因为晏婴的阻挠而基本葬送,孔子对于晏婴非常痛恨。不过,在随后的一年多的时间里,孔子了解了晏婴的为人和他的高尚品德,因此由怨恨而转为敬佩。

因此在《孔子家语·辩政篇》里孔子说道:“夫子产于民为惠主,于学为博物,晏子于民为忠臣,于行为恭敏,故吾皆以兄事之。”

按《论语》。子曰:“晏平仲善与人交,久而敬之。”

后来子路为这件事情问孔子是什么原因让他不再怨恨晏婴,孔子抬起头,目光幽远深邃地说:“晏子说过,君子可以意见不同,但是不能互相怨恨;小人表面上一致,暗地里勾心斗角。我和晏子都是君子,怎么能互相怨恨呢?”

按《论语》。子曰:“君子和而不同,小人同而不和。”

孔子这句话的出处,正是晏婴当初批驳梁丘据时说的话。(事见《左传》鲁昭公二十年及《说春秋》第六部第二三四章)

第二五三章　孔子的领悟

在齐国待了两年，孔子最终还是决定回鲁国。促使他下定决心的是齐国为鲁昭公讨伐鲁国的战争失败，而晋国人根本没有要帮助鲁昭公的意思，也就是说，鲁昭公归国无望了。

毫无疑问，站错了队。

还好，没站进去。到现在，孔子暗暗庆幸当初被拒绝，否则，还真不好回国了。

孔子自己总结，在齐国两年，最大的收获就是在高家听过一回韶乐，听得孔子如醉如痴，沉醉其中三个月不知道肉味，从此算是见识了音乐的极大乐趣。

按《论语》。子在齐闻韶，三月不知肉味。曰："不图为乐之至于斯也。"

韶乐史称舜乐，舜所作之乐。夏、商、周三代均把《韶》作为国家大典用乐，姜太公入齐，韶乐传入齐国。而高家世为上卿，因此可以演奏韶乐。

苛政猛于虎

从齐国回鲁国，尽管有些失落，但是更多的是庆幸。

师徒三人的心情总体来说还是不错的，毕竟是回家。

路过泰山的时候，孔子突然听到有女人哭泣的声音，声音非常凄惨。顺着哭声望去，果然看见一个中年妇女正在痛哭。

"听这人的哭声，似乎有好几重悲哀啊。子路，你去问问是怎么回事。"孔子觉得好奇，派子路去问个究竟。

子路下了车，走了过去。

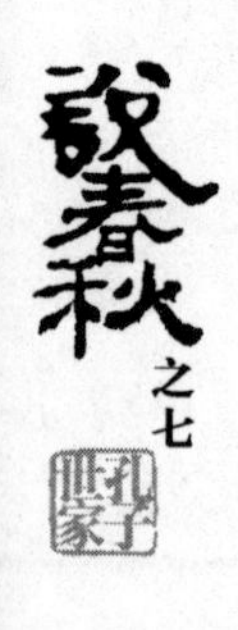

“大嫂,遇上什么事情了,哭得这么伤心?”子路问。

“唉,别提了。当年我公公被老虎吃了,后来我老公又被老虎吃了,今天我儿子也被老虎吃了。我怎么这么倒霉啊,我的天啊,呜呜呜呜……”中年妇女一边说,一边哭。

“那,明知道这里有老虎,你们怎么不离开呢?”子路觉得不可思议,跟着问。

“因为这里没有苛政啊,呜呜呜呜……”中年妇女接着哭。

泰山一向属于三不管地带,不属于齐国也不属于鲁国,因此住在这里不用缴纳税赋。

子路把打听到的情况向孔子转述了一遍,孔子叹了一口气:“你们记住啊:苛政比老虎更可怕。”

这一段出于《礼记》。孔子过泰山侧,有妇人哭于墓者而哀。夫子式而听之,使子路问之曰:“子之哭也,一似重有忧者。”而曰:“然,昔者吾舅死于虎,吾夫又死焉,今吾子又死焉。”夫子曰:“何为不去也?”曰:“无苛政。”夫子曰:“小子识之,苛政猛于虎也。”

苛政猛于虎,这个成语出于这里。

孔子对管子的敬佩

回到鲁国,季孙倒也没有来找他的麻烦,孔子依旧搞他的私立学校,原先的学生重新回来上课,又新招了一些学生,而课程中增加了许多音乐的内容。

孔子私立学校的规模进一步扩大,学生更多,层次也更高。说起来,这一切还得益于孔子的齐国之行。自从管仲辅佐齐桓公以来,齐国成为世界的商业中心和文化中心,大量的各国人才涌向齐国,齐国也成为各国士人最向往的地方。孔子这一趟齐国之行尽管没有达到目的,但是住在高家,见过齐景公,听过韶乐,此外孔子对晏婴赞不绝口,一口一个晏子兄,搞得大家以为他们是好朋友。

如果说孔子去伟大首都算是镀了一层金,去齐国等于又镀了一层金。

平心而论,在齐国的两年,孔子还是长了不少见识。

最初孔子对于管仲颇不以为然,认为他违背周礼,不是个值得尊重的人。

没有去齐国之前孔子断言管仲是个不懂得圣贤之道的人,有学生问管仲是不是节俭,孔子就说:“管仲有三个家,还设了三个管家,怎么能说他节俭呢?”又有学生问管仲是不是懂得周礼,孔子就说:“国君的宫门建屏风照壁,管仲的家门也建;国君在堂上设置放酒杯的几座,管仲在家里也设置。管仲如果懂得周礼的话,谁还不懂?”

按《论语》。子曰:“管仲之器小哉!”或曰:“管仲俭乎?”曰:“管氏有三归,官事不摄。焉得俭?”“然则管仲知礼乎?”曰:“邦君树塞门,管氏亦树塞门。邦君为两君之好,有反坫,管氏亦有反坫。管氏而知礼,孰不知礼?”

可是到了齐国,孔子发现自己的看法有问题了。经过两年在齐国的生活,孔子发现自己完全错了,管仲的高明完全不是自己所能想象的。

在离开齐国之前,子路又问起孔子对管仲的评价,这一次,他得到了完全不同的回答。

“老师,当初管仲和召忽一起辅佐公子纠,后来公子纠被齐桓公所杀,召忽自杀,管仲却不去死,岂不是不仁?”子路问道。之所以问这个问题,是因为他感觉最近孔子总在称赞管仲。

“怎么能这么说呢?管仲九次集合天下诸侯,称霸天下,却不是靠武力。这就是他的仁德啊,还有比这更大的仁德吗?”孔子瞥了子路一眼,心说我都进步了,你还没进步。

按《论语》。子路曰:“桓公杀公子纠,召忽死之,管仲不死。曰:未仁乎?”子曰:“管仲九合诸侯,不以兵车,管仲之力也。如其仁,如其仁!”

可是,子路想不通,当初贬低管仲的是你,如今赞扬管仲的还是你。好吧,我给你一点一点来。子路是个轴脾气,什么事情想不通,就一定要追问到底。

“那,老师说管仲是个什么人?”

“是个伟大的人。”

“不对,我觉得是个小人。”子路要跟老师争辩了,他经常跟老师争辩。“当年管仲游说齐襄公,结果齐襄公没尿他,说明他口才不行;想扶立公子纠,结果又失败了,说明他能力不行;家族在齐国被灭了,却一点也不伤心,说明他没心没肺;被关在槛车里却一点也不惭愧,是没脸没皮;当初要害死齐桓公,后来却投奔齐桓公,这是没有贞操;召忽殉难,他却偷生,是没有仁德。这样的人是标准的小人啊,老师怎么说他是伟大的人呢?”

子路的这一套,全都是从孔子那里学来的,如今用来反问孔子。孔子笑了笑,对付子路,还是有把握的。

“管仲不是没有口才,是齐襄公自己没有大脑;管仲也不是没有能力,是天时不对;管仲也不是没心没肺,是他知道天命;管仲也不是没脸没皮,是懂得克制自己;管仲也不是没有贞操,是知道权变;管仲也不是没有仁德,你想想啊,召忽是个一般的人才,如果不死呢,迟早也会被俘虏,还不如死了博一个好名声。可是管仲是什么人?他的能力是辅佐天子教导诸侯的,死了就是一堆烂肉,不死则功盖天下,泽被后代,为什么要去死呢?子路啊,你真是不懂得这里面的道理啊。”孔子一番话,听得子路晕头转向,好像老师从前不是这么说的

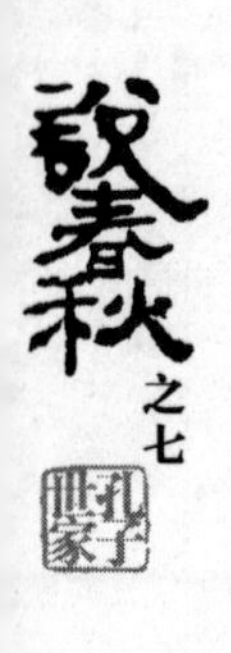

啊，可是听起来还很有道理啊。

（这一段见于《说苑》，原文不录。）

“可是，可是老师说过管仲不懂周礼啊。”子路怯怯地问。他怕再问下去，老师该说他傻了。

“关键是仁德，如果人没有仁德，懂礼有什么用？懂音乐又有什么用？”孔子反问，子路无言以对。

按《论语》。子曰：“人而不仁，如礼何！人而不仁，如乐何！”

可是，子路还是想不通，想了想，又问：“老师，那，管仲这么多优点，可是，他聚敛了那么多财产，不都是从别人手中抢的吗？”

孔子瞪了他一眼，心说这小子怎么这么多问题？

“不错啊，管仲的财产是不少，可是都是该得的啊。所以，就算是他抢了别人的财产，别人也都服气啊。譬如他夺了伯氏的封邑，伯氏一下子从小康回到了温饱，人家到死也没有一句怨言啊。”这倒是实话，孔子见过伯氏的后人，到现在也都不怨恨管子。

子路还是一头雾水，不过他相信老师说的都是对的，管仲从坏人变好人了。

按《论语》。问管仲，曰：“人也。夺伯氏骈邑三百，饭疏食，没齿，无怨言。”

四十而不惑

就在孔子回到鲁国的当年，吴国公子季札出使晋国，回国的路上特地去了一趟齐国，然后经过鲁国回国。

到鲁国的时候，季札的长子突发心肌梗塞而死，于是季札决定就地葬掉儿子再走。孔子听说了，说：“季札是吴国最懂礼仪的人，我们要去观摩一下。”

于是，孔子带着几个弟子去现场观摩季札怎样埋葬儿子。

季札首先找人挖了墓穴，墓穴不深，还没有挖到泉水。季札长子入殓的时候，就穿着平时穿的衣服。下葬以后，又在墓地上堆土，长宽和墓穴相当，高度到可以让人靠。土堆好之后，季札袒露左臂，望右绕着土堆走，一边走一边哭，走了三圈。之后季札对着墓说：“骨肉又回到土里去，这是命中注定的事情。你的灵魂无所不在，无所不在。”说完，季札就带着随从上路了。

“嗯，季札的做法完全符合礼制。”孔子对学生们说，他也算是又学到了知识。

因为意识到自己不可能在鲁国官场有什么前途，所以孔子现在开始专心教学，把这当成了自己一生的职业，谋生的唯一方式。因此，从这个时候开始，孔子在教学和学问上狠下工夫，不再像从前那样虚浮，对于世态也看得比较淡定起来。

心态摆对了，位置摆对了，孔子的境界也就开始有了大幅的提升。

按《论语》。

子曰："学而时习之，不亦说乎？有朋自远方来，不亦乐乎？人不知而不愠，不亦君子乎？"

子曰："温故而知新，可以为师矣。"

子曰："学而不思则罔，思而不学则殆。"

子曰："不愤不启，不悱不发，举一隅，不以三隅反，则不复也。"

子曰："我非生而知之者，好古，敏以求之者也。"

子曰："三人行，必有我师焉，择其善者而从之，其不善者而改之。"

这些体会，都是这段时间得来的，也是孔子身体力行的学习方法。

温故知新、举一反三，这两个成语来自这里。

三年后，到鲁昭公三十年，这一年孔子四十岁。这个时候孔子已经非常博学，看事物能够客观分析，一针见血。

"嗯，我对人世间的道理感到不再迷惑了。"四十岁这一年，孔子这样总结自己。

按《论语》。子曰："吾十有五而志于学，三十而立，四十而不惑。"

鲁昭公死了

鲁昭公三十二年，鲁国出了一件大事，鲁昭公薨了。鲁昭公死在了齐国的乾侯，到死也没能回到鲁国。

齐景公虽然没有能够帮助鲁昭公回国，可是也算够意思，鲁昭公二十七年他出兵攻占了鲁国的郓地给鲁昭公居住，好歹也算让鲁昭公住回了鲁国。不过没过多久，季孙派兵又把郓地夺回来了，鲁昭公只好又住到乾侯去了。

鲁昭公把希望寄托在晋国人身上，原本晋顷公有意帮助鲁昭公，可是当时的中军帅范鞅收了季孙家的贿赂，劝说晋顷公不要管鲁昭公。而宋国和卫国本来也有意帮助鲁昭公，一看晋老大的态度，大家的心也都凉了。

到鲁昭公三十一年，这一年范鞅已经退居二线，魏舒担任中军帅，而晋定公登基，决定出兵帮助鲁昭公回国，借这件事情重树国际威望。这个时候，老腐败范鞅又跳了出来。从受人钱财替人消灾这个角度说，范鞅也算是个负责任的腐败分子了。

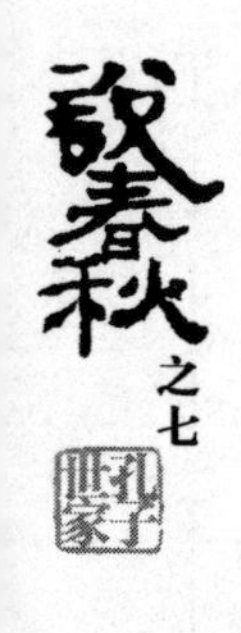

范鞅知道自己现在的位置无法阻止晋定公出兵，那么就只能曲线救国了。范鞅派人紧急去了鲁国，把当前的情况通报给季孙意如，让他火速前来晋国主动认罪，范鞅可以保证他的人身安全。

季孙意如于是启程前往晋国，范鞅先去通报了晋定公，晋定公的意思，来了正好就地捉拿。

“主公，咱们是大国，是霸主，要有大国风范啊。人家主动前来认错，咱们反而抓人家，那不成抗拒从严，回家过年；坦白从宽，牢底坐穿了？今后谁还敢来啊？我看不如这样，主公您也别见他，就让荀砾接见他，如果他愿意认错，愿意亲自去把鲁昭公给请回去，那不就行了吗？咱们不用出兵，还把事办了，主公您的威望不是一下子就起来了吗？”范鞅一通忽悠，晋定公觉得也有道理，于是就按照他的建议去办。

荀砾接见了季孙意如，季孙意如痛哭流涕，认错态度极其诚恳，也愿意和荀砾一起去郓地把鲁昭公请回曲阜。

于是，两人前往乾侯去见鲁昭公。

“跟季孙回去吧。”子家懿伯建议。

“不要。”臧昭伯反对，接着说了自己的理由。“晋国人一句话，季孙就乖乖地来了，如果主公坚决要求赶走季孙的话，晋国人一定也会帮忙的。”

臧昭伯的话得到众人的附和，鲁昭公有点心动了，他原本同意子家懿伯的建议，现在则决定试探一次。

“荀元帅，感谢贵国国君替我们伸张正义。我回鲁国可以，不过我再也不想见到季孙，他在我就不回去，我回去他就得滚蛋。我不是说气话，我对河神发誓。”鲁昭公以为自己严正表示态度之后，荀砾立即就会向季孙发驱逐令。

“这个……”荀砾有些吃惊，这鲁昭公也太得寸进尺了。“我家主公的意思就是让贵国君臣和谐，冰释前嫌。如果您提出这样的要求，我做不了主，请允许我回国向国君汇报一下。”

荀砾很生气，觉得鲁昭公这样的人真不值得帮。所以说完话，离开鲁昭公的住所，对在外面等候的季孙意如说：“算了，你们国君还不肯原谅你，你自己回国，该干什么还干什么吧。”

季孙意如一听，笑了，请你你不回去，这可不赖我了。

季孙高兴了，屋子里鲁昭公一帮人都有点傻眼，这荀砾一走，不知道什么时候才会再回来了。何况，荀砾刚才的口气和脸色都不太好，明显是非常生气。

大伙没什么话说，各自散掉了。

“主公，现在唯一的办法，就是偷偷出去，追上季孙，他一定会带主公回国。”子家懿伯出主意，这个时候，也只有他能给鲁昭公出主意。

“好。”鲁昭公这个时候总算明白了，子家懿伯每个主意都是好主意，都怪自己从前不听他的。

主意是个好主意，可是太晚了，臧昭伯一伙人早就防着这一招呢，车马全控制了。

“唉。”鲁昭公叹了一口气，他知道，最好的机会错过了，要活着回鲁国的可能已经越来越小了。

身体不好，心情也不好，什么都不好。

鲁昭公三十二年，鲁昭公终于在绝望中死去。

死前，鲁昭公拿出自己压箱底的宝物赏赐给跟随自己流亡的大夫们，结果没有人要。最后还是子家懿伯率先接受了，其余人才接受了。不过等到鲁昭公死后，子家懿伯又把接受的赏赐还给了鲁昭公的管家，其余人也都还掉了。

鲁昭公死在国外，有一个大问题：谁来继任。

按理，应该是鲁昭公的太子，太子是谁？公为？错，鲁昭公已经把他给撤了。为什么撤他？好几个理由，听起来很搞笑的理由。

两年前的时候，鲁昭公给了二儿子公衍一件羔羊皮衣，然后让他去把一块美玉献给齐景公。结果公衍把美玉和皮衣一块献给了齐景公，齐景公一高兴，把阳谷封给了他。鲁昭公非常高兴，因为他一直就很喜欢阳谷这个地方。

“嗯，还是公衍比较会办事。”鲁昭公现在喜欢公衍了，再想想自己流落国外，都是当初公为蹿唆的结果，气就不打一处来。“公为这个王八羔子，不配当太子。”

既然有心要废掉公为，让公衍做太子，鲁昭公又想起公为的很多不是来。想来想去，其中的一件让鲁昭公最为恼火。

原来，当初公为和公衍的母亲一块进入产房，结果公衍先生出来。公为的母亲对公衍的母亲说：“好姐妹，咱们一块进来的，希望一块出去向老公报喜，这就是双喜临门了。”

公衍的母亲想想也是，就答应了，孩子生出来之后，一直没抱出去。三天之后公为出生，公为一出生，公为的母亲也没跟公衍的母亲打招呼，也不管什么双喜临门之类的东东了，直接叫侍女给抱出去见鲁昭公报喜去了。就这样，本来是弟弟的公为成了哥哥，被立为太子，本来该是太子的公衍成了一般的公子。这事情鲁昭公早就知道，不过两个都是自己的儿子，所以也就将错就错了。只是如今看公为不顺眼，又想起来了。

“公为，你这个骗子，你骗了我这么多年了，还害得我流亡海外，我今天要废掉你的太子。”鲁昭公把这个账算到了公为的头上，其实这事还真不赖公为，

当初他也是被抱出来的，也不是自己跑出来的。

总之，鲁昭公废了公为，立公衍为太子。

只是，一个流亡的国君，他立的太子能够成为国君吗？

第二五四章　阳虎执政

季孙意如对鲁昭公其实并不怨恨，鲁昭公随时回去他都欢迎。当初鲁昭公逃去齐国的前几年，季孙意如每年都派人给鲁昭公送马，还送衣服鞋子。可是鲁昭公不领情，每次都把马卖掉，把送马的人扣押起来，当然，衣服鞋子留下来穿。几年之后，季孙意如不再送了，再送就是脑子有毛病了。

其实，这也不怪鲁昭公，扣人卖马的是臧昭伯们干的，他们就是要让季孙对鲁昭公更多些怨恨。

鲁昭公死在了齐国，这让鲁国人民感觉很不舒服。季孙意如也觉得有些愧疚，于是决定把鲁昭公的灵柩接回来，安葬在祖墓。另外，谁来当国君的问题，季孙意如也已经考虑好了，他要立鲁昭公的弟弟公子宋为国君。

子家懿伯

季孙意如派叔孙不敢（即叔孙成子，叔孙婼之子）前去齐国迎接鲁昭公的灵柩，临行之前特地交代："子家子（即子家懿伯）这人我了解，非常有能力，人品也好，所以你一定要让他回来，等他回来，我愿意跟他共同执掌国政。"

这辈子，季孙意如这件事情做得最地道。

叔孙不敢就这么去了乾侯，到了之后，第一件事就是要见子家懿伯。

"几件事情跟您通报一下，第一，鲁昭公不能回国，都是公衍公为在捣鬼，所以他们谁都不能担任国君，我们已经决定立公子宋为国君了；第二，虽然您跟随鲁昭公出亡，可是您的封邑、职位等等一切待遇都从来没有改变过；第三，季孙特地叮嘱我，邀请您回国和他共同执政；第四，现在跟随鲁昭公的人中，谁能回国谁不能回国，您说了算。"叔孙不敢对子家懿伯很恭敬，一五一十转达了

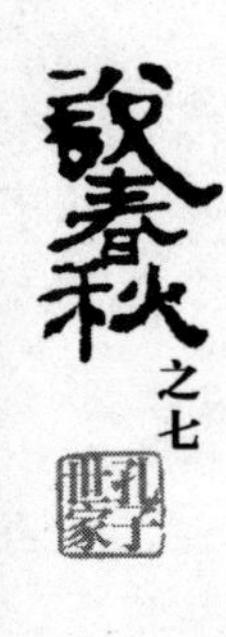

季孙意如的意思。

出乎意料，子家懿伯拒绝了。

“立新君是一件很严肃的事情，要卿大夫们商议，还要用守龟占卜之后才能定，我不敢发表意见。至于谁能够回去，其实很简单，当初随着鲁昭公攻打季孙的谁敢回去？其他人都应该回去。至于我，鲁昭公只知道我随他流亡，不知道我还会回去，所以，多谢好意了，我是一定不会回去的。”子家懿伯说得其实很清楚，不管季孙怎样宽宏大量，实际上跟他有仇的人是无论如何不敢回去的，而自己也决定不再去沾惹鲁国的是非。

子家懿伯，真正的高人。

真正的高人，总是能正确地判断形势，总是能拒绝眼前利益的诱惑。

灵柩上路，子家懿伯送到齐鲁交界处，留在了齐国。其余的人此时还不知道谁来接任国君，还抱有公衍继位的侥幸心理，于是一路跟随，一直到曲阜郊区。这个时候，大家才知道公子宋已经准备继位了。

“快逃命吧。”臧昭伯大叫一声，率先逃命，攻打过季孙的人都逃往国外去了，没有攻打过的人则留了下来。

一切，都如子家懿伯所料。

公衍、公为等公子选择了留下，他们不愿意再流亡了，而且叔孙不敢也早已经保证了他们的安全和今后应得的地位。

昭公灵柩回来，季孙意如下令把昭公的墓和祖墓分开。

“你生前不能事奉国君，死后还把他的墓跟祖墓分开，太过分了，你这不是找骂吗？”大夫荣驾鹅反对。

“噢，是啊。”季孙意如跟他爹季武子一样，别人一说什么，他就恍然大悟。

“那，给他取个不好听的谥号怎么样？”季孙意如总之就是想贬低鲁昭公。

“你这不是更要挨骂吗？”荣驾鹅又反对。

“噢，是啊。”季孙意如又觉得有理，于是给了鲁昭公“昭”的谥号。

鲁昭公下葬之后，公子宋登基，就是鲁定公。

鲁定公登基之后的第一件事，就是任命叔孙不敢和仲孙何忌（孟懿子）为卿，原来，这两位都是在鲁昭公流亡期间继承了父亲的卿位，但是没有国君的正式任命。

这一年是鲁定公元年，孔子四十三岁。

树欲静而风不止。

就在孔子准备安心做一个教书匠的时候,国内外却发生了一系列的大事,令孔子重燃了从政的念头。

鲁国现在的格局是:国君鲁定公,三桓则分别是季孙意如(季平子)、仲孙何忌(孟懿子)和叔孙不敢(叔孙成子),而权力在三桓,权力核心又在季孙意如。

季孙意如家中又分为两派,一派以大管家阳虎为首,仗着季孙意如的信任,为所欲为。另一派是季孙意如的儿子季孙斯以及季孙家的家臣仲梁怀,他们很反感阳虎,跟阳虎对着干。

鲁定公五年,季孙意如前往鲁国东部视察,结果在回来的路上因病去世。于是,季孙斯接任,就是季桓子。

阳虎主持了葬礼,要求用一块宝玉为季孙意如陪葬。

"不行,这块宝玉是国宝,当初鲁昭公流亡国外,咱们主公佩戴着这块宝玉管理国家。现在我们有了国君了,主公就不能佩戴了,又怎么能用来陪葬呢?"仲梁怀不给,他以为现在季孙斯掌权,自己的靠山比阳虎要硬了,因此可以不给阳虎面子了。

阳虎没办法,因为仲梁怀是家里的财物总管,宝玉在人家那儿放着呢。

葬礼的时候,阳虎把这事情告诉了好朋友公山不狃,公山不狃也是季孙家的家臣,担任费邑邑宰,也就是季孙家大本营费邑的总管,地位和实力仅次于阳虎。

"狗日的以为有靠山了,不把我放眼里了,我打算赶走他。"

"算了,他也是为了主公的名誉,您就别放在心上了。"公山不狃劝说阳虎,他觉得这不算是个大事。

这事情就算这么过去了。

季孙斯接任之后,照例要巡视一遍自家的地盘。于是,让阳虎管理家务,自己带着仲梁怀去了。

第一站就是费邑,这里是公山不狃在管理。公山不狃带着季孙斯四处巡视,一路上照顾得不错,季孙斯也很满意,对公山不狃非常客气。可是,仲梁怀一向就认为公山不狃是阳虎一伙的,这个时候应该打击。所以,仲梁怀到处挑刺,态度也很无理,这让公山不狃非常恼火。

"狗日的,怪不得阳虎想赶走他,这种人就应该赶走。"公山不狃现在算是

恨透了仲梁怀，派人去联络阳虎，商量怎样赶走仲梁怀。

季家最有实力的两人联手收拾仲梁怀，如果放在从前，这不是问题，可是现在季孙斯继位，仲梁怀是他的头号心腹，要赶走仲梁怀，季孙斯这一关就过不了，怎么办？

“一不做，二不休，连季孙斯一并收拾。”阳虎和公山不狃商量来商量去，决定干一票大的。

促使阳虎和公山不狃下定决心的另一个原因是，仲梁怀不间断地在季孙斯面前说他们的坏话，季孙斯对他们的态度越来越差，随时准备炒他们的鱿鱼了。

季孙意如六月去世，到九月二十八日，阳虎和公山不狃发动了历史上著名的“九二八政变”，两人首先囚禁了季孙斯和公父文伯，然后以季孙斯的名义驱逐仲梁怀。仲梁怀一看大事不好，驱逐就驱逐吧，总比砍头强，于是赶紧带着老婆孩子逃去了齐国。

季孙斯被关了半个月，一开始还很强硬很恼怒，认为这样大逆不道的行为一定会受到谴责，家族里的人一定会来救自己，孟家和叔孙家一定会来救自己。可是，后来他才发现，谁也不会来救自己了，季孙家都是阳虎的势力，叔孙不敢胆小如鼠，真是不敢来救自己，而孟懿子不仅胆小，而且跟阳虎本来就是一家，更不会得罪阳虎。

“那什么，我服了还不行吗？”季孙斯终于服软了，现实面前，实力比什么都好使。

“服了是吧？早说啊，签盟约吧。”阳虎准备了一份盟约，大致意思就是今后这个家虽然季孙斯还是老大，但是阳虎说话才算数。

盟约就这么签了，季孙斯就这么成了阳虎的傀儡。第二天，祭神诅咒，释放季孙斯，同时驱逐了公父文伯等几个季孙斯的死党。

到现在，季孙算是能体会到鲁国国君的那种无奈了。

阳虎掌控了季孙家，叔孙和孟孙也都纷纷服软。于是，阳虎摇身一变，成了执掌鲁国大政的人。当年，叔孙不敢鞠躬尽瘁，儿子叔孙州仇（武叔）继位，岁数还小，更加不敢说三道四。

消息传到孔子那里，孔子叹息了一声：“唉，陪臣执国政啊，这个国家是完蛋了。”

按《论语》。孔子曰：“天下有道，则礼乐征伐自天子出；天下无道，则礼乐征伐自诸侯出。自诸侯出，盖十世希不失矣。自大夫出，五世希不失矣。陪臣执国命，三世希不失矣。天下有道，则政不在大夫。天下有道，则庶人不议。”

什么是“天下有道，则庶人不议”？就是说如果国家治理得当，老百姓自然就不会有什么怨言。

对于三桓之所以如此脆弱,孔子这样总结。

按《论语》。孔子曰:“禄之去公室,五世矣。政逮于大夫,四世矣。故夫三桓之子孙,微矣。”

阳虎执政

阳虎执掌国政,与其他任何刚开始执掌国政的人一样,迫切想通过某种方式确立自己的威信,让国内的人民畏惧,让全世界知晓,而最好的办法是什么呢?战争,阳虎这么认为。

第二年,阳虎率领季孙斯和孟懿子出兵偷袭郑国的匡地,取得胜利。攻打匡地的原因有两个,第一个自然是要表现自己的军事领导才能,而更重要的是,郑国此前曾经攻打晋国,所以此次攻打郑国等于是为晋国出气。

去的时候是悄悄地出发,回来的路上阳虎命令鲁军在经过卫国的时候绕了个圈子到卫国首都,从南门入东门出,意思是说我阳虎的鲁国军队很牛,给你们看看。卫国国君卫灵公大为恼火,要不是大夫们劝住,当时就要跟鲁国开战。

从郑国取胜归来,阳虎派遣季孙斯和孟懿子两人前往晋国,季孙斯是进献郑国的俘虏和战利品,孟懿子则是专门去向晋定公夫人进献礼品。一次派出两个卿,单这规格就让全鲁国人民对阳虎的权势侧目了。

年底,阳虎又组织了一次盟誓,参加者是鲁定公、季孙斯、孟懿子、叔孙州仇,当然,还有阳虎自己,盟誓的内容还是大家伙从今之后要听阳虎的。之后,大家集体去了著名的乱葬岗五父之衢进行了诅咒。

转眼到了鲁定公七年,齐国大夫国夏率军进攻鲁国。阳虎亲自领兵,带着季孙斯和孟懿子迎战。阳虎和季孙斯在一个战车,阳虎驾车;孟懿子和孟家大总管公敛处父一个战车,公敛处父驾车。于是,滑稽的一幕出现了。

“虎哥,这仗怎么打?”司机公敛处父问。

“我看,夜袭。”司机阳虎说。

“行不行?”司机公敛处父问。

“肯定行。”司机阳虎说。

两个司机讨论,两个坐在车上的主人干瞪眼没资格发言。

就这样,鲁军确定了夜袭的打法。

鲁国和齐国打仗始终有一个问题没有办法解决,那就是两国之间实在是

亲戚太多,打着打着仗就能发现对面是自己的小舅子。所以,给亲戚通个风报个信就太正常了。这次也是这样,鲁军的计划第一时间就被送到了齐军主帅手中。

“狗日的阳虎最喜欢偷袭,咱们设好埋伏,全歼他们。”国夏的计划也订好了。

问题是,有人给齐军送信,也必然有人给鲁军送信。

所以,齐军的计划也第一时间送到了阳虎这里。

得到齐军已经有准备的消息的时候,鲁军正准备出发,怎么办?

“不行,就算他们有准备,我们也不怕。”阳虎还要打。

季孙斯瞪了瞪眼,没敢说话。

“不行,这样肯定要打败仗。”公敛处父反对。

孟懿子用感激的眼神看看公敛处父,也没有说话。

“不行,我们不能就这么作罢。”阳虎还是坚持。

季孙斯和孟懿子都敢怒不敢言,他们都看着公敛处父,只有他能救命了。公敛处父没有说话,他在想怎样才能说服阳虎。

就在这个时候,孟孙的家臣苫夷大声叫了起来:“阳虎,你要是让两家的主人都落难的话,我发誓一定杀了你。”

苫夷是孟孙家的第一猛将,阳虎也有些怕他。

“嗯,那好吧,既然不能进攻,咱们撤吧。”阳虎竟然服软了,当然他也感觉进攻确实太冒险了。

当晚,鲁军撤退,避免了一场大败。

第二年,齐鲁之间又进行了两场边境战争,鲁国两战皆败。阳虎到这个时候明白了,鲁国的军力确实不是齐国的对手,自己的执政也许该从战争导向有所转变了。

“嗯,该找些人来帮助我治国了。”阳虎想,他想起一个人来。

阳虎送礼

孔子专心教书,这一天刚刚下课,听见有人在喊自己。

“孔老师,孔老师。”一个陌生的声音传来,回头看,一个陌生人站在自己面前,孔子不认识他。“我是阳虎的家臣,主人派我来,请您去一趟。”

原来,是阳虎的人,家臣都有家臣了。

孔子曾经被阳虎羞辱过,后来在季孙家则是阳虎的下属,那段时间阳虎对他也还不错,所以两人之间倒不算有过节,还算是同事过。

“阳总管找我什么事?”孔子问。

“主人看上了您的才能,想请您出来做事。”来人说。更具体的,他也不知道。

“那什么,恐怕不行。你看,我这么多学生要教,自己身体也不太好,老婆又快生了,麻烦你替我感谢一下总管,我就不去叨扰了。”孔子拒绝了,其实根本就没老婆。

孔子为什么拒绝呢?因为他总觉得阳虎这样“陪臣执国命”,名不正言不顺,不会干多长。

来人见孔子不去,也不能强迫,只好走了。

第二天一大早,昨天来的那人又来了,这次没有空着手来。

“孔老师,这头猪是我家主公送给您的,您一定收下。”阳虎派来的人带来了一头小猪,这样的礼物非常重了。

“哎哟,感谢感谢。”孔子客套了一番,收下了小猪。

对于阳虎送猪,孔子心中难免有些感激,毕竟人家执掌着这个国家,自己不过是个民办教师。人家两次派人上门,还送了一头猪,这说明人家看得起自己啊。

感激是感激,可是,去不去当阳虎的官呢?孔子前思后想,觉得还是不去比较理智一些。可是,即便不去当他的官,也不能得罪他啊,况且,人家对自己也不错。

孔子决定去阳虎的府上回谢,可是又怕阳虎当场要自己出来当官,自己恐怕就无法拒绝了。怎么办?

孔子决定找一个阳虎不在家的时间去阳虎家里,这样礼数尽到了,还能躲开阳虎。

几天之后,孔子探听到阳虎不在家,于是赶紧上路去了阳虎家。果然阳虎不在,孔子报了自己的名字,留了些感谢的话,又叮嘱阳虎的家人一定转达,这才心情轻松地回家。

俗话说:无巧不成书。

就在半路上,孔子迎头遇上了阳虎,躲都躲不掉。

这下,没办法了。

“伙计,你过来,我问你个问题。”阳虎对孔子说,明显带着霸气。孔子走近了些,听他说。“身怀高深的学问,却不为国效力,这是仁吗?”

“不是。”孔子低声说,没办法,阳虎的气场比自己强。

“想做大事却不抓住机会,这样的人算是明智吗?”

“不算。”

“日月飞逝,时不我待,伙计,抓紧吧。”

“好,我跟你干。”孔子被说动了。

“好。”阳虎很高兴,拍了拍孔子的肩膀,走了。

按《论语》。阳货欲见孔子,孔子不见,归孔子豚,孔子时其亡也而往拜之,遇诸途,谓孔子曰:“来,予与尔言。”曰:“怀其宝,而迷其邦。可谓仁乎?”曰:“不可。”“好从事而亟失时,可谓知乎?”曰:“不可。”“日月逝矣,岁不我与。”孔子曰:“诺。吾将仕矣。”

孔子是真的被说动了,他那颗潜藏多年的从政的雄心又被激发了出来。

“阳虎很真诚啊,值得跟他干。”孔子对自己说,可是,仅仅是这个理由不足以说服自己,所以他接着又说了:“其实,表面上是跟他干,实际上还不是在为国效力?”

当天晚上,孔子做了一个梦,梦见自己当上了鲁国的大夫,每个人对自己都很尊敬。自己还代表鲁国出访宋国,去祖坟上祭祀了祖先。

第二五五章　孔子当官

孔子的梦终究没有实现。

孔子不愿意主动上门去找阳虎，他怕学生们说他言行不一，说他一边骂阳虎陪臣执国命，一边却又去上门巴结。孔子在等待阳虎派人来直接任命他，这样他就可以说自己是被迫的。

可是，阳虎终于还是没有派人来。是阳虎反悔了吗？不是，是阳虎顾不上来了。

又见生死时速

阳虎有几个死党，他们是季寤、公沮极、公山不狃、叔孙辄和叔仲志，其中季寤、公沮极、公山不狃是季孙家的，季孙斯对他们都不太好，叔孙辄在叔孙家也很不得志，叔仲志则是鲁国大夫，也干得很没劲。于是，五个兄弟都投靠了阳虎，几个人最近密谋一件大事。

"干掉三桓，取而代之。"阳虎在几个人的蹿唆下，决定干一票大的。

按照最终的计划，干掉三桓之后，季寤接管季家，公山不狃出任大总管；叔孙辄接管叔孙家，而阳虎接管孟孙家，因为他本身就是孟孙家的人。

到了十月份，按照惯例祭祀历代国君，阳虎在浦圃安排了一个宴会招待季孙斯，准备在这里干掉季孙斯。之后，再分别干掉孟懿子和叔孙州仇。

宴会订在了四日，到二日，孟懿子的大总管公敛处父发现曲阜城里的气氛有些异常，派人侦察了一番，说是季孙家的部队开始处于戒严状态。

"主公，季孙家的部队开始戒备，出了什么事情？"公敛处父问孟懿子。

"没有啊，刚才我还碰上季孙斯，没说到这个事情啊。"孟懿子很吃惊，不知

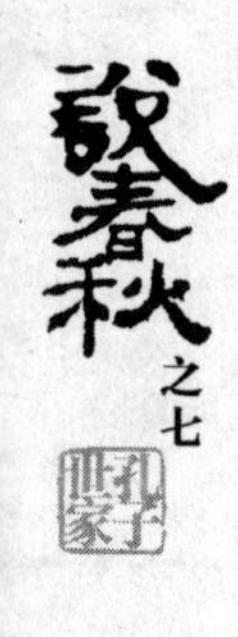

道要发生什么。

“不用说了，那一定是阳虎在调动军队，看来他要发动叛乱了。季孙斯固然很危险，我们孟孙家恐怕也不能置身事外啊。”公敛处父最近也听到一些风声，立即就明白摊牌的时间到了。

“那怎么办？”孟懿子有些慌张起来，内心里，他还是很怕阳虎。

“我们明天出兵，先把季孙斯救出来再说。”公敛处父有办法，在鲁国如果还有一个人不怕阳虎，这个人就是公敛处父了。

十月三日，阳虎带领着季孙斯出城祭祀，阳虎的车在最前面，季孙斯的车在中间，阳虎的弟弟阳越在最后压阵。季孙斯这些天来受到严密监视，他已经知道了阳虎的阴谋，他知道自己现在非常危险，而眼下可能是唯一的逃生机会了。

“林楚，你们家世代都是季孙家的忠臣，你也要做到这一点啊。”季孙对自己的御者说，御者林楚自然是阳虎派给他的，季孙抱着死马当做活马医的心态，试图拉拢他。

“你现在说这些还有什么用呢？阳虎都要下手了，我帮不了你。”林楚把话说得很清楚，事到如今，说了也无妨。

“还来得及啊，你带我去孟孙那里吧。”季孙斯心头一紧，看来阳虎是真的要下手了。

“倒不是我怕死，我是怕这样也救不了主公啊。”林楚再次拒绝，不过有些犹豫。

“不试怎么知道呢？你要是救了我，官升三级怎么样？”季孙一看有门，急忙许诺。

林楚没有再说话，他只是用眼角的余光扫视着前后左右。

岔路口到了，最后一个岔路口。

林楚突然一拉缰绳，将车带进了岔路，随后啪啪啪连甩三鞭，车飞奔出去。

季孙斯舒了一口气，最后的希望还在。

林楚的车进了岔路，身后阳越的车也跟了进来。

“站住！”阳越在后面大声喊着，前面的车则跑得更快。

阳越抽出箭来，对着前面的季孙斯射去，可惜车太颠，箭都射偏了。

一直追到孟孙家的大门口，大门开着，林楚的车直接冲了进去。之后大门关上了，等到阳越的车冲到近前，他没有看到季孙斯，只看到一支箭向自己的面门飞来。

箭，插在阳越的眉心。

在公敛处父的安排下，孟孙家早有准备了。

孔子的妙计

事发突然，季孙斯的逃跑打乱了阳虎的部署。阳虎明白，孟家早已经有了准备。如今，只能立即出兵讨伐孟孙，将孟懿子和季孙斯一网打尽。

于是，阳虎首先劫持了鲁定公和叔孙州仇，随后调集曲阜城里的军队，进攻孟孙家。孟孙家的军队在数量上不如阳虎的队伍，不过公敛处父已经连夜从孟孙家的大本营成地调集了部队，此时恰好赶到，双方人数对比立即逆转。

阳虎的部队和孟家的部队进行了两次交战，终于，阳虎的部队被击败了。

阳虎逃进了鲁定公的公室，抢了鲁国的国宝宝玉和大弓，之后逃往自己的封邑阳关。阳虎的同伙们也都纷纷出逃，而公山不狃此时还在费地，听说阳虎战败，因此占据费地叛乱。

一手遮天，不可一世的阳虎就这样完蛋了。快，实在是太快了。为什么这样快？因为阳虎没有对突发事件作应急预案。

所以，世事难料。

第二年，鲁军攻打阳关，阳虎逃往齐国。在齐国，阳虎被齐景公囚禁，结果两次逃跑，终于成功，借道宋国逃往晋国，投靠了赵鞅。这是后话。

费地是季孙家的大本营，因此占据费地的公山不狃俨然是最具实力的人。当初的盟友们纷纷前往投奔，其中就包括叔孙辄。

“我们不能在这里等他们来讨伐，我们要招贤纳士，扩充力量，伺机杀回去。”叔孙辄提出建议，于是两人开始探讨有哪些人才可以招纳。

“嗯，阳虎当初想吸纳孔子，我看，我们也可以去请他来。”公山不狃想起孔子来，派人悄悄来到孔家，请他前往费地，辅佐公山不狃。

孔子这时候正在纠结之中，一半懊恼，一半庆幸。懊恼的是阳虎被赶走，再也没有人欣赏自己，自己的大夫梦就此破灭；庆幸的是，幸亏自己没有拴到阳虎这条线上，否则也很危险。不过总的来说，是懊恼大于庆幸。

公山不狃的聘书送到，孔子不免一阵激动：哇噻，终于还有人欣赏我，终于还有人邀请我出山。

人，可以激动，可以感动，但是，不能冲动。

孔子在激动之余，暗自分析了当前的形势。以阳虎的实力，尚且一天就被消灭，公山不狃不过是占据了一个城，而且名不正言不顺，前景可想而知。如果去投靠他，那不是打着灯笼上茅坑——找死？

所以，孔子准备婉言谢绝。

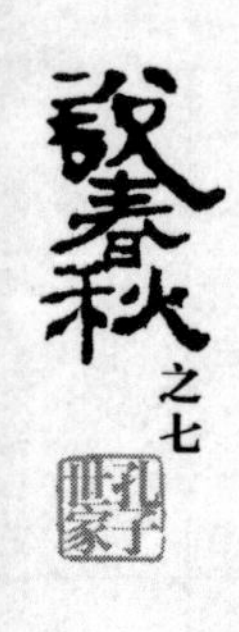

可是，突然之间他灵机一动。

“好，我去，我去，你先回去，我随后就去。”孔子竟然一口答应下来，来人非常高兴，回去复命了。

随后，孔子找来了子路，说是公山不狃派人来请他去治理费地，他要带子路一块去。

“老师，不要啊。就算没地方去，也不至于去公山不狃那里啊。”子路一听，瞪圆了眼睛，想都没想，立即反对。

“不能这么说啊，人家这么大老远来请我，这么有诚意，肯定重用我啊，我不是可以把周礼恢复过来吗？治理好费地，就等于治理好鲁国啊。”孔子说，似乎很镇定。

“老师，公山不狃什么人？陪臣，叛臣，去投奔他，跟您老人家的主张背道而驰啊。”子路这个时候很清醒，一句话说到了要害。“阳虎都跑了，公山不狃迟早也是这个下场，到时候老师您怎么办？”

孔子一副很无语的样子，双手抱头想了一阵，挥挥手让子路出去：“那，我再想想。”

孔子这一想，就再也没有提起这件事情。

按《论语》。公山不狃以费畔，召，子欲往，子路不说，曰：“末之也已，何必公山氏之也！”子曰：“夫召我者岂徒哉！如有用我者，吾其为东周乎！”

其实，孔子根本就没有想过要去公山不狃那里，既然这样，为什么要对子路说要去呢？

子路是个直性子，什么话都憋不住，什么情绪都直接放在脸上。

孔子找他的当天晚上，子路就很烦躁，有住校的同学们就来问是怎么回事，子路就把事情对大家说了，大家都很惊讶，也很支持子路的意见。

第二天上课，孔子没说，自然也没人敢问。不过，事情就在学生们中间传开了。传来传去，越传越玄，说是公山不狃派人送来了一车礼物聘请孔子出山，被孔子拒绝了，一车礼物被拉走，公山不狃派来的人因为没有完成任务而被杀。

事情很快传到了南宫敬叔那里，听说老师拒绝了公山不狃的消息，南宫敬叔对老师又是敬佩，又是愧疚。敬佩的是老师高风亮节，不为所动；愧疚的是公山不狃都知道老师的才能而要重用他，自己却没有推荐过老师。

南宫敬叔到处去讲老师的事迹，他的层面自然不同，听到的人都是卿大夫。很快，鲁定公就知道了这件事情，于是请南宫敬叔来问问孔子这人是个什么人。

“主公，孔子是我的老师，学问那是鲁国第一世界第二，自从世界第一老子人间蒸发之后，他就是世界第一了。我听说阳虎就曾经请他出山，被他拒绝了；前段公山不狃又请他去费地，也被他拒绝了。这人有气节，有知识，还倡导周礼，我猜想啊，如果我们再不用他，说不定什么时候卫国宋国齐国晋国什么的就都来挖他了。”南宫敬叔自然要为老师兼老婆的叔叔吹捧一番，说得鲁定公瞪大了眼睛。

“那什么，这样的人才，咱们自己要用啊。”鲁定公眼前一亮，做出了决定。

历史上，关于孔子想去投靠公山不狃这一段总是被遮遮掩掩，要么就是强词夺理，为孔子辩解。其实，这根本就是孔子借力打力的计策，真正的目的是要引起鲁定公的关注。类似的计策，在战国时期被大量应用。可惜古人不识孔子的计策，一味要把孔子扶上圣位，才有了许多自欺欺人的牵强解释。

这一年，孔子五十岁，孔子觉得自己已经能够很从容地对待世事了。

按《论语》。子曰：“吾十有五而志于学，三十而立，四十而不惑，五十而知天命。”

终于当官了

中都宰，现在孔子是中都宰了。

现在是鲁定公九年，孔子五十一岁。

中都是哪里？中都宰是干什么？中都是鲁国的一处地名，按鲁国的规矩，有宗庙的所在称为都，否则称为邑。中都有鲁国宗庙，因此称为都，地点在今山东汶上西。中都宰就是中都地方行政长官，今天的说法就是中都市市长。

而中都是鲁国公室不多的几块自留地，因此孔子算是鲁国官员，而不是三桓的家臣。

从民办教师，孔子一夜之间野鸡变凤凰，成了一方大员。

一朝权在手，便把令来行。

孔子上任中都宰，一时也引发轰动，一个毫无背景的甚至可以说出身卑微的民办教师，竟然一夜之间当上了中都宰，人们都感到吃惊。

怎样治理曲阜呢？孔子冷静地分析了眼下的形势。

孔子按照周礼的规定制定了很多规矩或者说法律条文，因为这些原本就是周礼中有的，所以也可以说成是重申。不过这些规定已经很多年没有人遵守了，大家还是觉得新奇。这些法律条文的具体内容已经不可考，只有《孔子家语》中有一点简单记载，也只能是在某些侧面笼统地介绍。

总的来说，这些法律条文集中于“养生送死”，也就是人们起居生活和丧葬

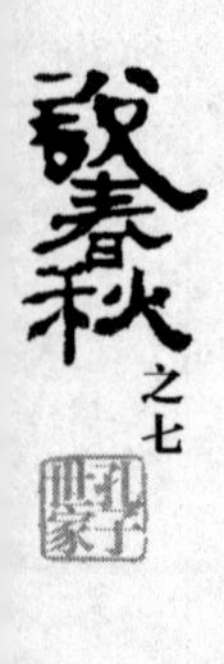

礼仪,对于社会安定和秩序有作用,但是对于社会经济和军事没有明显的作用。或者换句话说,孔子的管理是社会和谐,但是不能让社会富庶;能够让百姓有安全感,但是不能让百姓富足。

按《孔子家语》。孔子初仕为中都宰,制为养生送死之节:长幼异饮,强弱异任,男女别涂,路无拾遗,器不雕伪。为四寸之棺,五寸之椁,因丘陵为坟,不封不树,行之一年,而四方诸侯则焉。

与国家领导人的对话

孔子担任中都宰一年,政绩斐然,于是鲁定公亲自召见。

"仲尼先生,想不到你这么有才能,告诉我,你治理中都有什么秘诀?"鲁定公原本还有些担心这个民办教师干不好,谁知道干得不错。

"以身作则,自己行得正,不用下令大家也会遵纪守法;自己首先不遵纪守法,你再怎么要求,也没有人信你的。"孔子回答,他认为首先要严格要求自己。

按《论语》。子曰:"其身正,不令而行;其身不正,虽令不从。"

"嗯,有道理,那,用你的方法治理鲁国,你觉得怎么样?"鲁定公对孔子的回答表示肯定,接着问。

"那有什么问题?用来治理天下都没问题,何况鲁国?"

"那你说说,如果治理鲁国,你有什么办法?"鲁定公很有兴趣,继续问。

"如果以强权手段的行政权力、政策法令来管理一个国家,使其子民顺服,以压服的方式采用强硬的刑罚来约束,使之达到所谓的安分守己,只不过是让人隐藏了一颗不知羞耻的心,暂时不表现出违规违法的现象,表面上一派平和而已。而如果以德来感化人民,以礼引导人们,那么人人都会做到勇于知耻,自我约束。简单说吧,治理国家,要靠觉悟而不是靠刑罚。"孔子说。

按《论语》。子曰:"导之以政,齐之以德,民免而无耻。导之以德,齐之以礼,有耻且格。"

"听起来很美,那具体怎样执行呢?"鲁定公觉得孔子说得很好,全国人民都非亲即故的,大家一团和气就把国家治理好当然最好。

"用诗书来教育感化大家,提升大家的情操;之后用礼来约束大家,让大家知道什么能做什么不能做;最后,大家的觉悟提高了,层次提升了,于是这个时候就可以懂得乐,这个时候就是大成了。"孔子说。

按《论语》。子曰:"兴于诗,立于礼,成于乐。"

"你这么说,礼很重要了?"

"当然,如果国君以礼来约束自己,那么百姓就会效仿,就容易治理了。"

按《论语》。子曰："上好礼，则民易使也。"

"可是，我听说百姓更喜欢追逐利益。"鲁定公说，他觉得利比礼似乎更管用。

"不对，如果一切依照利害关系来行事，就会产生很多怨恨。"

按《论语》。子曰："放于利而行，多怨。"

"你把礼说得这么重要，那么我问你，君臣之间该怎么相处？"

"国君要按照礼的要求对待大臣，大臣要对国君忠诚。"

按《论语》。定公问："君使臣，臣事君，如之何？"孔子对曰："君使臣以礼，臣事君以忠。"

"那，那我怎么知道老百姓懂不懂得礼呢？"

"如果老百姓能够依照礼来行为，那就不用改变他们；如果不能，那就教会他们。"孔子说。

按《论语》。子曰："民可使，由之；不可使，知之。"

对于上面这句话，历来的断句是"民可使由之，不可使知之"，历来的解释都是"让老百姓按照我们说的去做就行了，不要让他们知道为什么这样做"。按照这样的解释，孔子被扣上了愚民思想的帽子。

其实，愚民思想是老子的思想，不是孔子的。为什么这样说，以及为什么应该按照本书的断句，我们来做一个简单分析。

首先，如果按照历来的那种解释，反推回原文，应该是"民可使之，不可知之"，这才是纯正的春秋语言。相反，"民可使由之，不可使知之"本身就很别扭。

其次，在孔子的思想中，找不到其他例证来佐证他的愚民思想。

再次，孔子原本是个民办教师，他做的事情就是"知之"，就是把知识把周礼教授给普通百姓。如果他是愚民思想，那就等于否定自己，就是扇自己的嘴巴。

基于以上的原因，这句话的断句一定是"民可使，由之；不可使，知之"。

鲁定公想了想，基本上认同孔子的说法。

"那，我听说仲尼先生非常博学，我想问问，有句话叫做一言以兴邦，有这样的事情吗？"

"话不能这么说，不过也差不多吧。人们常说：'做国君很难，做大臣也不容易。'如果知道'做国君很难'，这句话不是差不多可以让国家强盛吗？"

"那，有没有一句话可以使国家衰亡的？"

"话不能这么说，不过也差不多吧。人们常说：'当国君时期没什么好处，唯一比较牛的就是没有人敢批评。'如果很喜欢'没有人敢批评'，那这句话不是差不多能让国家衰亡吗？"

按《论语》。定公问："一言而可以兴邦，有诸？"孔子对曰："言不可以若是

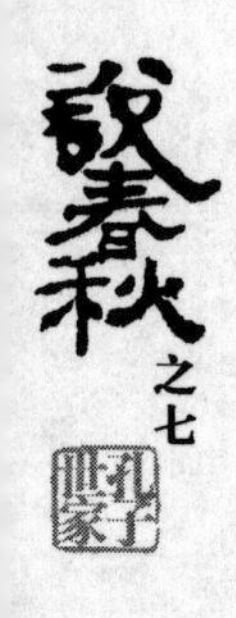

其几也。人之言曰：为君难，为臣不易。如知为君之难也，不几乎一言而兴邦乎？”曰：“一言而丧邦，有诸？”孔子对曰：“言不可以若是其几也。人之言曰：予无乐乎为君，唯其言而莫予违也。如其善而莫之违也，不亦善乎？如不善而莫之违也，不几乎一言而丧邦乎？”

第二五六章　孔子升官

孔子当上了中都宰，立即又遇上一个问题，一个当年曾经遇上过的问题——学校怎么办？学生们怎么办？

孔子知道，当官当然是件好事，可是，当官的风险也大，说不定什么时候就被炒鱿鱼。所以，开学校才是个比较稳妥的饭碗，自己即便是当了官，辛苦经营起来的学校绝对不能丢弃。

所以，孔子去中都上任之前，把学校的事情做了一个安排，几名老资格的学生被委以重任，子路、冉耕、曾皙、漆雕开、闵子骞等人负责学校的正常运作和教学，孔子不定期回来进行指导和亲自授课。后来，子路去了中都辅佐孔子，学校的事情主要就交给了曾皙和闵子骞负责。

那么，这个时候孔子的学校是个什么状况呢？

颜回

在孔子上任中都宰之前，学校的规模已经超过百名学生，并且越是年轻的学生，层次就越高。

几年前，孔子招收的学生中，有一些资质非常好的。

颜回，字子渊，是颜繇的儿子，比孔子小三十岁。颜回的性格与他的父亲截然不同，性格沉稳好学，不与人争。每次孔子上课的时候，颜回都不会举手提问，可是下课之后与同学们谈论，却非常能够发挥，把上课学到的知识运用得非常好。所以孔子一开始以为他比较愚钝，后来发现他非常聪明。

按《论语》。子曰："吾与回言终日，不违如愚，退而省其私，亦足以发。回也不愚。"

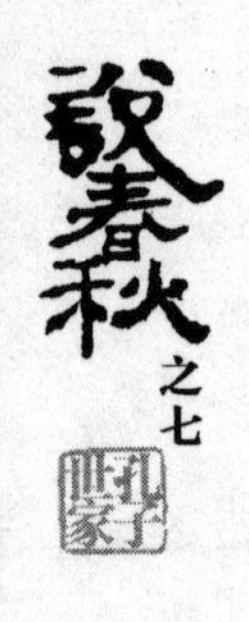

有一件事情,让孔子对颜回的聪明刮目相看。

有一天早上上课之前,孔子正在更衣的时候听到远处有人哭得十分悲伤,连孔子都有些感伤起来,于是拿起瑟弹起来,瑟的声音与哭声非常像。孔子弹完之后走出去,听到有学生在叹息,一看,是颜回。

“回,你叹息什么?”孔子有些奇怪,问。

“刚才听到有个人在哭,哭得很凄惨,听那哭声,不仅仅有死别,还有生离,唉。”颜回说着,又叹了一口气。

“你怎么知道?”孔子更加奇怪,问他。同学们也都很奇怪。

“因为,那哭声像完山的大鸟。”

“什么意思?”孔子瞪圆了眼睛,想不出个所以然来。

“完山的大鸟生了四个小鸟,之后小鸟们翅膀长硬了,就要飞向四方,大鸟发出悲哀的哭声送它们,因为他们飞走之后再也不会回来了。”

“哦。”孔子看颜回一脸的悲相,觉得颜回的说法有点似是而非,毕竟人和鸟是不一样的啊。

孔子派了人出去找那个哭的人,要弄清楚究竟是怎么回事。不一会,去问的人回来了。

“怎么回事?”大家都问。

“是这么回事,哭的人死了父亲,可是家里穷没有办法埋葬,只得卖了儿子葬父亲,刚才是正在跟儿子分别呢。”去的人说。

“哇噻!”孔子带头,所有人惊叹起来。

“颜回啊,你简直就是个圣人啊。”孔子赞叹,对学生的优点,孔子从来不吝赞美之词。

颜回的脸上没有一点得意,依然是很悲伤的样子。

有一次,子路和颜回与孔子在一起,孔子对他们说:“你们说一说自己的志向吧。”

颜回笑一笑,看看子路,他是个很讲礼貌的人,子路是他的师兄,某种意义还是师叔,所以,要让子路先说。

“升官发财之后,我愿意把我的车马、好衣服都拿出来跟朋友们分享,就算用坏了也无所谓。”子路说。他是个很讲义气很重朋友的人。

“你呢?”孔子问颜回,子路的志向他早就知道,他其实就想听听颜回的志向。

“我?我也没有什么志向,就希望不要夸耀自己的优点,不要吹嘘自己的功劳吧。”颜回想了想说,这就是他的志向。

这算什么志向?人们不都是唯恐自己的优点和功劳不被人知道吗?如果

不想让别人知道自己的优点和功劳，意思就只有一点：我不想当官。

子路听得有点糊涂，可是孔子听明白了。他知道，颜回之所以说得这样隐讳，是他知道老师很想当官。

“那，老师，你的志向呢？”子路提出问题，他早就想知道老师的志向。

“我？”孔子愣了一下，想了想，说：“大概就是，让老年人安乐，让年轻人记得我，让朋友们信任我吧。”

孔子说完，颜回又笑了。孔子看见颜回笑，他知道颜回听出了其中的味道。颜回知道孔子的志向是治理国家，可是为了不和弟子们争论，因此说到了朋友以便让子路认同。

“回啊，看来，有人用就发挥自己的才干，没有人用就归隐研究学问，这样的人就是我们两个了。”孔子对颜回说。他感觉颜回很像自己，两人有很多共同之处。

颜回笑笑，没有说话。

子路有些不高兴了，自己追随老师这么多年，老师也从来没有说过类似的话，反而这么欣赏这个小年轻。

“老师，那如果指挥三军战斗，你跟谁在一起？”子路问孔子，他相信老师必然选择自己。

“空手搏虎，徒步过河，死都不后悔的人，这样没脑子只知道逞勇的人，我是不会跟他共事的。我喜欢跟小心谨慎，谋划好再行动的人共事。”孔子当即回答，然后看着子路发笑。

子路一脸的不忿，之后沮丧起来。

颜回又笑了，孔子也笑了，他经常用这样打击自尊的办法来消损子路的那股蛮气。

“唉，颜繇这样的人，怎么生出颜回这样的儿子呢？颜回要是我的儿子该有多好。”孔子暗想，他实在太喜欢颜回了。

按《论语》。颜渊季路侍，子曰：“盍各言尔志？”子路曰：“愿车马，衣轻裘，与朋友共，敝之而无憾。”颜渊曰：“愿无伐善，无施劳。”子路曰：“愿闻子之志。”子曰：“老者安之，朋友信之，少者怀之。”

按《论语》。子谓颜渊曰：“用之则行，舍之则藏，唯我与尔有是夫。”子路曰：“子行三军，则谁与？”子曰：“暴虎冯河，死而无悔者，吾不与也。必也临事而惧，好谋而成者也。”

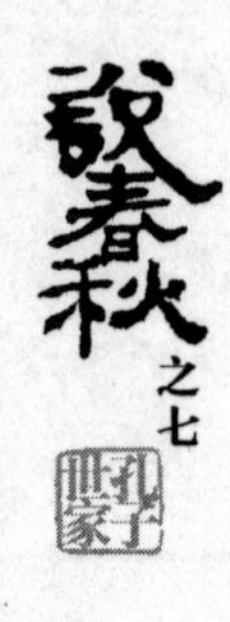

孔子弟子们

冉雍，字仲弓，是冉耕的族人，和颜回同龄。冉雍人品很好，而且很大气，但是口才一般，略显木讷。尽管在同学们眼中冉雍是个很不起眼的人，可是孔子非常欣赏他，认为他今后是个做官的材料。

按《论语》。或曰："雍也仁而不佞。"子曰："焉用佞？御人以口给，屡憎于人，不知其仁。焉用佞？"

按《论语》。子曰："雍也可使南面。"

冉雍的父亲很不成器，吃喝嫖赌之类，冉雍有的时候因此而自卑。孔子常常勉励他，有一次这样说："耕牛产下的牛犊，就算是不能用来祭祀，山川之神也不舍弃他的。"意思就是，你这样优秀的人才，不会因为你父亲而被埋没的。

按《论语》。子谓仲弓曰："犁牛之子骍且角，虽欲勿用，山川其舍诸？"

冉求，字子有，也是冉耕的族人，与冉雍同龄。冉求多才多艺，说话非常得体，思考问题周到，情商非常高，而且很有主意很能干。孔子对于冉求比较欣赏，但是说不上喜欢。也就是说，孔子认可冉求的能力，但是冉求的性格不是他喜欢的类型。而冉求对孔子似乎也是同样的态度，冉求敬佩老师的学问，但是对老师的一些说法并不苟同。

对于冉求的才能，孔子在《论语》中提到过。

按《论语》。子路问成人。子曰："若臧武仲之知，公绰之不欲，卞庄子之勇，冉求之艺，文之以礼乐，亦可以为成人矣。"曰："今之成人者何必然。见利思义，见危授命，久要不忘平生之言，亦可以为成人矣。"

上面提到了卞庄子，顺便说说卞庄子的故事。根据《史记》记载，一次卞庄子在路上遇上两只老虎吃一头牛，卞庄子就准备去杀两只老虎。从人劝他等一等，等两只老虎吃完之后一定会相争，到时候大的死小的伤，不是就可以轻松杀掉它们？卞庄子听了劝告，结果果然杀了两只老虎。

坐山观虎斗，这个成语出于这里。

两虎相争，必有一伤。这个成语也出于这里。

商瞿，字子木，比孔子小二十九岁。商瞿这个人没什么个性，平时也跟同学们没有多少交流，但是坐得住，是个研究学问的料。孔子一开始并没有注意到他，但是后来老年时候研究周易很有心得，别的学生要么不感兴趣，要么才华不够，只有商瞿不仅有兴趣而且有灵感，这让孔子既吃惊又高兴，将周易的研究成果都传授给了商瞿,商瞿就成了孔子周易的正宗传人和传授者。

巫马施,字子期,小孔子三十岁。巫马期学习很刻苦,为人也很谦恭,是个正儿八经的三好学生,孔子很喜欢他。

宓不齐,字子贱,比孔子小三十岁。宓子贱的性格与巫马期又不一样,他学习不太刻苦,但是人很聪明,对知识的理解往往比别人都要深刻。为人很淡然,从不与人争执。孔子也很喜欢他,认为他是典型的君子。

高柴,字子羔,比孔子小三十岁。到这里,姓柴的读者请保持恭敬,因为高柴是柴姓的得姓始祖。高柴身材很矮,不到五尺,基本上就是晏婴的身高。性格上,高柴看上去有点愚钝,而且认死理。孔子不太喜欢他,认为他有点傻。

按《史记》。子羔长不盈五尺,受业孔子,孔子以为愚。

因为身材矮小并且性格很倔,同学们普遍不喜欢高柴,再加上高柴是齐国人,有些同学还欺负他。对于同学们的欺负,高柴是逆来顺受,忍气吞声。可是,有一个人为他抱打不平,谁?子路。

子路最看不惯有人欺软怕硬,特别是欺负外地人,而路见不平拔刀相助是子路一向的性格。因此,当子路觉得大家太过分的时候,他就挺身而出了。“你们谁要是再欺负子羔,我就欺负他。欺软怕硬,你们算什么君子?有能耐的,冲我来。”子路对那些嘲弄欺负高柴的人发出了警告。

从那之后,子路就处处保护高柴,而高柴也处处寻求子路的保护。时间长了,两人成了莫逆的好友,子路也发现了高柴性格中公正不阿的优点。所以在很多团队中,我们都能发现,最强的人往往和最弱的人是最好的朋友。

升官再升官

鲁定公决定重用孔子,因为鲁国已经很多年没有这样超凡脱俗的忽悠了。

可是,怎样重用孔子,任命他为什么,这让鲁定公有点犯难。

要重用孔子,必须有恰当的职位,否则名不正则言不顺。可是,重要职位都有人了,怎么办?鲁定公想任命孔子为司空,来管理所有的公室自留地。可是司空这个职位被叔孙家世袭了,不可能出让。

不过,鲁定公还是想出了办法,他任命孔子为“小司空”,活是司空的活,也就是国土建设部长,不过加了个小字,比司空级别低了一级,算不上卿,算上大夫。可是在《史记》及《孔子家语》中都说孔子被任命为大司空,明显为抬高孔子地位。

孔子获得任命,高兴得猴子看见了香蕉一般。在整个鲁国历史长河中,非公族能够坐到这个位置的,孔子是第一个人。所以,绝对值得骄傲,值得高兴。

在司空的位置上,孔子的作为并不大,因为这原本就不是他擅长的领域。对于这段历史,史书上基本没有记录,只有《孔子家语》中有些溢美之词。

按《孔子家语》。定公以为司空,于是乃别五土之性,而物各得其所生之宜,咸得厥所。

实际上,孔子不事稼穑,对于土地和农业并不熟悉,同时,也并不重视。所以,他对于鲁国农业的贡献实在是不提也罢。而且,孔子在这个职位上仅仅干了几个月,根本没有可能去"别五土之性"。

孔子真正做的一件令人印象深刻的事情还是他的本行。

当年鲁昭公归葬鲁国,季孙意如想把他埋在祖墓外面,中间挖一条沟。后来在人劝说下作罢,但是依然把昭公埋在公墓南面,与历代国君的墓保持了距离。孔子担任司空之后,在昭公墓的南面挖了沟,让昭公墓和历代国君的墓成为一体。

鲁定公十年春天,孔子担任小司空。到当年夏天,孔子被提升为司寇。这一年,孔子五十二岁。

能够这么短的时间被提升为司寇,孔子遇上了两个机缘。

首先,世袭司寇的臧会死了,臧会的儿子还小,因此这个位置暂时空了出来,而臧家不像三桓家族那样不能动;第二,齐鲁两国和好,夏天的时候鲁定公将会在齐国的夹谷会晤齐景公,需要一个卿随从,可是三桓既没有胆识也缺乏知识。这个时候,鲁定公想起了孔子。

司寇原本是个卿,可是自从三桓专政之后,司寇就失去了卿的地位。但是不管怎么说,至少听起来是个卿,稀里糊涂可以过关。

就在这样的背景下,孔子成了司寇。从职位和级别上来说,仅次于鲁定公和三桓,位居第五,名副其实的国家领导人。

夹谷会

孔子被任命为司寇的同时被通知将担任齐鲁夹谷会的相礼,也就是鲁定公的助手。孔子非常高兴,唱着鲁北小曲回到了家。子路为他驾车,一路上就感觉老师这辈子没这么高兴过,禁不住有些奇怪。

"老师,什么事让你这么高兴?"子路一边赶车,一边问。

"嘿嘿,我当上鲁国司寇了,哈哈哈哈……"孔子忍不住大笑起来。

"老师,我记得您说过,君子祸患来了不畏惧,得到了福禄也不会格外高兴。可是今天您升官发财之后,却高兴成这样,为什么呢?"子路问。他差一点就说成您这是不是有点小人呢？

“嘿嘿。”孔子还在笑，换了平时，子路这样提问一定会被讽刺一番的，可是现在孔子心情好，所以也不恼火。“没错，我说过这样的话。可是你听说过‘身处高位却能善待百姓是一种乐事’吗？就是周公那样的。哈哈哈哈……”

子路没有再问了，他知道这始终是老师的梦想，周公是老师的偶像。如今，老师有机会作周公了，高兴一点也是自然的。不过，子路还是觉得老师有点过头了。

在随鲁定公参加盟会之前，孔子做了大量的工作，对各种情况都作了预案。

鲁定公十年夏天，鲁定公与齐景公在夹谷相会。在盟誓的地方，齐国方面已经搭起了土坛，准备好了盟誓现场。两国国君在坛下相会，然后同时登坛。就在这个时候，坛下传来一阵喊杀声，原来，是齐国人派来的莱夷俘虏在那里舞刀弄枪，意图非常明显，就是制造紧张气氛，让鲁国人害怕，从而在盟誓的时候占据上风。

孔子早就料到了这一点，他迅速上坛，把鲁定公搀了下来，然后命令鲁国卫队准备战斗，孔子大声喊道：“士兵们，拿起武器准备战斗。我们两国国君在这里盟誓，这些夷族俘虏竟然大声喧哗，耀武扬威。誓死保卫国君。安排妥当，这肯定不是齐国国君称霸天下的方式。自古以来，外族人不能图谋中国，夷狄不能扰乱中华，俘虏不能出席盟会，军队不能以武力相威胁，否则就是不祥，就不是义，就是无礼。我相信，这肯定不是齐国国君能够做出来的。”

齐景公坐在坛上，听着非常尴尬，于是挥挥手，让莱人全部撤走。

之后，鲁定公才在孔子的陪同下，重新登坛。随后，开始盟誓。

两国正要盟誓，齐国人在盟书上又加上了这样的内容：“今后齐军出国征战，如果鲁国不派三百乘战车随行，就要受到惩罚。”

孔子看见了，派大夫兹无前也去添加了这样一句话：“如果齐国不把侵占鲁国汶阳的田地还给鲁国，而要让鲁国派兵跟从的话，也要受到惩罚。”

盟誓结束，基本上还是比较圆满。齐景公很高兴，决定要宴请鲁定公。

孔子很担心齐国人又要借宴会出什么幺蛾子，可是又不能不出席，因此决定找个什么理由让齐国人取消宴会，想来想去，想了个办法。于是，孔丘前去拜会齐景公的相礼梁丘据。

“老梁啊，这个，齐鲁两国多次盟誓，过去盟誓的情况你知道不?”孔子问。

“这个，我，我不知道。”梁丘据当然不知道，他只知道齐景公爱吃什么爱穿什么爱什么样的女人。

孔子一听，心中暗喜，对付这样没用的东西，是比较有把握的。

"那我告诉你吧，过去呢，盟誓结束之后，两国国君就都回家了，从来不搞什么宴会这类东东。为什么呢？第一，宴会太费事，人家工作人员忙活盟誓已经很辛苦了，再整个宴会，那就更加辛苦了；第二呢，牛樽、象樽这样的酒器是不能拿出宫的，钟磬这样的乐器也不能在野地里演奏。如果宴会上这些东西一应俱全，那就是违背了礼法；如果这些东西都没有，那这样的宴会就太简陋，简直就是大排档了。宴会简陋，那就是贵国国君的耻辱；可是违背礼法，那也是贵国国君的耻辱。所以我看，宴会就免了吧。"孔子运用礼法来忽悠梁丘据，梁丘据自然只能被忽悠。

梁丘据把孔子忽悠他的话拿去忽悠齐景公，齐景公自然也只能被忽悠。

"算了算了，宴会取消。"齐景公取消了宴会，大家拍拍屁股各自回家了。

根据协议，齐国人归还了侵占鲁国的郓地等三处的田地，不过孔子所说的汶阳的田地终究还是没有归还。

第二五七章　杀少正卯

孔子在夹谷会上的表现得到国际社会的一致叫好，这让孔子很得意。不过回到鲁国家里的时候，他却非常沮丧。

孔家空空荡荡，要不是鸡鸭猫狗们玩得正欢，真以为这里刚刚被鬼子扫荡过。

“人呢？人都去哪里了？”孔子很吃惊，大声问着。

“同学们，老师回来了，都出来啊。”子路大声喊着，他还准备向同学们讲一讲老师是怎样义正词严大义凛然地让齐国人服软的呢。

平时，孔家都很热闹，因为有很多学生是住校的，不论是研习学问还是嬉笑打闹，总是人气很高，为什么今天看不到人？难道是知道老师回来，都去迎接，却走错了路？

“老师回来了？”从教室里走出一个人来，颜回。

“同学们呢？”子路大声问，他给老师驾车。

“都去少正卯那里听课了。”颜回说。

“都去了？”孔子瞪大了眼睛。

“除了我。”

孔子没有再说话，只是，他的眼中露出了凶光。

假公济私

这已经是第三次出现这样的情况了。

自从孔子担任中都宰之后，教学的事情就过问得比较少了，而曾皙等人代课，学生们的反应也不是太好。

就在这个时候,另外一所私人学校开张了,校长名叫少正卯。

少正卯是鲁国的闻人,也是个学问很深见识很广的人,那么,他的学校教授什么呢?

三民主义?错;三权分立?错;人权宣言?错;私有财产神圣不可侵犯?错。

其实,自古以来,少正卯讲的是什么,从来也没有人知道。不仅别人不知道,其实孔子也不知道。

少正卯的学校也招收了不少学生,一时间与孔子的学校双峰对峙。

孔子的学生们原本就对代课老师们的水平不满意,如今听说少正卯讲课非常独到,因此都有些好奇。

少正卯创造了一种新的扩大影响的模式,那就是公开讲座。公开讲座的时候,所有人都可以来听课。

孔子的学生们听说有公开讲座,一传十十传百,反正校长也不在,子路也不在,曾皙等代课老师性格又软弱,没有人能镇住他们,干脆去听少正卯讲座。此前,就发生过两次孔子学生集体去听少正卯讲座的事情,反响十分热烈。这一次,索性大家都去了,只有颜回一个人没有去。而代课老师们眼看没有学生可教,曾皙带头回家干私活去了,有的代课老师则干脆跟学生们一块去听少正卯的讲座。

三次发生同样的事情,说明什么?说明少正卯讲得不错。

孔子很恼火,他相信如果单挑的话,他绝不惧怕少正卯,甚至还能从少正卯那里夺来一部分学生。可是,如今的竞争是不对称的,自己身为国家领导人,很多政务要处理,而少正卯可以专心教务,自然占据上风。

怎么办?

当天晚上,孔子学校召开了教职员工会议,孔子主持。

在会上,孔子严厉批评了曾皙和巫马期,认为在自己离开期间两人的工作很不负责任,也缺乏办法。在这一点上,子路还是值得信赖的。

“大家认为应该怎么办?”孔子批评完之后,问大家。

会场的气氛很不好,大家都低着头不说话。

孔子看看子路,希望他说话,可是奇怪的是,子路竟然保持沉默。按照孔子的想法,子路这个时候原本应该拍案而起:“我守住大门,看谁再敢去!”

“回,你怎么看?”孔子问颜回,颜回作为学生代表参加。

“我没有听过少正卯的课,不知道他讲得怎样。不过,既然大家都爱听,自然有可取之处。我想,我们还是改善自己的教学吧,我们自己讲得好了,大家就不会去听他的了。”颜回说。他总是喜欢反思,性格也比较温和。

孔子看他一眼，对这个回答并不满意。

“点，你说说。”孔子点名要曾皙发言。

“这个，根据去听过少正卯讲课的老师和同学的反应，少正卯的课讲得很好，不仅有知识，而且能和现实结合，批评时政的内容很多，大家有共鸣。我们几个老师可能都没有这个水平，老师您讲得好，但是您现在的身份恐怕也不能批评时政了。总之吧，很难。”曾皙比较悲观，也提不出什么办法来。

其余的人先后也发了言，也提了些建议，譬如孔子今后多点时间来讲课，譬如孔子也搞点免费讲座等等，还有的建议采取把学生中带头去听少正卯讲课的学生开除等等惩罚性措施。

建议提了不少，可是有用的一条也没有。要么就是可操作性太差，要么就是适得其反，把学生逼到少正卯那里去。

“子路，你呢?”孔子问子路。

“我，我想去听听少正卯讲课。”子路说。内心里，他倒没有觉得少正卯的出现是个什么坏事。

孔子没有再说话了，他的脸色非常难看。不过，他已经下了决心。

在孔子从夹谷回来的第二天，也就是上任司寇第七天，孔子下令捉拿了少正卯，然后以“干扰政务”的罪名在宫门前处死，之后陈尸三天。

孔子怎么有这么大的权力？没办法，司寇就是最高法院院长。

杀了少正卯，少正卯的学校自然也就不复存在了。

孔子杀少正卯的消息传到孔子的学校，听说的人都沉默不语，看见孔子都低下头急忙走开。学生们是惭愧？是恐惧？还是敢怒不敢言？

这个时候，只有一个人敢于质问孔子，谁？子路。

“老师，少正卯是鲁国的名人，老师刚当上司寇，怎么就杀了他?”子路问，他想不通老师为什么要这样做？

“子路啊，这些真不是你能够理解的。我告诉你为什么要杀少正卯，有五种人是必须要杀，比强盗小偷更该杀的。第一种人分得清事理，但是内心险恶；第二种人说话虚伪，但是很有辩才；第三种人行为邪僻，但是坚定不移；第四种人志向愚陋，但是知识广博；第五种人行为不正，但是表面好施恩泽。这五种人都有懂得思辨、知识渊博、聪明通达的好名声，但是实际上不是这样。如果让他们大行虚伪的一套，招摇撞骗，他们的智慧能够感染群众，强大的势力能够独立于世，这是奸人中的枭雄，不能不杀。凡是这五种人中的一种，都应该杀，而少正卯兼有五种罪行，所以先杀了他。

“当年商汤杀蠋沐，姜太公杀潘址，管仲杀史附里，子产杀邓析，这四个人不能不杀。杀他们的理由并不是他们白天做强盗晚上当小偷，而是他们是倾

覆国家的败类。当然,这样的做法会让君子怀疑,让蠢货疑惑。诗中写道:'忧心悄悄,愠于群小。'(《诗·邶风·柏舟》)就是这个意思。"

孔子说了一大通,子路默默无语地走开了。

这一段见于《说苑》。孔子为鲁司寇,七日而诛少正卯于东观之下,门人闻之,趋而进,至者不言,其意皆一也。子贡后至,趋而进,曰:"夫少正卯者,鲁国之闻人矣!夫子始为政,何以先诛之?"孔子曰:"赐也,非尔所及也。夫王者之诛有五,而盗窃不与焉。一曰心辨而险;二曰言伪而辩;三曰行辟而坚;四曰志愚而博;五曰顺非而泽。此五者皆有辨知聪达之名,而非其真也。苟行以伪,则其知足以移众,强足以独立,此奸人之雄也,不可不诛。夫有五者之一,则不免于诛。今少正卯兼之,是以先诛之也。昔者汤诛蠋沐,太公诛潘址,管仲诛史附里,子产诛邓析,此五子未有不诛也。所谓诛之者,非为其昼则功盗,暮则穿窬也,皆倾覆之徒也!此固君子之所疑,愚者之所惑也。诗云:'忧心悄悄,愠于群小。'此之谓矣。"

文中子贡应为子路,因为这时候子贡还没有投师孔子。

历史上,关于孔子是否杀少正卯,颇有争议。而这段故事,见于《荀子》、《史记》、《孔子家语》和《说苑》,不见于《左传》、《论语》。

有说法少正卯为大夫,孔子也是大夫,不可能这样轻松杀掉少正卯。其实不然,少正卯并不是大夫,只是祖上官居少正,因此以少正为姓。

从当时的情况看,孔子杀少正卯也说得过去。当时孔子刚刚上任,杀人立威假公济私都是很有可能的,况且刚刚立下大功,信心膨胀外加狂妄,气场无敌,一怒杀人都可以想象。

如果孔子杀少正卯,这就是他历史上最大的污点。为什么这样说?

孔子安给少正卯的罪名都是莫须有的,没有一个真实的罪行,都是"诛心"与强加,都是思想犯罪。这一点,很像已经被取消的"反革命罪"和"流氓罪"。什么是内心险恶,什么是说话虚伪,什么是行为邪僻,什么是志向愚陋,什么是行为不正。所有这些,不都是你孔子说什么就是什么吗?要是少正卯是司寇而你是民办教师,少正卯也可以用这些罪名来杀了你。

说来说去,就是假公济私,公报私仇,因为少正卯抢了你的风头,吸引了你的学生,你在嫉妒仇恨之中利用国家机器消灭竞争对手而已。

不过依笔者的分析,对是否有孔子杀少正卯一事持相当怀疑的态度。因为此事既不见于《左传》,也不见于《论语》。而之所以《孔子家语》记载此事,大致转抄自《荀子》。

如果孔子杀少正卯是后人杜撰,这就是一大历史冤案。

子路娶妻

孔子一时成为政治明星，不仅鲁定公对他非常信任，就是三桓也对他另眼相看，纷纷宴请。

这一天，季孙斯请孔子吃饭，吃到中间，说起阳虎出逃之后，因为担心第二个阳虎的出现，季孙家到现在没有管家。

“嗯，我给你介绍一个人，这个人百分百忠诚，绝不会成为第二个阳虎。”孔子突然想起一个人来。

“谁？”季孙斯问，他一直在物色合适人选。

“子路啊，我的第一批学生，现在是我的管家。人很勇敢忠诚，也很负责任。”孔子接着把子路吹嘘了一通。

孔子从子路当班长说起，怎样任劳任怨，怎样公正无私，怎样言出必行，怎样果断坚决，怎样聪明睿智等等，一直说到子路怎样帮助自己断案。

“根据一两句话就能判断出案情，做出合理的判决，我所见过的人中，只有子路了。而且啊，子路这人说到就急于去做到，今天说的今天一定会做，绝不会等到明天。”孔子说得眉飞色舞，从来就没有这么激动过。

按《论语》。子曰：“片言可以折狱者，其由也与？子路无宿诺。”

“好啊，你推荐的，肯定没错。”季孙斯慨然允诺。

这一次，孔子又是哼着小调回去的。自己的学生出人头地了，做老师的当然高兴。

就这样，子路成了季孙家的管家。而季孙家的管家历来都是公族出身的人担任，这一次交给子路这样一个连士都不是的人，一时也成为鲁国街谈巷议的谈资。

“世道变了，鲁国也堕落了。”很多公族这样说，亲亲上恩看来在鲁国是不适用了。

“太好了，我们也能看到希望了。”下层的人们都很兴奋。

老师做了司寇，学生做了季孙家的管家，孔子师徒一时之间风头无两。

子路在季孙家干得中规中矩，做事很有原则，决不会投机取巧，因此季孙斯对他印象不错。不过因为过于死板，季孙家的人对他的反应不是太好。总之，还算不错。

这一天，卫国大夫颜浊邹到鲁国来出差，顺便拜访孔子。因为孔子姥姥家姓颜，所以对颜浊邹热情招待。两人谈得非常投机，酒也喝得不少，渐渐地，无话不谈了。

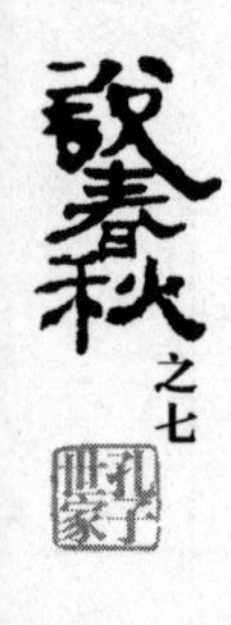

“我最近有件事情很烦恼。”颜浊邹说着说着，突然发起愁来。

“什么事？”孔子问。

“我只有一个亲妹妹，我们感情非常好，我爹我娘死的时候，都叮嘱我要照顾好妹妹。后来我把她嫁给了一户人家，谁知道没几年时间，老公得了个怪病死了，如今弄得我妹妹年轻守寡，孤苦伶仃，我不知道该怎么办呢。”原来，是妹妹的事情。

“改嫁啊。”孔子说。

“改嫁？《周礼》允许吗？”

“当然了，改嫁之后，只要去媒氏那里登记就好了，《周礼》上写明了啊。”

“那太好了。”颜浊邹高兴起来，可是随后又有些发愁。“可是，我妹妹是个寡妇，还带着个孩子，好人家谁愿意娶她啊？再说了，她也怕周围人笑话啊。”

孔子想想，倒也真是这么回事。突然，他眼前一亮，想起一个主意来。

“颜大夫，我倒有个想法，不知道你有没有兴趣。”孔子说。

“您说。”

“我有一个学生名叫子路，比我小十岁，一直还没有娶亲。虽然出身卑微，但是身体好性格直还很好学，如今已经做了季孙家的管家，跟你妹妹也算是门当户对。子路这人虽然性格粗一点，但是对人好，知道疼人。还有啊，你妹妹嫁到鲁国来，也不用担心周围人的嘲笑了。”孔子想给子路说门亲事，从前早就想过这事，可是一直没有遇上合适的，如今子路也当了官，颜浊邹的妹妹条件也不错，两人正好般配。

“那敢情好啊。”颜浊邹一听，非常高兴。

第二天，孔子安排颜浊邹和子路见了面，把事情说了，双方都对对方很满意。

就这样定了亲，寡妇再嫁，没那么多麻烦事，颜浊邹回卫国不久，亲自把妹妹送了过来，简单成了亲。

从此以后，子路算是有老婆的人了，两口子十分恩爱，这是后话。

无关紧要的职务 

司寇在级别上不低，不过实际上能做的事情不多，特别是在鲁国。

鲁国已经基本上被三桓瓜分，鲁国的法律在三桓那里是不适用的，三桓各有各的法律，各自有各自的执法机构。三桓家的人以及为三桓家打工的人，他们之间的诉讼都归三桓自己家来管理，与国家无关。

所以，孔子这个司寇能够管的实在就太少了。

而孔子对于诉讼本身就很不喜欢，他认为如果大家都懂得谦让，就没有诉讼可以发生了。所以，大凡诉讼，他都会先调解，实在没有办法了，才进行审判。

按《论语》。子曰："听讼，吾犹人也，必也使无讼乎。"

所以，所谓孔子曾经治理鲁国的说法，都是无稽之谈。

所以准确地说，孔子只是鲁定公的司寇，而不是鲁国的司寇。

从这个角度说，进一步说明孔子并没有杀少正卯，因为少正卯这个闻人不可能与三桓家没有千丝万缕的联系，只要三桓发个话，孔子就只能乖乖地放人。

就在孔子当上司寇的当年，鲁国发生了一件大事。不过，这件事情与孔子没有关系。为什么鲁国的大事与孔子没有关系呢？因为，鲁国是三桓的，三桓的事情不需要孔子来管。

第二五八章　断臂

当初叔孙不敢(叔孙成子)要立叔孙州仇(叔孙武叔)为继承人,郈邑宰公若藐劝叔孙不敢不要立叔孙州仇,可是最终叔孙不敢还是立了叔孙州仇。

叔孙州仇为此记恨在心,等到叔孙州仇继位,决定要干掉公若藐,可是不敢明着动手,一来怕被人笑话,二来郈邑是叔孙家的大本营,正面对抗只怕还未必是公若藐的对手。

明的不行,怎么办? 好办,来暗的。

替罪羊

叔孙州仇派自己的心腹公南去办这件事情。公南是叔孙家的马正,公南先找了人去暗杀公若藐,结果没有成功。之后,公南把这个任务交给了郈邑的马正侯犯。

马正这个官听起来好像就是管马的,似乎跟孙悟空那个弼马温没什么区别。可是那个年代不一样,没有马就没办法打仗,马正基本上相当于如今的总后装备部部长,权力不小。

侯犯接受双重领导,在郈邑受公若藐领导,在马正这条线上,接受公南的领导。现在是一个领导要杀另一个领导,而这个要杀人的领导又是领导的领导授意的,怎么办? 在权衡利弊之后,侯犯决定杀掉公若藐。

侯犯派自己的手下拿着自己的剑去了公若藐的办公室,公若藐看见有人拿着剑进来,问:“这是谁的剑?”侯犯的手下提着剑就过去了,公若藐猝不及防,被一剑刺死。

杀个人有的时候很难,有的时候简单得超乎想象。

杀死了公若藐，侯犯又有些犯嘀咕，他认真回顾了一下历史，发现替人杀人的人最终都成了替罪羊。如今自己杀了公若藐，却没有任何拿得出手的理由，成为替罪羊的概率非常之高。怎么办？

侯犯最终作了一个决定：要想不当替罪羊，那就自己决定自己的命运。侯犯首先杀死了那个派去杀人的手下，随后宣布："叔孙州仇心胸狭隘，心黑手狠，竟然收买这个人杀害了公若藐。我们怎么能为这样的人卖命呢？"

侯犯带领郈邑，宣布独立。

"兄弟，对不起了，谁让你替我杀人呢？"侯犯望着被杀的手下的尸体，心中暗说，有些庆幸，也有些惭愧。

侯犯率领郈邑造反，令叔孙州仇始料未及，原准备让侯犯来做替罪羊，谁知道他竟然先动手了。没办法，到了这个时候，只能出兵了。

问题是，现在叔孙州仇能够动员的兵力还不如郈地的兵力强大，所以，要讨伐侯犯，夺回郈地，就必须要向季孙家和孟孙家借兵。

叔孙州仇首先来到了季孙家，见到季孙斯，略略寒暄之后，叔孙州仇话入正题。

"大哥，不瞒您说，我是跟您借兵来了。"叔孙州仇也没有隐瞒，把要攻打郈地的事情说了一遍。

"唉，"季孙斯先叹了一口气，之后开始说话："兄弟，我就知道你是来借兵的。我不是不想借，我真是没有兵可以借。现在我们家的大本营费地还被公山不狃占着呢，虽然没有宣布造反，可是跟造反没什么区别，我这里的命令他们根本就当放屁。我的兵力也就是曲阜这点人马，你要愿意，都借给你也无妨。"

季孙斯说的都是实话，自从阳虎造反失败之后，公山不狃就占据着费地，基本相当于独立，季孙斯无力讨伐，只能睁只眼闭只眼，假装什么都不知道。他也曾经想过跟另外两家借兵，可是前思后想，左筹右划，发现根本不能借到兵，没办法，就这么忍着了。

叔孙州仇来之前就想到可能是这样的结果，人家季孙斯也没骗自己，情况就是这么个情况。

于是，叔孙州仇前往孟孙家借兵。孟懿子接待了叔孙州仇，两人又寒暄一阵，然后又进入正题。

"兄弟，这样吧，这事情呢我也决定不了，我派人去问问公敛处父，看看能不能借兵。"孟懿子要去问公敛处父才行，公敛处父是孟孙家大本营成地的总管，借不借兵他说了算，因为孟孙家的主要兵力都在成地。

孟懿子的回答倒是比季孙斯好点，不过也好不到哪里去。

两天之后，孟懿子派人来给叔孙州仇回话，说是公敛处父拒绝借兵。“不过，孟孙家在曲阜的兵力可以借给你们。”来人这样转达。

叔孙州仇干瞪眼，看来另外两家跟自己这边没什么区别，唯一的一点不同是，自己这边是宣布造反，另外两家是等同独立。

怎么办？实在没办法了，就只能靠自己了。

卧底

叔孙州仇动员了全部家族力量，在鲁定公十年秋天攻打郈地。结果自然是攻不下来，这还多亏了侯犯不好意思反攻，否则叔孙家的部队就凶多吉少了。

到了这个时候，叔孙州仇猛然回过味来，既然国内借不到兵，为什么不去向齐国人借兵呢？于是，叔孙州仇派人向齐国借兵，齐景公二话没说，派兵帮助叔孙州仇攻打郈地。

对付一个叔孙州仇，侯犯绰绰有余。可是如今齐国人掺和进来了，事情从国内战争演变成了国际问题，事情就麻烦了。所以，侯犯有点发毛了。

叔孙州仇暗地里派人进城，把郈地的工正驷赤悄悄请到了自己的大营。

“老驷啊，我叔孙家一向待你也不薄啊，关键时刻，不要站错了队啊。”叔孙州仇要说服驷赤作卧底，讲了小道理之后，紧接着上大道理：“再者说了，郈地的事情不仅仅是叔孙家的事情啊，而是整个鲁国生死存亡的问题啊。这四分五裂的，国家迟早要灭亡啊，到时候大家都是亡国奴啊。”

也不知道是原本就想作卧底，还是被叔孙州仇说动了，驷赤动心了。

“嗯，我的态度在《扬之水》最后一章的四个字中。”驷赤没有直接回答，而是卖了个关子。

《扬之水》是《诗经·唐风》中的一首，叔孙州仇学习成绩一般，真想不起来，于是马上让人拿《诗》来查，结果在最后一章找到四个字：我闻有命。

这四个字的意思叔孙州仇明白，就是“听您的命令”。叔孙州仇十分高兴，当即给驷赤磕了一个头。

驷赤是一个出色的卧底，因为他做得很出色。

驷赤悄悄回到城里，第二天去见侯犯。在侯犯造反之前，两人级别相同，都是“正”，平时关系也不错。

“老驷，如今齐鲁联军围攻我们，你看怎么办？”侯犯看见驷赤，向他讨教，正中驷赤下怀。

“老侯啊，咱们处于鲁国和齐国之间，如果哪个国家都不事奉，那就等于对抗两个国家，那就是找死啊。所以我觉得啊，不如投靠齐国人，这样齐国人就会帮助我们继续占领这个地方。”驷赤的主意，就是把郈地卖给齐国人，就是卖国。

“嗯，这个主意好。”侯犯觉得这个主意不错，这个主意也确实不错。

侯犯于是派人前往齐军，请求齐国人派人来谈判。

就在这个当口，驷赤也派了人在城里传播假新闻。

“侯犯准备用郈地和齐国人交换土地，然后齐国人会把我们都迁走。”假新闻就是这样的，不是假的假新闻，是真的假新闻。

城里的人们开始惊慌起来，搬家可不是一件好事，房子、祖坟、土地、初恋情人等等，哪一样不让大家流连？何况，鲁国人搬到齐国，那不是二等公民吗？谁也不愿意搬家。

“我们不搬家，我们不搬家。”郈地的人们开始聚集，坚决反对搬家。

群体事件正在酝酿中。

由此可见，假新闻的危害有多么巨大。

这个时候，驷赤又来找侯犯了，把外面群情激奋的事情添油加醋描述了一番。

“啊，那怎么办？”侯犯很吃惊，他感觉有点众叛亲离。

“我感觉大家要造反了，看来他们还是向着叔孙家的。我看，与其等死，不如干脆跟齐国人做个交易，用郈地去交换齐国的土地。另外，在门口放些皮甲，以防万一啊。”驷赤的主意就是要推波助澜，至于放皮甲在门口，完全是别有用心。

侯犯有些乱了方寸，于是又派人去齐军提出土地交换方案。

现在，假新闻成了真新闻。

由此可见，很多假新闻很容易变成真新闻。

当齐国使者来到城外的时候，驷赤又派人沿城高喊“齐国军队来了，齐国军队来了”。一时间，城里乱成一团，大家纷纷赶去侯犯家门外，恰好门口放着很多皮甲，于是大家穿上皮甲，进攻侯犯家。

到了这个时候，侯犯依然被蒙在鼓里。

“报告，全城人都来攻打我们了。”有人来报告，夸张了一点。

“老侯，不要怕，我带人去抵抗他们。”驷赤还在装，好像很仗义。

“别，老驷，众怒难犯啊。算了，跟他们谈判吧。”侯犯这时候清醒了，他知道这时候来硬的就是找死。

于是，侯犯亲自到门口和大家商量，请求大家放自己一马，自己马上消失，前往齐国政治避难。侯犯的请求得到大家的同意，于是，侯犯带着一家老小和

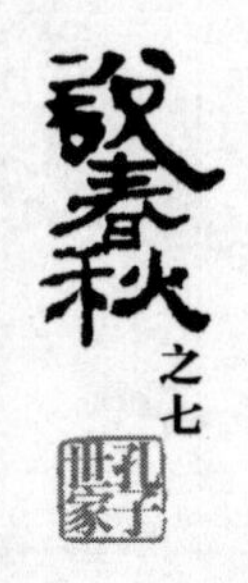

手下，仓皇逃往齐国去了。

就这样，叔孙州仇算是收复了郈地。

断臂

叔孙州仇收复了郈地，对季孙斯是个刺激，因为费地还在公山不狃手里。如何收复费地，现在是季孙斯最迫切想做的事情了。

直接出兵攻打费地是不可行的，一来兵力不足，二来有些师出无名。可是，也不能就这么装聋作哑下去。

“子路，你有什么好主意？”季孙斯跟子路商量这个事情。

“我觉得，如果让公山不狃把费邑的城墙给拆了，咱们就可以攻打他们了。”子路回答。

季孙斯一听，瞪了子路一眼，心说你这话说得太缺心眼了，人家凭什么拆城墙啊？虽然这样想，嘴上季孙没有这样说。

“那当然好，可是你怎么能让他拆城墙？”季孙斯问，斜看着子路。

“老师曾经教导我们说，按照古代的规矩，卿大夫家里不能私藏武器，卿大夫的封邑城墙总长不能超过百雉（一雉为三丈，大致是一只鸡能飞的距离）。如今费邑的城墙远远超过这个长度，都属于违法建筑，凭这个让他拆城墙怎么样？”子路搬出这么个理由来，让季孙斯有点哭笑不得。因为季孙家违背这个规矩都不是一代两代了，如今自己拿出这么个说法出来，那不是贼喊捉贼吗？

“这么做意图太明显了，等于就是逼着公山不狃公然造反啊。”季孙斯对这个说法不满意，而且他觉得这样做显得自己不占理。

“那万一他不造反呢？再者说了，他造反总比现在这样强吧？只要他造反，我们再讨伐他不就名正言顺了？”子路接着说，他看出季孙斯的不满了，不过他是个有主见的人，他要把自己的意思表达完整。

“那也是啊。”季孙斯突然觉得子路的建议好像还真有点道理，也许可以试试，贼喊捉贼也不失为一种办法。“这样，我再跟另外两家商量下，看看他们的意思。”

季孙斯的意思，是怕自己这样做导致另外两家的反对，反而弄巧成拙。可是，让他意料不到的是，叔孙州仇和孟懿子竟然纷纷表示支持。

“拆，该拆，咱们一块拆。再不拆，咱们都完蛋了。”叔孙州仇和孟懿子都这么表示。

这个时候，季孙斯才真正冷静下来分析现状。

现状是，三家的家臣都很强横，谁管理这三个地方都有可能造反。那么，能不能不用家臣，而用自己的兄弟去管理这三个地方呢？不能，因为用兄弟更危险。家臣最多是造反，兄弟就要篡位了。于是，要防止家臣坐大，唯一的办法就是削弱这三处的力量。

对于季孙家来说，公山不狃占据了费邑；对于叔孙家来说，一个马正侯犯就能凭借郈邑造反，今后随时都有可能出现第二个侯犯；对于孟孙家来说，公敛处父现在就占据着成地，孟孙家族都要看他的眼色。

拆毁三地的城墙，实际上成了英雄断臂。

高度一致，现在三家高度一致，就是要拆掉三地的城墙。问题是，除了叔孙家可以说拆就拆之外，另外两家都做不到，特别是孟孙家，现在跟公敛处父表面上还能维持，如果这时候要去拆成地的城墙，那就等于是向公敛处父挑战，那哪里敢啊？而季孙和孟孙不拆，叔孙家也不敢先拆。

旧的问题解决了，新的问题又来了。

"子路啊，你的主意好是好，可是，我们三家不敢干啊。"季孙斯又找子路商量，他现在觉得子路挺有办法。

"简单啊，让国君下令，不就行了？"子路的主意很正，因为如果是国君下令，那么三桓在家臣们面前就可以把事情都推给鲁定公了。

主意不错，可是，还是不行，因为季孙斯知道，就算借个胆子给鲁定公，他也不敢下这个命令。突然，他想起一个好办法来。

"子路啊，我倒觉得，这个事情最好是你老师提出来，国君同意，然后我们就能开始了。"季孙的意思，这个恶人就交给孔子来做了。

当然，孔子肯不肯做，就要看子路怎么去跟老师说了。

子路是个聪明人，可是他更是个直率人，政治斗争这根弦绷得不够紧。在子路看来，给季孙家打工，就要为季孙家卖命，这是必然的。同时，拆除三家的城墙，削弱三家的力量，也符合老师"君君臣臣"的理念。

所以，子路很高兴地接受了这个任务，去找老师了。

上套

孔子最近比较郁闷，因为基本上无所事事。自己这个大司寇名义上地位很高，实际上没什么地位，走到外面，还不如三桓的家臣好使。不说别人，就说子路，在外面的面子就比自己大得多。逢年过节，子路收的礼远远多于自己，外国使臣来访，多半去见子路，不来见自己。所以，孔子很郁闷。

孔子对三桓很有意见，为此，甚至对子路都有些不满，认为子路太为季孙

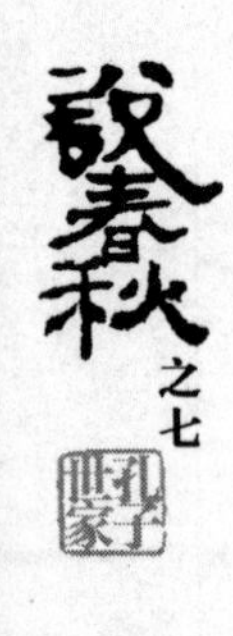

家卖命了。

子路来见孔子，孔子还是很高兴，很久没有见到子路了。子路向老师问过安，闲谈了几句，之后进入正题。

“老师，季孙准备拆毁费地的城墙，据说另外两家也有意思要拆掉郈地和成地的城墙，不过，没有国君的命令，他们不敢擅自行动。”子路说，他知道老师对三桓不满，因此话说得有点模棱，故意没有说透。

“噢，他们为什么要拆？”孔子觉得有些奇怪，这不是老虎要扒自己的皮吗？

“老师，实话实说。一方面呢，他们是要遵从古代的规矩，把超大的城墙拆掉。另一方面呢，他们是担心家臣实力过强，占据三个城市造反。所以，他们要削弱这三个地方。”子路把话说得比较明白了，他知道老师很聪明，这点绝对能看出来。

“我想到了，可是，季孙家这样做，不是等于跟公山不狃摊牌？”孔子果然看得清楚，一句话说出了要害。

“迟早要摊牌啊。”

“嗯，也是这么个理。说起来呢，这也是好事，也是朝着君君臣臣的金光大道上前进的。那么，我能做什么？”孔子问，他知道子路来找自己绝不仅仅是要把这件事情告诉自己。

“老师，三桓拆自己的城墙呢，不太好自己向国君申请。所以，季孙的意思，是想请老师向国君提出这个建议，然后国君下令，他们就好做了。”

“好，没问题，我明天就提建议。”孔子爽快地答应了。

按孔子的想法，这件事情做成，鲁国就朝回归周礼的道路上迈进了一大步，下一步三桓主动退出历史舞台，国君重新掌控国家，鲁国很快就能强盛起来，而自己作为大司寇就完全有可能成为鲁国恢复周礼的总设计师，从而成为鲁国历史上的周公。

可是，他没有想到的是，没有人会自愿退出历史舞台，特别是既得利益群体。

第二五九章 堕三都

按《史记》。定公十三年夏,孔子言于定公曰:“臣无藏甲,大夫毋百雉之城。”使仲由为季氏宰,将堕三都。

按《左传》。鲁定公十二年(前498年),仲由为季氏宰,将堕三都。

孔子按照子路的说法,向鲁定公提出了拆毁三地城墙的建议,而鲁定公早已经从季孙那里得到暗示,知道这是三桓自己设计的,因此乐得做这个人情。

“司寇的建议很好,违法建筑必须拆除。那么,这件事情就请司寇监督执行。”鲁定公把事情直接派给了孔子,让孔子当这个得罪人的角色。

孔子很高兴,他以为得到了名垂千古的机会。可是实际上,他不过是得到了充当替罪羊的机会。

拆违引发的战争

历史上,这件事情叫做“堕三都”,因为郈、费和成分别是三家的都城。

孔子把命令传达到了三家,三家纷纷表示完全拥护国君的英明决定,表示要不折不扣地执行,为鲁国的国家完整和社会进步做出自己应有的贡献。

叔孙州仇第一个拆除了城墙,因为郈现在在他的管治之下。

郈被堕,在鲁国引发强烈反响。

“看来,为了大家的利益,叔孙家牺牲了小家的利益。”整个鲁国,对叔孙家一片赞扬声。

季孙于是派人前往费,命令公山不狃立即堕掉费。

公山不狃万万没有想到季孙竟然使出这样的英雄断臂的办法来对付自己,看来,三桓这次又是集体行动。堕,还是不堕?堕掉之后,没有了城墙的费

随时会受到攻击；如果不堕，那么就是公然对抗季孙、公然对抗国君，以及公然对抗全鲁国人民。

“怎么办？”公山不狃真没办法，于是找来叔孙辄商量对策。

“怎么办？堕也不行，不堕也不行。所以啊，舍不得孩子套不住狼，不如我们干脆直接起兵打进曲阜，把三桓都给办了，然后我入主叔孙，你就代替季孙，再把阳虎弄回来入主孟孙家，咱们来当三桓，岂不是很好？”叔孙辄的主意就是以攻为守，孤注一掷。

公山不狃接受了叔孙辄的建议，悄悄整顿兵马，突袭曲阜。

没有人想到公山不狃竟然会先下手为强，季孙想到了公山不狃会公开反叛，但是也没有想到他竟然会来偷袭曲阜。

大家都被打了个措手不及，在被公山不狃活捉之前，叔孙州仇、孟懿子和鲁定公能够做的唯一的一件事情就是逃命，而且都逃到了季孙家。当年季武子曾经修建一个高台，十分坚固，就是为了紧急避难的时候使用。这座高台现在叫做武子之台，三桓、鲁定公和孔子都逃到了武子之台上躲避。

公山不狃率领费地的军队开始攻台，不过武子之台实在是太高太坚固，坚固到不可能被攻克。

与此同时，三桓家的军队和公室的卫队开始集结，曲阜的百姓们听说公山不狃竟然敢于攻打国君，敢于攻打三桓，大家从家里拿了武器，集结在一起，准备帮助三桓的军队迎击公山不狃的队伍。

很快，首都百姓们浩浩荡荡杀向武子之台，而孔子发现援军来到，于是命令大夫申句须和乐颀率领台内的季孙家兵出击。

公山不狃的队伍在内外夹击之下崩溃了，被首都人民一路追击。公山不狃和叔孙辄见大势已去，不敢再回费地，直接逃奔齐国去了。

季孙斯乘势收复费地，堕费。

史上最大钉子户

三都堕了两都，看上去，一鼓作气，就能完成堕三都的历史重任了。

可是，事情没有那么简单。

成地由公敛处父掌管，公敛处父当初在阳虎之乱中立下大功，救了三桓，不仅在孟孙家说一不二，就是另外两家对他也敬畏三分。公敛处父当然知道这次堕三都的真实目的，他也当然不愿意就此让出自己的权力。不过，公敛处父知道，如果公然叛乱，像公山不狃一样先动手，无异于自取灭亡。

那么,公山不狃怎么办?他自有自己的办法。

公山不狃派人来找孟懿子,这样说:"成地是鲁国北面的保障,同时也是孟孙家的根据地。如果堕成,就等于向齐国人敞开国门,也就等于是孟孙家自取灭亡。所以,你就假装不知道,我不堕成。"

孟懿子对于堕成原本就有些犹豫,毕竟公敛处父不是公山不狃,并没有背叛孟孙家。如今听公敛处父这么说,索性就按照公敛处父的说法,睁只眼闭只眼,爱堕不堕。

季孙和叔孙对于孟孙家不堕成持无所谓的态度,反正自己的心腹大患已经除掉,管他孟孙家怎么样。

鲁定公持什么也不知道的态度,反正一切都是三桓安排的,爱怎么整怎么整,爱整成什么样整成什么样。

只有一个人很认真,认为一定要堕成,否则就是失败。这个人,就是司寇孔子,他一门心思要做鲁国的周公。

"主公,公处敛父不堕成,我们集合公室的兵力和季孙叔孙两家的兵力,强行拿下成地。"孔子向鲁定公提出建议。

"这,你去问问季孙和叔孙先吧。"鲁定公兴趣不大,不过如果孔子愿意做这件事情,去试探一下季孙和叔孙的态度也行。

于是,孔子去找季孙斯。

"啊,这个,司寇的想法很好,我非常支持。不过,我们刚收复了费地,人心还没有安抚,不敢轻举妄动啊。"季孙斯拒绝了,建议孔子去找叔孙看看。

于是,孔子去找叔孙州仇。

"啊,那什么,这是个很大胆的想法啊,去找过季孙了吗?"叔孙州仇问,他要首先弄清楚季孙家的态度。

"他们刚收复了费地,人心未定,不敢轻易出兵。"孔子实话实说了。

"啊,那什么,你看,我们的情况还不如季孙家。那什么,天冷了,多添件衣服啊。"叔孙州仇同样拒绝出兵。

孔子现在明白了,三桓一体,季孙和叔孙一定是和孟孙站在一边的。

"好,狗日的们,看我拿下成地,再一个个收拾你们。"孔子一定要拿下成地,在他看来,只要拿下成地,就等于公室战胜了三桓,下一步就可以把土地和军队归还公室,周礼将在鲁国发扬光大。

孔子再次来找鲁定公,把季孙和叔孙的态度介绍了一遍。

"唉,那就算了吧。"鲁定公并没有惊讶,他想到了会是这样的结局。

"不,三都已经堕了两都,拿下成地就大功告成了,公室的复兴指日可待。主公,机不可失,时不再来啊。我建议,公室出兵攻打成地,得道多助,正义必

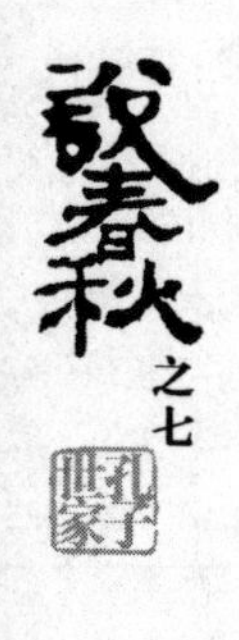

胜,我们一定能够拿下成地。”孔子热情高涨,坚持要攻打成地。

“这个——”鲁定公被孔子说得有点激动起来,不过他马上就想到了自己是怎样坐在这个位置上的,三桓能让自己坐上来,也能让自己滚下去。现在要想的恐怕不应该是复兴公室,而是怎样避免成为第二个鲁昭公。想到这里,鲁定公的激情又回到了冰点。“恐怕不妥啊。”

孔子从鲁定公的表情变化察觉到了鲁定公内心的恐惧和犹豫。

“主公,我知道这件事情主公不方便出面,这样,我来组织攻打成地。”

“这个,那就试试吧。反正堕三都就是你负责的,以后也不用请示我,想怎么做就怎么做吧。”鲁定公先把自己撇干净,准备看看热闹再说。

现在,主角们都在看热闹,跑龙套的孔子热情高涨。

孔子非常兴奋,立即派大夫申句须和乐颀率领公室军队攻打成地。公室的军队远远少于成地的部队,根本不是公敛处父的对手。而申句须和乐颀是一百分的不愿意,硬着头皮率领部队出发了。

公室军队来到成地驻扎,公敛处父命令关闭城门,拒不出战。申句须和乐颀在城外装模作样挑战了几天,一边挑战一边祈祷成地军队千万不要出来。公敛处父很给面子,他知道自己的军队一个冲锋就能把公室军队打回曲阜,不过他不愿意那样,把事情闹大了,谁都没有好处。

几天之后,申句须和乐颀收兵回曲阜。

堕三都行动至此宣告半途而废,而成地成为中国历史上最大的拆迁钉子户。

子路挨训

屁股决定脑袋。

同一件事情,站在不同的立场,目的就不同。

在堕三都的问题上,三桓是为了削弱家臣的力量,而孔子是为了削弱三桓的力量。所以,事情开始的时候大家的方向是一致的,但是随着事态的进展,大家的分歧日渐加大,也就从盟友成为敌人。

这,就是三桓和孔子之间的微妙关系。

尽管堕三都中途而废,孔子还是在想尽办法要削弱三桓。因为,三桓对孔子的意见越来越大,孔子对三桓的不满也越来越大。

子路为季孙打工,屁股自然而然就坐在了季孙家的立场上。因此,孔子对他也越来越不满。只是,子路对孔子还是一如既往的敬重和崇拜。

公山不狃被赶走，费地重新回到季孙家族的手中，季孙斯决定聘请一个新的费邑宰。

“子路，有没有好的人选啊，给我推荐一个费邑宰。”季孙斯信任子路，让他推荐一个人选。

子路非常高兴，这下可以拉兄弟们一把了。闪念之间，子路想好了人选。

“那，我觉得我的师弟高柴不错，这人很公正，而且很本分，是齐国人，所以思路比较开放。”子路推荐了最好的朋友高柴，这下可以共事了。

“好，你带他来谈谈吧。”季孙斯决定面试一下。

子路兴冲冲来到了孔子的家，找高柴的同时，去看望一下老师，他已经有一段时间没有来看望老师了。

为了表示对老师的敬重，也为了证明自己混得不错，子路穿了一套新衣服，看上去十分华丽。

“子路，你来做什么？”孔子看见子路，既不满又高兴。不满是因为子路很长时间没来。高兴是子路终于还是来了。

“来看望老师，还有件事情要请教老师。”子路说，他总是这么直率，直接把目的说出来。

孔子突然用奇怪的眼神看着子路，看得子路都有些茫然，老师要干什么？

“子路，来看望我就来看望我，穿得这么花哨干什么？”孔子眯着眼问，问得子路有点发愣，老师平时穿衣都很讲究啊，自己穿得时髦点难道不对吗？

“老师，这，有什么不合适吗？”

“长江源于岷山，它的源头，水的极大处也就是浮起酒杯；到了江津，不并列船只，不避开风势，简直就渡不过去，不都是下游许多水流注入的原因吗？你看你现在穿得这么花哨，颜色这样鲜艳，天下谁还能超过你呢？”孔子的意思，你别这么招摇，你能混到今天，还不是大家帮助你的结果？

子路一听，知道老师对自己有看法了，算了，不跟老师争了，顺着他算了。

子路急忙退了出去，自己还有些衣服在这里，于是换上从前的旧衣服，再来见孔子。

训斥了子路一顿，孔子心情好了很多，再看见子路进来，态度也就温和了许多。

“子路啊，你记住，我告诉你：爱忽悠的人，不可靠；爱出风头的人，不靠谱。把自己的才智表现在外面的人，是小人。所以，君子知之为知之，不知为不知，这是说话的要领。能就说能，不能就说不能，这是行为的准则。说话合乎要领就是智；行为合乎准则就是仁。又智又仁，还有谁能超过你呢？”孔子又是一通大道理，听得子路直点头。

“老师教训得对。”子路说，倒是出于真心。

“说吧，什么事情？”孔子心情好了很多，和气地问。

子路把季孙让他推荐费邑宰，而自己推荐了高柴的事情说了一遍，请求老师同意高柴担任费邑宰。

费邑是季孙家的大本营，费邑宰的权势甚至不低于季孙家的大管家，而季孙家族实际上掌管了鲁国的国政。所以，费邑宰绝对是一个举足轻重的位置。子路觉得，能够让自己的弟子得到这个位置，孔子应该非常高兴才对。

可是，子路想错了。

“这怎么行？高柴要能力没能力，要学问没学问，要风度没风度，要高度没高度，让他去当费邑宰，这不是害人家吗？”孔子激烈反对，劈头盖脸斥责子路。

“这，我觉得高柴性格稳重但是有原则，没有问题啊。”子路争辩，他觉得高柴不错。

“啊呸。”孔子更加生气了，咽了一口吐沫，大声说：“他那点学问，能干什么？不再学习五年以上，他甭想去当官。”

“老师，那里有百姓，有土地，不一定非要读书才能学到东西啊。”子路还在争辩，他觉得自己在季孙家当管家也能学到很多知识。

“哼，你就狡辩吧，我就讨厌这种狡辩的人。”孔子很生气，话说出来也有些火药味了。

按《论语》。子路使子羔为费宰，子曰：“贼夫人之子。”子路曰：“有民人焉，有社稷焉。何必读书，然后为学。”子曰：“是故恶夫佞者。”

子路没有再说话，他实在没有想到会是这样的场面。

孔子意识到自己有些失态了，毕竟子路不仅是自己最信任的学生，还是季孙家的管家，于公于私，不应该这么不给面子。所以，孔子喝了一口水，平复自己的火气之后，决定改用商量的语气来和子路说话。

“子路啊，我不是对高柴有成见，其实他是个很努力的孩子，人品也好。但是，每个人的能力适合不同的工作。费这个地方是季孙家的心脏，季孙家的每个人都盯着费邑宰这个位置。可以说，费邑宰既要承受季孙家臣们觊觎，又要承受季孙的猜忌，不是一般人能够去做的。这个人必须要八面玲珑，随机应变，要能让下属服气，要能让季孙放心。你说，高柴能坐这个位置吗？”孔子把利害分析了一遍，然后看子路的反应。

子路一时没有说话，不过脸色已经不像刚才那样抗拒。过了一阵，子路才开口。

“老师，高柴确实不适合。”子路服气了。

子路服气了，孔子的心情也好了很多。

“可是，我已经跟季孙说了，怎么办？”子路问。

“你可以推荐另一个人。”孔子心情好了，说话也轻松了很多。

“谁？”

“冉有啊。”孔子说，不过说完，他又有些后悔。

自从当初子路随孔子去了中都，孔家的管家就由冉有代理；自从子路去了季孙家，冉有就正式接任了孔家的管家。冉有的能力明显在子路之上，这一点每个人都承认。在孔子的弟子当中，最具有管理才能的就是冉有。

冉有的性格也很好，善于与人沟通。此外，冉有家世代是季孙家的家臣，在季孙家颇有人脉，这一点也是他的优势。

所以，没有人比冉有更合适了。可是，孔子又有些舍不得，这是他有点后悔的原因。

“对啊，冉有最合适啊，我怎么没有想到他呢？”子路非常高兴，可以说是喜出望外。

话已经说出去了，孔子不能再说冉有也不行了。再说了，如果自己阻止冉有去，弟子们会怎么想？还有谁愿意跟这个老师混？

就这样，子路向季孙斯重新举荐了冉有，冉有面试一次过关，季孙斯对他非常欣赏，立即任命他为费邑宰。

第二六〇章　炒鱿鱼

孔子一门心思要恢复鲁国公室的利益和权力，因此在平时的言行中都表现出对三桓的不满，也会提出一些压制三桓的建议。可是，所有的建议，只要是涉及三桓的，鲁定公一概驳回，而三桓知道之后，都对孔子不满。

基本上，孔子并没有能够讨好鲁定公，相反，鲁定公开始担心孔子会连累自己；而三桓对孔子日渐讨厌，尤其是季孙斯。

猪八戒照镜子——里外不是人，这就是孔子当时的状况。

可是，孔子很执著，他要按自己认为对的方式去做。

孔子断案

有一对父子之间发生了诉讼，具体什么原因没有记载，不过不外乎土地钱财。父子二人吵吵闹闹，来到了孔子这里。

按照孔子的习惯性审案方式，是这样的。

孔子会安排两名讼师，类似于现在的律师或者陪审团。首先，诉讼人提出各自的主张和论据；之后，孔子让一名讼师首先发表意见，论述自己对于案件的看法；再之后，又让另外一名讼师发表意见。两名讼诉的意见发表之后，孔子断案："某某讼师说得正确，按照他的意见判决。"

基本上，孔子也算是开创了中国历史上原始的律师制度。

按《说苑》。孔子为鲁司寇，听狱必师断，敦敦然皆立，然后君子进曰："某子以为何若，某子以为云云。"又曰："某子以为何若，某子曰云云。"辩矣。然后君子几当从某子云云乎。

不过，这次孔子没有采用这个办法，他采用了什么办法？

孔子把父子二人关在了一个牢房，之后并不审理。这一关，就是三个月。三个月之后，父亲实在忍不住了，请求撤诉，孔子准予撤诉，释放了父子二人。

父子诉讼的案件很快传到了季孙斯那里，季孙斯非常不高兴。恰好冉有就在面前，季孙斯当着冉有的面批判起孔子来。

"孔子忽悠我了，他从前对我说，治理国家最重要的是提倡孝道，如今这个不孝的儿子不是一个很好的反面典型吗？为什么不杀掉他来教导百姓呢？真是太无理了。"季孙斯话说得很气愤，借此发泄他对孔子的一贯不满。

"哈哈，老师大概有他自己的想法吧。"冉有小心地为孔子辩解了一下，见季孙斯的脸色难看，于是找了个别的事，把话头岔开了。

从季孙斯那里出来，冉有感觉到事情比想象中要严重，仅仅这件事情，季孙斯犯不着如此光火。

冉有来到了孔子家中，他要把季孙斯的反应告诉老师，看老师有什么说法。

"唉，执掌国政的人治国无道，却要杀掉有过失的百姓，这是不合理的；不能教育民众遵守孝道，却以不孝来处置案件，这是杀害无辜的人。军队打了败仗，不应该拿士兵开刀；法治不健全，又怎么可以处罚百姓呢？身处上位的人教化不力，百姓犯罪的罪过就不在百姓。法令松弛，可是处罚随意，这就是残害百姓；随意征收税赋，增加税种，就是残暴百姓；不经试行就要求百姓去遵守，这是残虐百姓。当治理国家时没有这种三种情况，才能执行刑罚。《康诰》里说得好啊：'刑罚要合乎礼义，不是随心所欲，不是执法者想怎样就怎样。'其含义就在于执政者要教化为先，刑罚为后。对老百姓，先对他们进行道德教化，自己身体力行，之后才能让他们服从；如果这样还不行，再以尊崇贤人树立榜样的方法勉励百姓；如果这样还不行，那就废黜无能之辈；如果还是不行，才可以用教令的威势让百姓忌惮。如此进行三年，百姓们就步入正轨了。如果有奸邪之徒不听从教化，再以刑罚对待这种人。那么，百姓就知道什么是犯罪行为了。《诗经·小雅·节南山》中说道：'天子是毗，俾民不迷'，所以，不必使用威势弹压，不必使用刑罚。而如今不是这样，教化淆乱，刑罚繁多，只能使百姓能够更加迷惑而触犯刑罚，又滥用刑罚，结果就是刑罚越多越制止不了犯罪。三尺的墙，即便空车也不能越过，为什么呢？因为陡峭。百仞的山，重载的车也能翻越，为什么呢？因为山岭上的坡路是逐渐抬高。现在的世俗就像这高山，败坏的时间已经太长了，靠刑罚怎么能阻止呢？"（《孔子家语》）孔子讲了一大通，核心思想就是三桓对鲁国的统治已经败坏了很多年了，想靠刑罚治理这个国家已经是没有办法了。而话外之音，就是孔子对三桓的强烈不满。

冉有是个聪明人，当然知道老师的话就是针对季孙的。自己现在是季孙

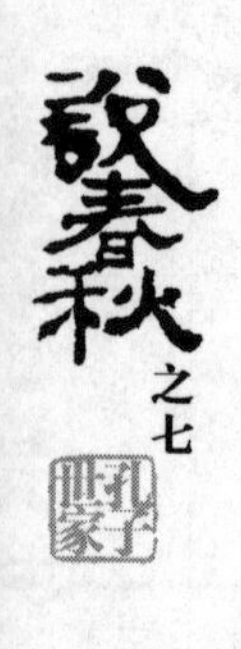

家的人,当然不能顺着孔子批判季孙,可是同时,也不能反驳老师。

所以,冉有对孔子的话未置可否,搭讪了几句,告辞走了。

冉有没有把孔子的话转告季孙斯,可是孔子自己跟弟子们说起了这件事情,结果很快传到了季孙斯的耳朵里,他不仅对孔子更加不满,对冉有也产生了不满。

祸起萧墙

孔子的两个弟子,一个担任季孙家的管家,一个担任费邑宰。对于孔子的学校来说,没有比这更好的招生广告了。在鲁国历史上,除了斗鸡的曹刿之外,能够以平民身份平步青云的,大概就只有孔子师徒三人了。

整个鲁国都在说孔子的学校,士人们从孔子学校看到了生活的希望。

"想当官吗?去孔子学校;想发财吗?去孔子学校。"这不是孔子学校的招生广告,而是所有想当官发财的平民们的共同的呼声。

一时之间,到孔子学校上门求学的人挤破了大门。

"对不起,名额已满,不再招生。"孔子的学校不得不停止扩大招生。

冉有在费邑做得非常出色,比子路还要出色。不过,越是出色,孔子反而越是不高兴。理由很简单,因为屁股决定脑袋。冉有的屁股坐到季孙家之后,想法与老师已经完全不同,处处为季孙家着想,而不是为鲁国着想。

临近费邑有一个小国叫做颛臾,是鲁国的附庸国。季孙斯决定灭掉这个国家,并入费邑,成为季孙家的地盘。为什么非要灭掉颛臾呢?理由其实很简单,三桓瓜分了鲁国,可是附庸国依然向公室纳税,三桓并没有什么利益。灭掉颛臾,本质上就是抢夺鲁国国君的利益。

因为颛臾国家很小,季孙斯把任务直接派给了冉有。在事先征求意见的时候,子路和冉有都表示反对,不过既然季孙斯决心已下,两人也只能服从。

在出兵之前,子路和冉有来看望孔子,同时把事情向老师汇报一下。毕竟,这是国际战争,孔子也是国家领导人,如果不来汇报,到时候老师又该不高兴了。

"老师,季孙准备攻打颛臾了。"冉有把事情大致介绍了一遍。

"求啊,这可是你的失职了。颛臾从前是周朝让他们主持东蒙山的祭祀的,而且已经是鲁国的附庸了,为什么要讨伐它呢?"孔子立即表示反对,也表示对冉有的不满。

"老师,都是季孙想去攻打啊,我和子路师兄都表示反对了。"冉有料到了老师的态度,急忙为自己开脱。

“求啊,周任有句话说:‘尽自己的力量去负担你的职务,实在做不好就辞职。’有了危险不去扶助,跌倒了不去搀扶,那还用辅助的人干什么呢?你说的话显然不对。老虎、犀牛从笼子里跑出来,龟甲、玉器在匣子里毁坏了,这是谁的过错呢?”孔子更不高兴了,他觉得冉有和子路没有尽力,尤其是冉有。

“老师,话说回来,颛臾城墙坚固,而且离费邑很近。现在不把它夺取过来,将来一定会成为鲁国的忧患的。”冉有继续辩解,屁股显然坐在季孙立场上。

孔子最恨的就是冉有站在季孙家的立场上说话,听冉有这么说,火一下子就起来了。

“求,君子最痛恨的,就是那种不敢说出自己的真实目的,找其他借口来辩解的作法了。我听说,不论是国家还是家庭,不怕财富少,而怕分配不公平;不怕贫困,而怕动乱。财富分配公平了,也就没有所谓贫穷;大家和睦,就不会感到财富少;社会安定,也就没有倾覆的危险了。就因为这样,如果远方的人还不归服,就用仁、义、礼、乐招徕他们;已经来了,就让他们安心住下去。现在,仲由和冉求你们两个人辅助季氏,远方的人不归服,而不能招徕他们;国内民心离散,不能保持稳定,反而策划在国内使用武力。我只怕季孙想要夺取的不是颛臾,而是国君的利益吧。”孔子一番话,说得清清楚楚,说得冉有和子路两人默然无语,悻悻离去。

最终,冉有还是率领费邑的部队灭了颛臾。

按《论语》。季氏将伐颛臾,冉有季路见于孔子曰:“季氏将有事于颛臾。”孔子曰:“求,无乃尔是过与?夫颛臾,昔者先王以为东蒙主,且在邦域之中矣,是社稷之臣也,何以伐为?”冉有曰:“夫子欲之,吾二臣者,皆不欲也。”孔子曰:“求,周任有言曰:陈力就列,不能者止。危而不持,颠而不扶,则将焉用彼相矣?且尔言过矣。虎兕出于柙,龟玉毁于椟中,是谁之过与?”冉有曰:“今夫颛臾,固而近于费,今不取,后世必为子孙忧。”孔子曰:“求,君子疾夫舍曰欲之而必为之辞。丘也闻有国有家者,不患寡而患不均,不患贫而患不安,盖均无贫,和无寡,安无倾。夫如是,故远人不服,则修文德以来之。既来之,则安之。今由与求也,相夫子,远人不服而不能来也,邦分崩离析而不能守也,而谋动干戈于邦内,吾恐季孙之忧,不在颛臾,而在萧墙之内也。”

不患寡而患不均,这个成语来自这里。

既来之,则安之。这个成语来自这里。

分崩离析,这个成语来自这里。

祸起萧墙,这个成语来自这里,意思是内部发生祸乱。

萧墙,是国君宫殿大门内(或大门外)面对大门起屏障作用的矮墙,又称

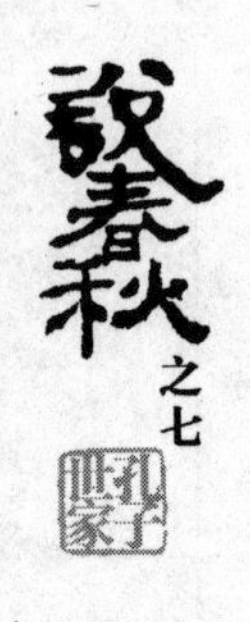

“塞门”;萧墙的作用,在于遮挡视线,防止外人向大门内窥视。上文中的萧墙之内指代鲁国国君,有说法指代三桓或者季孙家内部,错。

冉有和子路的处境

孔子对冉有和子路真的很不满,即便是与外人,孔子有时候也表现出对两个弟子的失望。

一次,季孙家的季子然与孔子谈起他的两个在季孙家供职的弟子。

“子路和冉有算得上出色的大臣吗?”季子然问,他很欣赏这两个人,以为在他们的老师面前夸奖他们,他们的老师一定会很高兴。

“嘿,我以为问谁呢,问他们啊。”孔子有点不以为然,然后以不屑的口气说:“所谓大臣,就是要以道义来辅佐君主,做不到就不要干了。子路和冉有嘛,也就是两个家臣吧。”

“那么,他们会一切听从季孙斯的命令吗?”季子然对孔子的回答有些惊讶,于是接着问。

“嗯,如果是杀父杀君这样的事情,他们也不会干的。”孔子回答,他发觉自己刚才有些贬低自己的弟子了,现在要挽回一点来。

按《论语》。季子然问:“仲由、冉求,可谓大臣与?”子曰:“吾以子为异之问,曾由与求之问。所谓大臣者,以道事君,不可则止。今由与求也,可谓具臣矣。”曰:“然则从之者与?”子曰:“弑父与君,亦不从也。”

子路和冉有夹在季孙和老师之间,一个得罪不起,一个不愿得罪,因此两人经常要充当传话的角色,把季孙的话传给老师,然后被老师训斥一顿;或者把老师的话传给季孙,看季孙的白眼。

作为季孙家的管家,尽管尽职尽责,可是不够圆滑,因此得罪了一些人。而冉有年纪轻资历浅,被很多人嫉妒。

当季孙斯对孔子强烈不满之后,对于孔子的弟子子路和冉有的态度也都有了一些变化,不再像从前那么信任。所谓墙倒众人推,很多人看到了干掉子路和冉有的机会,于是纷纷到季孙斯面前说他们的坏话。

公伯寮也是孔子的弟子,这个时候也在季孙家打工,他一向对子路不满,这个时候觉得是个机会收拾子路,同时保全自己。于是,他就去季孙斯那里说子路的坏话,恰好子服景伯在季孙斯那里,听到了公伯寮说的坏话。

子服景伯知道子路的为人刚正不阿,很讨厌公伯寮。不久,子服景伯碰上了孔子,把这件事情告诉了孔子。

“先生如果想要收拾公伯寮，那就说一声，以我的力量，足够把他宰掉。”子服景伯说，他是孟孙家的人，可是和季孙斯的关系非常好。

“唉，算了，大道如果能施行，那就是命；如果不能施行，那也是命。公伯寮能改变什么呢？”孔子谢绝了子服景伯的好意，这个时候，多一事不如少一事，何况，公伯寮好歹也是自己的学生，下不了手。

按《论语》。**公伯寮诉子路于季孙，子服景伯以告曰：“夫子固有惑志于公伯寮，吾力犹能肆诸市朝。”子曰：“道之将行也与，命也；道之将废也与，命也。公伯寮其如命何！”**

炒鱿鱼

终于，季孙斯对孔子的忍耐到了极限，对子路和冉有的不信任也到了极限。

“子路，非常感谢你对季孙家所做的贡献，可是，因为人员调整等等问题吧，我们决定解除你的管家职务，我相信，凭你的能力，很快能够找到更好的工作，更充分地发挥你的才能。谢谢，谢谢，请慢走。”话不是这么说，但是意思是这么个意思，季孙斯炒了子路的鱿鱼。

于是，子路从季孙家回到了孔子家。

孔子很热情地欢迎他回来。

这是一个信号，孔子知道自己也干不长了。

“看来，我也快了。”孔子对子路说，他明白自己的处境不太妙了。

几天后，冉有主动辞去了费邑宰，他觉得与其等着被炒，不如自己走开。季孙斯对冉有其实还是很欣赏，冉有要走，还做姿态挽留，不过冉有决心已下，最终还是炒了自己的鱿鱼。离开季孙家，冉有也回到了孔子这里，依然担任孔子的管家。

冉有的辞职，让孔子门下混得最好的两大弟子都失去了职位，对于孔子是个异常沉重的打击，对于孔子的学生们也是一个沉重的打击。

“我不能干下去了，而且，我也不愿意再待在鲁国了。”孔子对子路和冉有说，干不下去是肯定的，可是为什么要离开鲁国？

理由很简单，第一，担心受到报复；第二，面子挂不住。

“那，我们去卫国吧。”子路建议。

“为什么去卫国？”孔子问，卫国是鲁国的邻国，路途并不遥远，倒是方便。

“老师当年帮我娶了卫国的老婆，我大舅子颜浊邹在卫国混得不错，咱们可以去投奔他。”弄来弄去，原来是投奔子路的大舅子。

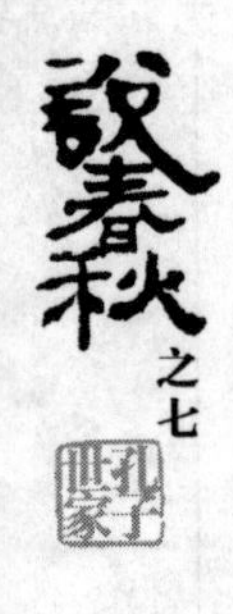

孔子瞥了子路一眼,心说这兄弟干了这么长时间季孙家的管家,还是缺心眼。我一个堂堂鲁国的司寇,去投靠卫国一个大夫,我吃饱了撑的?我的面子放哪里啊?

不过,没等孔子讽刺子路,子路又接着说了。

“我大舅子还有一个妹夫,也就是我的挑担,名叫弥子瑕,他在卫国国君面前很受宠。所以呢,我们可以借助他的关系去见卫国国君。不瞒老师说,早前大舅子就说了,如果这边混得不好,可以去找他,以老师的名声才能,在卫国弄个卿什么的当当,就是手到擒来的事情。”子路接着说,原来,还有这么一个拐弯亲。

孔子这才笑了,弥子瑕他是知道的,确实很受卫国国君卫灵公的宠信。

“嗯,卫国好,咱们鲁国是周公的后代,卫国是康叔的后代,鲁卫两国就是兄弟国家,政治上出于一脉啊。卫国好,卫国好。”孔子笑着说,他决定去卫国了。

按《论语》。子曰:“鲁卫之政,兄弟也。”

孔子不想辞职,他觉得那很没有面子;可是,也不能说走就走,那也说不过去。怎么办?孔子决定找一个合适的时机。没有多久,时机来了。

齐景公不知道哪根筋动了,给鲁国送来一批美女和艺人,结果季孙斯收了下来,都给了鲁定公。鲁定公虽然贵为国君,可是一向没什么权力,真没有怎么享受过,如今看见美女美得够呛,一头扎进美女堆里,三天就没下过床,自然,更上不了朝。当然,其实上朝也没什么事。

与此同时,鲁国正在郊祭。按照周礼,只有天子享受郊祭,而鲁国享受一份特权,就是可以郊祭周公。郊祭周公之后,按着惯例,祭祀用的肉要分发给大夫们。可是,这祭肉也不知道是被人贪污了还是根本就没人管,总之,祭肉就没有分到大夫家里。

“看见没有?国君都不上朝了,我还留在这里干什么?”孔子找到了不辞而别的一个理由,之后,又找了一个理由。“祭肉都不分给大夫们,这个国家已经没有礼法了,我还待在这里干什么?”

两大理由,都成立,也都不成立,为什么?因为鲁定公不上朝也不是这一回两回了,从前连续十天不上朝,孔子也没有说什么;而且,鲁国早就礼崩乐坏了,类似不给大家分祭肉这种事情也不是一回两回了,比这严重的多了去,孔子也没有拍屁股走人过。

事实上是,孔子知道自己已经待不下去,而且以为在卫国已经十拿九稳地找到了位置,这才果断地决定离开。

鲁定公十三年(前497年),孔子炒了鲁国的鱿鱼,不辞而别,离开鲁国,前往卫国，同行的有子路、冉有、颜渊等多名学生。

按《史记》的说法，孔子离开鲁国的原因是中了齐国人的反间计，齐国人认为孔子能耐太大，他治理鲁国会让鲁国成为霸主，因此必须除掉他。齐国人因此想出反间计，送了美女艺人给鲁定公，于是鲁定公三天不上朝，郊祭又不给大夫送祭肉，孔子因此失望而离去。离开鲁国的时候，孔子还唱了一首歌："彼妇之口，可以出走；彼妇之谒，可以死败。盖优哉游哉，维以卒岁！"

《史记》的说法完全经不起推敲，不过是为孔子脸上贴金而已。原因如下。第一，鲁国政在季孙，孔子根本不起作用；第二，孔子的思想是反战，称什么霸？第三，齐国人根本就不把鲁国放在眼里。

第二六一章　计划没有变化快

孔子和弟子们来到卫国，首先投奔了颜浊邹，颜浊邹倒也热情，之后把孔子介绍给了弥子瑕；弥子瑕也还热情，把孔子介绍给了卫灵公。

“啊，久闻大名，如雷贯耳啊。”卫灵公也还不错，非常客气。

孔子急忙说了些听闻主公求贤若渴，特来投奔之类的话。

“那什么，在鲁国的待遇怎么样？”卫灵公够爽快，很快进入正题。

孔子把自己在鲁国当司寇的薪水和福利待遇等等说了一遍。

“好，就按照鲁国的待遇吧。”卫灵公很大方。

一切顺利，孔子觉得下一步就该任命自己为卿了。

“啊，夫子可以回家休息了，住所我会让人安排。啊，祝你在卫国生活顺利。”下一步没有了，卫灵公只给了待遇，没给职位。

孔子表示了感谢，不过内心有些失落。

不管怎么样，现在吃喝不愁了。可是，几个月过去了，卫灵公再也没有召见过孔子，更不要说重用他。

“为什么会这样？”孔子百思不得其解。

卫国的君子们

孔子很快明白了自己不能在卫国得到重用的原因，至少是他自以为知道的，那就是弥子瑕。

帮助孔子见到卫灵公的是弥子瑕，可是，他没有办法进一步帮助孔子了，或者说，他在阻碍孔子得到重用。为什么这样？难道弥子瑕在暗中搞鬼？

弥子瑕之于卫灵公，就是梁丘据之于齐景公，他是个宠臣，很受卫灵公的信任和宠爱,可是卫灵公并不傻,他知道弥子瑕是个什么样的材料,因此对于他推荐的人很热情,却并不看好。

这是理由之一。

更糟糕的是,弥子瑕没有什么朋友,卫国的君子们都很讨厌他,所以,对他所推荐的人也没有什么好感。尽管孔子的名声不错,大家也都普遍不感冒,因为他是弥子瑕推荐的人。

这是理由之二。

所以孔子知道,要想改变目前的状况,必须重新树立自己的形象,在卫国广交朋友,并且澄清自己与弥子瑕之间的关系。但是,又不能得罪弥子瑕。

事情看上去有些复杂,不过好在孔子和弥子瑕其实也没有什么共同语言,平时交道不多,这倒是件好事。

孔子主动与卫国的权臣们以及君子们结交,以他的学问和诚意,大家倒也很快接受了他。大致,孔子结交的人物有蘧伯玉、史鱼、公子荆、公明贾、公叔戍等人,都是卫国名人显达,其中公叔戍还是卫国首富。

对于他们,孔子都曾经在学生们面前大加称赞。

公子荆是卫灵公的弟弟,是一个谦谦君子,为人和蔼可亲,并且知足常乐。作为一个外来户,孔子感觉公子荆很热情也很随和,因此对公子荆的感觉非常好。

"公子荆这个人真好,很懂得进退。刚开始有点财产的时候,就说'够用了';财产多一些的时候,就说'差不多了';富足的时候,就说'哇噻,我很满足了'。"

按《论语》。子谓卫公子荆:"善居室,始有,曰苟合矣;少有,曰苟完矣;富有,曰苟美矣。"

去世的公叔文子是卫献公的孙子,也是卫国当年名气最大的人,以贤能而著称。当初公叔文子有一个叫做僎的家臣,因为很有能力,公叔文子把他推荐给国君,和自己一并做了大夫。孔子在卫国听说这件事情之后,称赞说:"公叔文子值得得到文的谥号。"

按《论语》。公叔文子之臣大夫僎,与文子同升诸公,子闻之曰:"可以为文矣。"

孔子和公叔文子的儿子公叔戍关系不错,而公叔戍是卫国首富。

有一次孔子去公明贾府上拜访,说起了公叔文子,孔子提出一个问题来。

"我听说公叔文子不说话也不笑,什么财物都不要,是不是这样啊?"孔子问。这是他在卫国听来的,觉得公叔文子有些不可思议。

"说这话的人太夸张了,一个人成这样了岂不是成了怪物?"公明贾笑了,

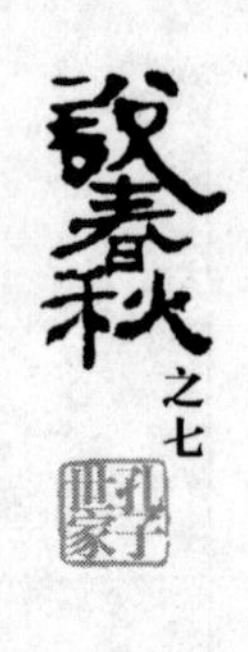

他觉得孔子有点天真。“实际上是这样的,公叔文子在恰当的时间说话,因此人们喜欢他的话;真正高兴的时候才笑,因此人们感受到他的真诚;不义之财不取,因此他发财人们也不会嫉妒。”

“这样啊,原来是这样啊。”孔子恍然大悟,感觉到公叔文子真是个高人。

按《论语》。子问公叔文子于公明贾曰:“信乎夫子不言不笑不取乎?”公明贾对曰:“以告者过也,夫子时然后言,人不厌其言。乐然后笑,人不厌其笑。义然后取,人不厌其取。”子曰:“其然。岂其然乎!”

史鰌是卫国的大夫,字子鱼,因此又叫史鱼。史鱼性格正直,刚正不阿,孔子对他很是敬佩。不过这个时候史鱼已经身患重病,孔子无缘和他结交。即便这样,孔子依然在学生面前称赞他。

“史鱼真的很正直啊,国家政治清明的时候,他像箭一样正直;国家政治紊乱的时候,他也像箭一样正直。”孔子说。

按《论语》。子曰:“直哉史鱼。邦有道如矢,邦无道如矢。”

关于史鱼还有一段故事。当初公叔文子上朝的时候邀请卫灵公去自己家里吃饭,卫灵公很高兴地接受了邀请。退朝之后,公叔文子把这事情告诉了史鱼,史鱼大吃一惊。

“老兄啊,你这是找死啊。”史鱼语出惊人。

“啊,为什么?”公叔文子吓了一跳。

“你想想看啊,你家这么富有,很多东西连国君的后宫都没有,而国君是个很贪婪的人,他看到了你家的富有会怎么想?”

“哇,是哦,我怎么没想到这一点?可是,主公已经说了要来,怎么办?”公叔文子很害怕,让史鱼为他想办法。

“怎么办?没办法了。”史鱼说——要取消对国君的邀请,往往会招来嫌疑,“不过,只要你礼节周到,不出问题,国君也不会对你怎么样。但是,你儿子可不像你这么谦恭,他很骄纵,估计你能善终,你儿子很悬。”

不管怎样,公叔文子还是设宴招待了卫灵公,宴席上非常小心谨慎,还送了些奇珍异宝给卫灵公。临走,卫灵公还在四处观瞧,看看有什么好东西可以要过来。

说起卫灵公,又有一段故事。

卫灵公的父亲是卫襄公,卫襄公的夫人姜氏不能生育,小妾周合生了个儿子名叫孟縶,孟縶生下来腿就有残疾。周合聪明伶俐还很漂亮,卫襄公很喜欢她。

两个主持朝政的官员叫做孔成子和史朝,两人同一个晚上做了同样的一个梦,梦见卫国开国君主康叔下令让公子元接掌卫国。

后来周合生了孩子,是个男孩,取名叫元。同年,卫襄公突然病故,因为老大有残疾,因此卫襄公一直没有立太子。那么,现在谁来继任国君呢?

孔成子和史朝一碰,发现两人都做过同样的梦。可是,光靠一个梦决定谁当国君似乎也不太好。于是,两人卜筮,结果也是立元比较好。最后,确定立公子元为国君,就是卫灵公。

那一年,卫灵公刚刚出生。在孔子来到卫国的时候,已经是卫灵公三十八年。

蘧伯玉

蘧伯玉要单独说。

蘧伯玉和孔子有很多相似之处,那就是很讲究礼法。

有一天晚上,卫灵公和夫人在后宫闲聊,忽然听得远处传来车驾的声音,声音越来越近,听着这车就要从宫门前飞驰而过。可就在这时,马车的声音消失了,车子似乎停了下来。又过了那么一小会儿,马车的声音再次响起,可是很显然已经过了宫门。

"这谁的车? 怎么这么怪?"卫灵公觉得很奇怪。

"这一定是蘧伯玉的车。"夫人说。

"你怎么知道?"

"我听说,为了表达对国君的敬意,路过宫门要停车下马,步行而过。真正的贤臣,不是因为光天化日才持节守信,也不会因为独处暗室就放纵堕落。蘧伯玉是我们卫国的贤人,对国君尊敬有加,为人仁爱而智慧。他一定不会因为是在夜里就不遵礼节,驾车奔驰而过。因此这一定是他了。"夫人说得很肯定。

卫灵公不大相信,第二天派人暗地查访,才发现昨夜驾车之人正是蘧伯玉。

"夫人,我派人查过了,那个人不是蘧伯玉,这回你猜错了。"卫灵公故意骗老婆,看她怎么说。

"那我就要恭喜你了,我本来以为我们卫国只有蘧伯玉这样一个出类拔萃的君子,既然昨天晚上那人不是他,那么你就又拥有一位贤臣了。"

孔子来到卫国的时候,正好蘧伯玉辞官在家。两人认识之后,发现两人之间的见解非常接近,因此很快成为好友。

一天,蘧伯玉派人来孔子的住处邀请孔子前往做客,孔子非常高兴。

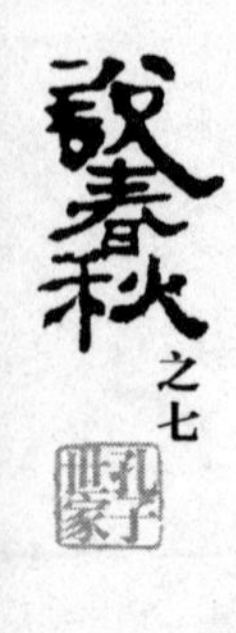

“蘧老夫子最近这段时间忙什么呢?”孔子问。蘧伯玉比他岁数大,因此称其为夫子。

“嗨,也没忙什么,就是整天反思怎么减少自己的过错,不过夫子总觉得自己还做不到。”来人说。

等到来人走了,孔子对自己的弟子们说:“看见没有,多好的使者啊,回答问题多么恰到好处啊。”

孔子在学生们面前称赞蘧伯玉是真正的君子:国家政治清明的时候,就出来做官;国家政治紊乱的时候,就退休回家。

按《论语》。遽伯玉使人于孔子,孔子与之坐而问焉,曰:“夫子何为?”对曰:“夫子欲寡其过而未能也。”使者出,子曰:“使乎使乎!”

按《论语》。子曰:“君子哉遽伯玉。邦有道则仕,邦无道则可卷而怀之。”

孔子在卫国广交朋友,并且总是称赞他们,弟子们都觉得有些奇怪。终于有一天,孔子自己说起了这个事情。

“你们知道吗?有三种爱好让人进步,有三种爱好让人退步。哪三种爱好让人进步呢?爱好主旋律音乐,爱好说别人的优点,爱好交比自己强的朋友;那么,哪三种爱好让人退步呢?爱好流行音乐,爱好四处游玩,爱好喝酒饮宴。”孔子很得意地说,因为这就是他在卫国做的事情。

基本上,按照孔子的说法,当今世界的音乐发烧友、美食家和各级别的驴友都属于不好好学习,天天退步的人。

按《论语》:孔子曰:“益者三乐,损者三乐。乐节礼乐,乐道人之善,乐多贤友,益矣。乐骄乐,乐佚游,乐宴乐,损矣。”

当什么别当首富

卫灵公夫人早已经去世,于是卫灵公新近从宋国娶了一个夫人回来,名叫南子。这个南子,风骚风流风韵风度,总之,让卫灵公对她爱得不能自拔。

基本上,卫灵公的心思都在南子的身上了,对南子也是言听计从,至于国事,基本上就是撒手不管。

而南子有两大爱好,第一,好色,自己在出嫁之前就跟一个叫做宋朝的堂哥暗中上了床;第二,贪财。

好色一事南子暂时不敢太过张扬,不过,在贪财的问题上就毫不客气,因为卫灵公有同样的爱好。

公叔戍是卫国的首富,这一点谁都知道。卫灵公一直就把公叔戍当成自己的提款机,经常来要这要那,听说有什么好东西,就派人去索要。对于卫灵公的贪婪,公叔戍还能承受。可是,自从南子来到之后,情况就又不一样了。

南子把公叔戍当成了一只绵羊,不仅想着要剪羊毛,还想着有一天要宰羊吃肉。因此,南子不仅自己向公叔戍索要财物,还指使自己的手下去要;要回来的财物不仅自己用,还大量打包送回娘家。

这下,公叔戍彻底受不了了。

"奶奶个腿的,这个臭婆娘太欺负人了。"公叔戍火了,面对南子派来要财物的人大骂起来,"你们狗仗人势,当心老子打断你们的狗腿。"

公叔戍一怒之下赶跑了南子的人,却没有想到后果会有多么严重。

"公叔戍要叛乱了,公叔戍要叛乱了。"南子恶人先告状,在枕头边诬陷公叔戍。

"我早就看他要叛乱,办他。"卫灵公其实也早就瞄准了公叔戍的财产,他知道南子是在撒谎,可是,何乐而不为呢?

第二天,卫灵公宣布公叔戍图谋造反,立即驱逐出境。公叔戍得到消息之后,仓促之中流亡鲁国去了。

"唉,当什么别当首富啊。"公叔戍感慨万千。

当什么别当首富,千百年来,这是一条雷打不动的真理。

重开学校

公叔戍被驱逐,连累了许多人,其中就包括弥子瑕。尽管弥子瑕没有被驱逐,但是在宠信程度上已经差了很多。

孔子感到希望越来越渺茫,可是就这样回鲁国也太没面子。于是,孔子决定在卫国招收学生,继续自己的教师生涯。

报名的情况不是太理想,毕竟孔子在卫国的名声不是那么大,而且,卫国人对于经商发财的欲望大于做官的欲望。

好在,孔子不用靠学费过日子。

十天的招生期很快过去了九天,也就招到了二三十名学生,其中资质好的也就那么一两个,这让孔子很失望。

第十天的时候,事情有了变化。

"我要报名,我要报名。"一个人用很奇怪的口音喊着,来到了孔家。

负责招生的是子路,可是这人说了几句话,子路就感觉招架不住了,连忙派人来请老师出马。

"老师啊,来了个怪人,您来看看吧。"子路迎头对孔子说。

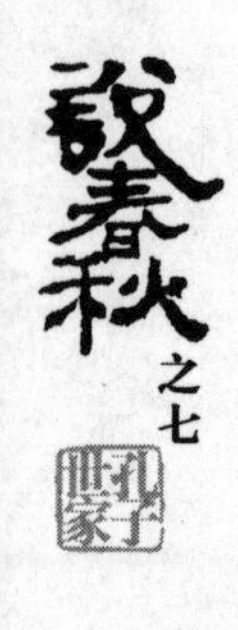

“什么怪人?”孔子问,坐定之后,这个时候再去看这个怪人。

只见这个人看上去二三十岁,头上没有帽子,头发很短大致只有一寸,眼睛前面还有两片玛瑙片。衣服是短衣,不知道什么材料,腰间一个腰带系着裤子,脚下穿着一双不知道什么样的鞋。总之,从长相到衣着都很奇怪。

“你?从哪里来?”孔子问,他觉得这人看上去也不像是个蛮夷,可是衣着打扮比蛮夷还蛮夷。

“您就是孔子?”怪人没有回答,反问道。

“不错,我就是孔丘。”

“哇噻,我见到孔子了,我要出名了,我要发财了。”怪人一阵兴奋,看见大家都用怪异的眼光看他,这才平静下来。“我,怎么说呢,我是从两千多年以后来的。”

“什么?”孔子瞠目结舌,在场的人都瞠目结舌。

“编吧,你就编吧。如果你说从一千多年前来的,我们说不定还信,你说从两千多年后来的,骗谁啊?”子路镇定下来之后,大声呵斥,这类装神弄鬼的事情,老师从来不信,自己也不信。

“编?嘿嘿,你看我这样,像编的吗?这个你见过吗?”怪人说着,从衣服里取出一个看上去很贵重的东西来,按一按,发出亮光来。“这个叫手机,我在这里说话,几万里之外的人都能听到。噢,不过这年头没信号。”

大家都发愣,谁也没见过这东西,子路见孔子也不发话,也就不再说话。

怪人又掏出一个东西了,递给了孔子。

“老师,这个东西叫望远镜,能看到很远的地方,送给你了。”怪人说着,把望远镜放在孔子的眼前。“这个,我用来看风景的,也看美女,嘿嘿。”

孔子眼前一亮,笑了,因为他确实看到了很远的地方,那地方有一个美女。

“好,我就相信你是从两千多年以后来的,那,你是鲁国人吗?”孔子问,顺便把望远镜放在了手边。

“什么鲁国人啊?鲁国早没有了。”怪人顺口说道,很不以为然。

“啊,鲁国已经没有了?”孔子看上去很沮丧。

“不仅鲁国没有了,周朝都没有了。老师告诉你吧,这两千多年,都过了二十多朝了。”怪人继续说,说得很轻松。

“哦。”孔子松口气,觉得有点安慰了。“那,你从两千多年后来,有何见教啊?”

“嗨,别提了,我呢就是个驴友,喜欢周游列国,结果一不小心,不知道在什么地方掉进了时空隧道,这就过来了,还不知道怎么回去呢。不过既然来了,总要学点东西回去,到时候写回忆录拍电影什么,挣钱买房娶老婆移民加拿大什么的。老师,我想报名做您的学生,收下我吧。”怪人一口气说了很多,大家都听得云里雾里，只有最后几句话听明白了。

孔子犹豫了一下，不知道自己能不能教得了这个小子，不过想想看，这小子一点礼貌都不懂，至少自己可以教他做人的道理。

“你有学费吗？”子路问。

“学费？不是义务教育了吗？噢，对了，这时候还没有。”怪人自言自语，开始在自己的衣服里和屁股后翻，翻出些乱七八糟的东西，一边翻一边说：“信用卡？这年头讲信用，但是不讲信用卡啊。人民币？这时候有人民没有人民币啊。哎他娘的，真是春秋不用冬夏的钱啊。”

“算了，你免费了。况且了，你这个什么镜是个无价之宝，就算学费吧。”孔子宅心仁厚，同意了怪人的要求。“有朋自远方来，不亦乐乎。”

按《论语》。子曰：“有朋自远方来，不亦乐乎。”

“谢谢老师。”怪人非常高兴，鞠了一躬。

“那，你叫什么？”孔子问。

怪人愣住了，随后开始思考，并且很痛苦的样子，头上竟然冒出了汗珠。

“你怎么了？”子路问他。

“我，我穿越的时候把名字丢了，我只知道我是我，我不知道我是谁了。”怪人说得很痛苦，他竟然不知道自己是谁。

孔子笑了，所有人都笑了。

“那这样吧，我送个名字给你吧。”孔子说。

“好吧。”怪人无可奈何了，心说看穿越回去的时候能不能把名字找回来。

孔子开始思考，他是一个严谨的人，不会胡乱给别人取名字的。

“这样，你看你这一身短打扮，跟胡人没什么区别，你就姓胡。你说话乱七八糟，没有什么章法，你的名就叫乱。你的行为举止随随便便，你的字就叫随便。你看怎样？”孔子给怪人取的名字就是姓胡名乱字随便，不是胡乱取名，却是取名胡乱。

“好，随便吧。”怪人答应了，从现在开始，他就叫胡乱了。

第二六二章　孔门三贱客

胡乱的到来引发了轩然大波,不是小波,是大波。可是,紧随着胡乱而来的另一个来报名的学生,才是真正的主角。

与胡乱穿着乱七八糟的衣服来报名不同,这个报名的学生穿着十分考究,并且乘坐着当时最豪华的房车。更要命的是,他是公子荆介绍来的。

"夫子一定要收下这个人,这个人天资聪明,本质不错,就是不懂规矩,因此他父亲让他来跟夫子学习。今后是金玉还是砖头,就看夫子了。"公子荆当初这样叮嘱,孔子答应了。

但是,看到这个学生的时候,孔子还是禁不住一阵后悔。

"我叫端木赐,你们就叫我子贡好了。嘿嘿,我倒要看看还有什么好学的。"这个学生来到报名处就口出狂言,谁也不放在眼里。子路说他,就被他一通话说得子路翻白眼。

孔子尽管后悔,还是决定收下他。端木赐的父亲端木方是卫国有名的富商,并且跟公子荆关系密切。就因为看儿子十分骄纵,担心家业败在他手中,因此让他来跟孔子学些知识,也学学做人。

富二代,子贡是典型的富二代。

子贡,卫国人,小孔子三十二岁。也就是说,现在二十四岁。

"哼,这下宰我有对头了。"孔子自言自语。

宰我是谁?宰予,字子我,鲁国人,只有二十岁,孔子来卫国之前招的学生,以口才好喜欢辩论而著称。

胡乱

子贡和胡乱入学,在孔子的学校中如同两块石头投进了粪坑,荡起的不仅是涟漪,还有臭味。

先来说说胡乱。

基本上,孔子所教的胡乱听说过一些,因为从前读过《论语》,因此有的时候甚至能在孔子说话之前猜到孔子要说什么,不过多数都猜错了。

胡乱对孔子的课程兴趣不大,每天听课听得很难受,有的时候就请假在屋里睡觉。孔子对这个两千五百年以后的学生反正也不抱期望,因此就由着他。总体来说,孔子所教授的课程当中,胡乱严重偏科。数是胡乱的特长,完全不听课,但是任何题都能做,孔子暗地里说胡乱是个数学天才,其实胡乱在两千五百年后的数学也就是马马虎虎;书学是胡乱学得最差的,总是记不住,要不就是理解错误;至于其他学科,也跟书学差不太多。

胡乱让孔子不喜欢的还不是在课堂上,而是在课堂下。上课的时候胡乱昏昏欲睡,可是下了课就精神百倍。下课之后,也不知道胡乱哪里来那么多乱七八糟的见识,总之是滔滔不绝,天文地理无所不包,别人不知道的他都知道,常常说得大家晕头转向。譬如胡乱就说大家住的地实际上是个球,叫地球,地球围着太阳转。胡乱还说以后打仗都在马上,还说以后连弓箭都不用了,用枪,还给大家画枪的样子。

对于胡乱的各种说法,大家也是听得懵懵懂懂,似懂非懂,就当听故事,基本上没人相信。

有的时候,有同学会把胡乱说的事情转告孔子,不过都要先说明这是胡乱说的。

"此胡言也。"开场白往往是这样,意思是这是胡乱说的。

"此乱语也。"有的时候也这样说,意思同上。

每当这个时候,孔子就会笑笑说:"随便说,随便说。"意思就是既然是胡乱说的,大家都不当真。

后来,胡言乱语就成了胡说八道的同义词,这是后话。

有的时候,胡乱也会发问,不过几乎每次发问都会让孔子生气。但是,孔子不是生胡乱的气,而是生子孙后代们的气。

"老师,君要臣死,臣不得不死;君要臣亡,臣不得不亡。这是您老人家说的吗?"一天,胡乱想起来,来问孔子。

“什么？我什么时候说过这样的话？我只说过‘君使臣以礼，臣事君以忠’。国君无缘无故让臣死，那不是昏君吗？凭什么要为昏君去死？晏子说过‘君死我不死’，君不死臣更不死。”孔子很生气。

“哎哟，好几千年都以为这话是老师说的，上当啊，原来老师根本没有这么说过。”胡乱恍然大悟。

“是谁在毁坏我的名声？”孔子追问，声色俱厉。“奶奶的，告诉我是谁，我派人杀了他祖宗，让他根本没地方投胎。”

“那，我也不知道。”胡乱说，他真不知道。“那么老师，如果君要臣死，你认为下面一句该接什么？”

“君要臣死，臣懒得理你。”孔子说。

后来胡乱把这件事情告诉了同学们，同学们纷纷接下句，成为一时的佳话。有些下句接得十分有创意，摘录一二。

“君要臣死，要死一起死。”（宰我）“君要臣死，臣心已死。”（颜回）“君要臣死，臣怀了你孩子。”（烧饭的丫环）“君要臣死，臣换个君试试。”（子贡，被孔子评为最佳答案）

胡乱的接句是这样的：君要臣死，臣封了你ID。

还有一次，胡乱不知道做了个什么梦，又有问题来问孔子。

“老师，我经常听到有人说要以德报怨，这是您老人家说的吧？”胡乱来问，他觉得这肯定是孔子说的。

“胡言乱语，以德报怨，拿什么报德啊？你请我吃饭，我请你吃饭；你打我一顿，我还请你吃饭，我贱啊？我对得起请我吃饭的人吗？以后谁还请我吃饭？”孔子瞪了胡乱一眼，这次倒没问是谁在毁坏他的名声了。

“那，以什么报怨？”胡乱问，他很吃惊以德报怨又不是孔子说的。

“他怎么对你，你就怎么对他。”孔子大声说。

按《论语》。或曰：“以德报怨，何如？”子曰：“何以报德？以直报怨，以德报德。”

这个“或”，就是胡乱。

“我真傻，要不是亲眼见到老师，一辈子都被蒙在鼓里了。那什么，请老师再给点教诲吧。”胡乱说，他觉得孔子是对的。

“那好吧，我告诉你交朋友的原则吧。三种朋友是有帮助的，正直的、宽容的和博学的；三种朋友是有害的，褊狭认死理的、无原则善良以德报怨的、能说会道拍马屁的。”孔子说，把刚才以德报怨那一段用了进来。

按《论语》。孔子曰：“益者三友，损者三友。友直，友谅，友多闻，益矣。友便辟，友善柔，友便佞，损矣。”

这里,“友善柔”这句话几千年来被歪曲。各种所谓的大师学者都把善柔解释成“狡猾”“谀媚”等等,实际上,善柔就是善良却柔弱不果断,不懂得以直报怨的道理的人。

胡乱的问题多数都是这样,被孔子训斥一顿之后,发现那不是孔子说的话。

总之,胡乱虽然不招老师的喜欢,但是还不算让人讨厌,甚至有的时候孔子还会觉得这个人挺有趣。

子贡

子贡就不一样了。

子贡从小随父亲出国做生意,因此见识很广,口才非同一般,同时,身上也有富二代们惯常的骄纵和自以为是。

才听了几堂课,子贡就在同学们中间表示:“这些算什么? 嘿嘿,我早就知道了。要不是我爹让我来学习,我早就回家了。”

孔子知道后,非常不高兴。不过孔子的性格,不会主动去批评子贡。

子贡最让孔子讨厌的一点是,不管课上课下,想说什么就说什么,总要显示自己比别人高明,甚至比老师还要高明。

孔子很想退他的学费请他走人,可是又开不了口,一来怕学生们说自己度量小,二来也不好向子贡的父亲交代。

有一次上课,孔子当场表扬自己的弟子宓子贱,说:“大家看看,什么是君子? 就是子贱同学这样的。不要说鲁国没有君子,如果鲁国没有君子,他从哪里取得这样的好品德呢?”

按《论语》。子谓子贱:“君子哉若人。鲁无君子者,斯焉取斯。”

其他同学听了,都对宓子贱投以羡慕以及景仰的目光,只有子贡歪着嘴坏笑,他才不服气呢。

“老师,子贱兄是君子,那我呢? 我怎么样?”子贡大声说,他觉得自己比宓子贱强。

“你? 嗯,我想想。”孔子假装想了想,然后说:“你啊,你是个用器。”

“什么用器?”子贡问,大家也都想知道。

“瑚琏。”孔子说。瑚琏是一种祭器,用来盛黍社,属于比较珍贵的祭器。

按《论语》。子贡问曰:“赐也何如?”子曰:“汝器也。”曰:“何器也?”曰:“瑚琏也。”

子贡非常高兴，他觉得这是对自己的褒奖。大家也都用羡慕的眼光看着他，觉得虽然这个人很讨厌，可是老师还挺欣赏他。

不过，孔子随后的一句话让子贡的笑容消失了。

“君子不是祭器，君子不能局限于一种用途，要德智体美全面发展。”孔子笑着说，这句话的意思就是说你还不是君子。

按《论语》。子曰：君子不器。

子贡非常尴尬，不过以他的口才，立即平静下来，继续提问。

“那，老师，那你说君子是什么样？”子贡问，他要寻找反击的机会。

“先把自己想说的做好，然后再说。”孔子毫不犹豫地说出来，这句话他早就想对子贡说。

按《论语》。子贡问君子。子曰：“先行其言而后从之。”

哄堂大笑，大家知道这是孔子讽刺子贡平时的夸夸其谈和目中无人。

“嘿嘿。”子贡讪讪地笑，不过，他还不服气。“那么，君子也有讨厌的人吗？”

“有啊，君子讨厌说别人缺点的人，讨厌身居下位却诽谤上司的人，讨厌蛮干而不讲礼节的人，讨厌果断但是固执的人。”孔子说，每句话都指出子贡的缺点，然后问：“赐啊，你也有什么讨厌的人吗？”

“当然有啊，我讨厌剽窃他人的知识当自己的知识的人，讨厌不给别人面子却以为自己很能耐的人，讨厌攻讦别人却以为自己很正直的人。”子贡说。句句都在讽刺孔子。

孔子笑了，他知道这小子不是那么容易制服的。

按《论语》。子贡曰：“君子亦有恶乎？”子曰：“有恶。恶称人之恶者，恶居下流而讪上者，恶勇而无礼者，恶果敢而窒者。”曰：“赐也亦有恶乎？”“恶徼以为知者，恶不孙以为勇者，恶讦以为直者。”

经过这一次，子贡着实沉默了几天。不过，他不会就这样认输的，这样认输就不是子贡了。

子贡想到了一个非常好的问题，他相信这个问题足以让孔子无言以对，斯文扫地。

这一天上课，眼看到了下课的时间，孔子正要宣布下课，突然子贡举手提问。

“子贡，你什么问题？”孔子问，觉得子贡现在至少比从前要礼貌些。

“老师，我就想问一个问题。你说人要是死了之后，究竟有知觉还是没有知觉？”子贡的问题一出，满座哗然，这个问题太刁了，毕竟谁也没死过，谁知道死了之后是什么情况。

孔子愣了一下,看着子贡得意的样子,又笑了。

“我要是说人死了还有知觉,就怕孝顺子孙葬我的时候过分隆重;要是我说没有知觉呢,又怕不肖子孙把我扔到乱葬岗喂狗。所以,这个问题我不能回答你。你如果真想知道,等你死了之后,自己慢慢去体会吧。”孔子回答。

“哈哈哈哈……”又是哄堂大笑。

按《说苑》。子贡问孔子:“死人有知无知也?”孔子曰:“吾欲言死者有知也,恐孝子顺孙妨生以送死也;欲言无知,恐不孝子孙弃不葬也。赐欲知死人有知将无知也?死徐自知之,犹未晚也!”

子贡的家里非常有钱,因此花钱很大方,常常会给师兄弟们一些小恩小惠。对此,孔子也很反感,有一次对大家说:“有的人喜欢夸夸其谈,但是又说不到点子上,拿些小恩小惠拉拢大家,这样的人,恐怕没什么前途。”

按《论语》。子曰:“群居终日,言不及义,好行小慧,难矣哉!”

子贡不是省油的灯,被孔子讽刺一通之后,当天上课的时候就展开了反击。

当天的课程是历史课,孔子讲到了商朝的灭亡,大力渲染商纣王的无道,把纣王说得一无是处。

“老师,据我所知啊,其实人家纣王没有坏到这种程度。”子贡打断了孔子的话,之后一通说,倒也说得很有道理,让孔子一时之间也无话可说。“嘿嘿,这说明什么?说明一个人千万不要成为失败者,否则什么黑锅都要扣到你头上。”

子贡说完,得意地笑了。这一次,他占了上风。

按《论语》。子贡曰:“纣之不善,不如是之甚也。是以君子恶居下流,天下之恶皆归焉。”

宰我

尽管胡乱不招人喜欢,子贡让人有些讨厌,对于孔子来说,最头痛的还不是他们,而是宰我。

宰我的数学学得很好,如果不是胡乱来了,宰我就是第一高手。也正因为这样,宰我的逻辑分析能力超强,总是能够从老师的话里发现矛盾之处,然后来找老师辩论。

有一次,宰我来找老师提问题。

“老师,我听荣伊说过,黄帝活了三百年,那黄帝是人呢还是神呢?怎么能活三百岁?”宰我提问,孔子也说过黄帝活了三百岁。

孔子一愣,心说大家不过随便说说,上古的事情谁还追究?可是这小子竟然就抓住不放了。

“予啊,夏商周的事情都是现成的,够你钻研了,黄帝那么远的事情,我看你就不要那么认真了。”孔子说。

“老师,我知道上古的事情有点说不清楚,我这问题有点钻牛角尖,可是,我还是想弄明白。”宰我的架势,就是老师要是承认自己是信口胡说,我就不问了。

孔子一看,这小子这么不识趣,可是我也不能在他面前认错啊,怎么办?孔子想了想,想了个办法。

“予啊,我给你讲讲黄帝的故事吧。”孔子开始从黄帝的出生讲到了黄帝怎么战胜炎帝,一统江湖,奠定中华文明。“你看,黄帝这么伟大,活着的一百年给百姓造福;之后的一百年,百姓敬畏他的神灵;再之后的一百年,百姓沿用黄帝的教化,天下才发生了本质的变化。所以说,黄帝活了三百年是他的光辉思想照耀三百年,丰功伟绩造福三百年。”

孔子这一通忽悠,讲得唇干舌燥,总算是勉强圆了回来。

“哦,那实际上还是只活了一百年。”宰我说,他还是认为孔子和荣伊在信口雌黄。

此事见于《大戴礼记》和《孔子家语》

过了几天,孔子讲到了父母去世之后,儿子要守孝三年。

“老师,我觉得吧,三年的丧期太长了。”下课之后,宰我又来找孔子辩论了。

“嗯,为什么?”孔子问,他可是最提倡孝道的人。

“三年丧期,也就意味着三年之内不能修习礼仪,礼制必然毁坏;三年不能演奏音乐,音乐必然荒疏。旧谷吃完了,新谷就该登场了;古人钻燧取火而改变火种,一年时间也就够了。”宰我的说法,就是反对三年丧期。可是他说得有道理,如果守孝三年造成礼崩乐坏,岂不正是孔子不愿意看到的?

孔子一听,非常恼火,这不是不孝吗?

“我问你,三年丧期之内,吃白米,穿锦衣,你感觉心安理得吗?”孔子强压着火,问。

“没问题啊。”

“那就行了呗。君子守丧,吃什么都不觉得好吃,听什么音乐都不觉得好听,所以他们不会像你那么想。你觉得怎么好,觉得心安理得,那就按照自己的想法去做好了。”孔子大声说,说完,扭过脸去不理他。

宰我没趣地退了出来。

"宰我就是混账东西,不懂得仁爱的家伙。孩子出生三年,才离开父母的怀抱。三年守丧,是满天下的规矩。宰我对他的父母难道连三年的爱心也没有吗?"孔子对身边的弟子们说,气得直喘气。

按《论语》。宰我问:"三年之丧,期已久矣。君子三年不为礼,礼必坏;三年不为乐,乐必崩。旧谷既没,新谷既升,钻燧改火,期可已矣。"子曰:"食夫稻,衣夫锦,于汝安乎?"曰:"安。""汝安则为之。夫君子之居丧,食旨不甘,闻乐不乐,居处不安,故不为也。今汝安,则为之。"宰我出,子曰:"予之不仁也。子生三年,然后免于父母之怀。夫三年之丧,天下之通丧也。予也有三年之爱于其父母乎?"

宰我说得对吗？孔子说得对吗？

宰我就是这样的人,总是通过逻辑推理来让孔子难堪。

胡乱、子贡和宰我,在孔子的眼里就是三个刺头,不知道什么时候会提出什么刁钻的问题来。

第二六三章　招摇过市

在鲁国,孔子好歹还是个司寇,挂名的国家领导人。原本以为跳槽到卫国之后能有更大的发展,谁知道又成了一个教书匠,地位还不如在鲁国。孔丘感觉有些窝火,一边教书,一边还在想办法,通过各种关系寻求进入卫国政坛。

可是,种种迹象表明,卫灵公只对南子有兴趣,对孔子的礼乐道德之类没有兴趣。

怎么办? 孔子决定,离开卫国,前往陈国。

"人挪活,树挪死,我要去陈国,陈国是太姬的后代,正宗周礼国家,我们去一定受欢迎。"孔子对弟子们进行了动员,之后整装出发。

匡地之难

从鲁国来的弟子们基本上都决定跟随孔子前往陈国,只有少数几个决定回鲁国去。

"胡乱,你去不去?"子贡问胡乱,他比较欣赏胡乱,因为胡乱见多识广,而且也不太受老师待见。

"去,反正没事干,闲着也是闲着。你去不去?"胡乱反问。之所以要问,是因为史书上没有记载子贡这一次有没有随孔子去陈国。

"去,我要看看热闹。"子贡说,他这时候对孔子还是很不服气。

就这样,没事干的胡乱和看热闹的子贡随着大队人马出发了。

孔子和学生们上路了,一路向南行。要到陈国,首先要经过宋国,一路行走,来到了匡地(今河南省长垣县),这里原本是宋国的土地,后来被郑国侵占。

八年前鲁国的阳虎曾经在晋国的命令之下攻打郑国，拿下了这里。可是鲁国和郑国之间隔着宋国，于是鲁国把匡地送给了宋国。所以，这里现在属于宋国。

孔子的弟子中有一个名叫颜高的，当年曾经参加过鲁国攻取匡地的战斗。说起颜高，还有一段插曲。

颜高是鲁国著名的勇士，在孔子的学生中仅次于子路。六年前鲁国与齐国发生了一次战争，颜高也参加了。当时鲁军在城下挑战，齐军坚守不出，于是鲁军都下车坐在地上。颜高的弓是硬弓，要用三钧的力量才能拉开，大致相当于今天的一百八十斤。当时颜高炫耀自己的力量，大家都很好奇，于是都要试试他的弓，传看他的弓。谁知道这个时候齐国人开城杀来，颜高的弓却找不到了，结果被齐国人在腿上射了一箭，还好他抢了同伴的箭把齐国人射死，这才保住了自己的命。

如今故地重游，来到了匡地，颜高非常兴奋，这就是炫耀自己当年武力的机会。

来到匡地城外，孔子下车来休息。这时候，颜高凑过来了。

“老师，看见城墙上那个缺口没有？当年我就是从那个缺口杀进去的。”颜高得意地说，一边用手指给孔子看。

孔子对打仗没什么兴趣，不过还是顺着颜高的手看了过去。

这一看不打紧，麻烦来了。

城头的军士远远看见一伙人过来，不知道是什么来路，十分小心，因为这是边境地带，不能不小心。等到孔子下了车，军士们的眼睛就瞪大了。

“咦，这人有点眼熟啊。”军士们议论起来。

等到颜高对着缺口指指点点，孔子向这边打望的时候，军士们同时喊了起来：“啊，阳虎这狗日的来了。”

原来，孔子的身形竟然很像阳虎。

当初，阳虎率领鲁军占领这里的时候，对当地百姓十分残暴，因此匡地人都对阳虎恨之入骨。

“杀了狗日的阳虎。”守城军士立即报告了匡地大夫匡简子，匡简子一阵惊喜，“王八蛋阳虎，当初强奸我老婆，想不到你竟然敢送上门来。”

匡简子立即率领精兵，杀出城门。

当一阵喊杀声传来的时候，孔子师徒不知道出了什么事情，但是他们知道，喊杀声一定是针对他们的。怎么办？颜高不愧打过仗，见不远处有一处废弃的院子，立即要同学们保护着孔子先进院子，准备防守。

“怎么回事？怎么回事？”孔子有些摸不着头脑，急忙上车，随着学生们涌入那个院子。子路负责贴身保护老师，颜高断后。

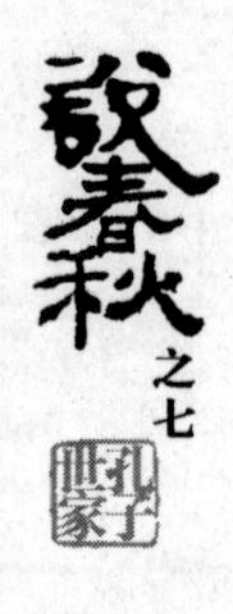

大家刚进院子,匡地的精兵就追到了,将院子团团包围。

"阳虎,你给我滚出来。"匡简子在外面大喝,却没有急于进攻,为什么没有急于进攻?匡简子有点怀疑是不是看错了人,因为这一帮人多数穿着儒士的衣服,不像是打仗的。还有,这个时候,阳虎怎么会来这里?

匡简子的一声大喝,让孔子和他的弟子们明白了究竟是怎么回事。

误会,彻头彻尾的误会。

大家都看着孔子,等着老师的指示。

"颜高,告诉他们弄错了。"孔子现在很镇定。

"匡的兄弟们,你们弄错了,我们不是阳虎。"颜高大声喊着。

"不要骗我们了,我们看见阳虎了。再不出来,我们就要进攻了。"匡简子不相信,也高声喊道。

"我们真不是阳虎。"

"阳虎,你这个孬种,敢作不敢当。别以为你们在晋国混了几年,我们就听不出你们的鲁国口音了。"

匡地人说什么也不相信里面不是阳虎,还骂骂咧咧,嘴里没有好话。

现在事情更麻烦了,怎么解释也没有用。

弟子们都很害怕,只有三个人例外。一个是胡乱,他知道这次不过是一场虚惊;一个是子贡,他见过世面,相信不会有问题;另一个是子路,他从来不知道害怕。

三个不害怕的人是三种不同的表现。

胡乱在旁边看热闹,反正他知道自己改变不了历史。

"老师,让我出去跟他们谈判。"子贡说。他的口才很好,相信自己一番话就能让宋国人乖乖地解散。

孔子看了看他,有些意外,他尽管讨厌子贡,可是这个时候却发现子贡竟然是个有担当有胆量的人。

"不,出去太危险,老师不能让弟子去冒险。"孔子说,还对子贡点点头。

子贡也有些意外,他一直认为老师讨厌自己,没有想到老师这个时候却很关心自己的安危,这让子贡有些感动。

"老师,我出去跟他们拼了。"子路忍不住了,操起大戟来要出去跟宋国人拼命。

"慢着。"孔子喝住了子路,之后用很镇静的语气对他说:"为什么讲究仁义的人也不能免俗呢?如果是不学习诗、书,不研究礼、乐,那是我的过错。可是长得像阳虎,那不怪我啊,那只能说是上天注定的啊。子路,来,你唱歌,我给你伴奏。"

子路犹豫了一下,放下了大戟。

"哎——"子路放声高唱起来,伴随着孔子的琴声。之后,所有人都跟着一起唱起来。

歌声高亢悠扬,直冲云霄。

在外面的匡地人听得有些不知所措,一群眼看就要被杀的人竟然还能这样沉着地唱歌,并且唱得不卑不亢。

"算了,撤吧,他们确实不是阳虎。"匡简子现在确认里面的人确实不是阳虎了,因为阳虎没有这样的修养。

匡人解除了包围,孔子和弟子们都松了一口气。

"颜高啊,你看看你,两次了,都是因为炫耀而遭遇危险。君子不应该炫耀啊,只有小人才炫耀啊。"平安了,孔子总结了教训。

按《论语》。子曰:"君子泰而不骄,小人骄而不泰。"

"老师,这么危险的情况下,你为什么这么镇定呢?"子贡忍不住问,这一次,他不是想为难孔子,而是真的有些佩服老师的临危不惧了。

"为什么?我告诉你。自从周文王之后,礼乐典章制度就在我这里了。如果老天想要让这些沦丧,就不会让后人掌握了;既然老天不让这些沦丧,匡人又能把我怎么样呢?哈哈哈哈。"孔子笑了,很得意的笑。

按《论语》。子畏于匡,曰:"文王既没,文不在兹乎。天之将丧斯文也,后死者不得与于斯文也;天之未丧斯文也,匡人其如予何!"

尽管解除了包围,匡人却阻止孔子一行通过,理由很简单:你们虽然不是阳虎,可是你们是鲁国人,我们讨厌鲁国人。

一连五天,孔子师徒无法通过匡地。有一个办法可以去到陈国,那就是绕道郑国,可是,孔子担心郑国人更不友好。

"算了,这就是命吧,我们回卫国吧。"孔子无奈地决定。

于是,孔子带着弟子们一窝蜂回到了卫国首都楚丘。可是到了楚丘才发现一个人丢了,谁?颜回。

"颜回丢了?"孔子紧张得不得了,颜回是他最得意的学生,要是有个三长两短,不仅仅是伤心的事情,还不知道怎么向他的父亲交代呢。

孔子急忙派弟子们沿途去找,结果毫无音讯。就在大家都以为颜回一定是在路上被杀死了的时候,第五天,颜回回来了。原来,颜回在路上拉肚子,结果落了队,之后又迷了路,所以折腾到现在才回来。

"回同学啊,我以为你死了呢。"看见颜回平安归来,孔子大喜过望。

"老师还在,我怎么敢死?"颜回开个玩笑,让孔子听得笑了。

按《论语》。子畏于匡,颜渊后。子曰:"吾以汝为死矣。"曰:"子在,回何敢死?"

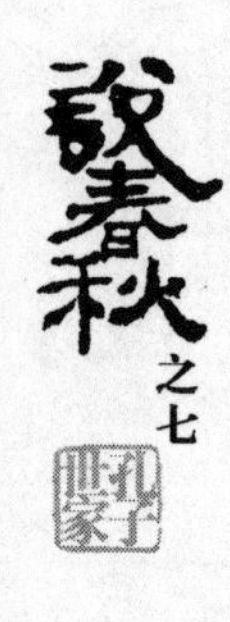

招摇过市

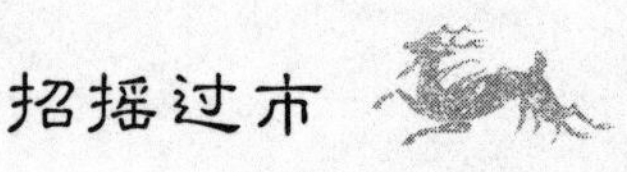

折腾了一番，孔子带领着弟子们灰溜溜地又回到了楚丘。这一次，依然是找弥子瑕去跑卫灵公的路子。

“孔丘先生，告诉你一个坏消息，再告诉你一个好消息。坏消息是，主公说了，所有想在卫国出仕的人，首先要见见南子夫人。”弥子瑕来向孔子通报，先卖个关子。

这确实是个坏消息，这意味着什么？意味着要在卫国当官，就必须首先由一个不懂得治理国家的女人来面试。对于孔子来说，这几乎就是侮辱。

“好消息是，南子夫人有兴趣接见你。”弥子瑕接着说。

这是个好消息吗？这不是个好消息吗？至少，这是个机会。

孔子决定：去见南子。

弟子们没有一个支持老师去见南子，可是孔子决定了要去，谁也拦不住。同行的依然是冉有和子路。来到后宫，车被拦在外面，子路和冉有在门口等待，孔子被带了进去。

“听说南子很漂亮，我倒要看看到底长得怎么样。”孔子暗想。他不是个好色之徒，自从老婆被赶回娘家之后，性生活基本没有，也从来就不向往，全副身心都在教学上。

可是，让孔子有些失望的是，他根本没有机会看到南子。

接见在南子的卧室内进行，一道帷幕隔开了主人和客人，只能影影绰绰看到对方。不过，在孔子进来的过程中，南子早已经看过了孔子。可是，一个五十六岁的老头实在没有什么欣赏价值了。

孔子在帷幕外行礼，南子则在帷幕内还礼，孔子能听到南子身上玉佩首饰的碰撞声。随后两人进行了不算长的对话，对于南子来说，她所感兴趣的实在不是孔子所感兴趣的。大致，南子想听的就是家长里短，而孔子想讲的是礼义廉耻。就像国学大师碰上了娱乐明星，他们之间的共同话题实在是难以想象。

孔子不知道南子的问题跟治理国家有什么联系，而南子也觉得孔子超级没趣。对话的结果就是没有结果，最后南子客气地请孔子出去了。

孔子感觉非常沮丧，他很后悔来见这个女人。

可是，事情还没有完。

就在孔子要走的时候，卫灵公派人来了，说是恰好要出门，问孔子有没有兴趣同行一段。

"机会来了?"孔子的心头又燃起希望,这是一个接近卫灵公的机会。

于是,孔子和子路、冉有在门外等候。不多久,卫灵公的车队出来了,卫灵公和南子在第一辆车上,这一次,孔子看见了南子的真容,那是真漂亮,即便孔子这样对女人基本没兴趣的人也有些惊艳。

卫灵公派人来告诉孔子,他们将要去的地方与孔子的住所同一方向,不妨同行一阵,让孔子的车就跟在卫灵公的车后,其他的车都在孔子的车后。

"驾。"卫灵公和南子的车窜了出去。

"走。"冉有也挥出了鞭子,孔子的车紧跟着出去了。

身后,十多辆车紧跟着。

车速非常的快,驾车的人大声呵斥着路上的行人,大街上所有的人都驻足观看。卫灵公出门一向如此,根本不管首都人民的安全,只要自己快。而南子更是非常享受这一切,高声地与卫灵公说笑着。那些狼狈躲闪的人们都敢怒不敢言,向着车队离去的方向吐口水。

冉有很不自在,他不想这么快,可是被夹在车队中间,不得不这么快;子路则有些愤怒,他一向讨厌权贵们这样显示特权的方式;而孔子非常尴尬,他不知道人们会怎么看自己,他怀疑这会让卫国人开始讨厌自己。

"唉——"一路上,孔子不停地叹气。

好容易到了分手的岔道,孔子的车从车队中脱离出来,冉有长长地舒了一口气,把车速放慢下来。

按《史记》。灵公与夫人同车,宦者雍渠参乘,出,使孔子为次乘,招摇市过之。

招摇过市,这个成语出于这里。

"老师,我说过不要去见那个女人吧?你非要去,怎么样?怎么样?那女人骚吗?"子路忍不住指责起老师来,口气也非常生硬。

孔子像个斗败的公鸡一样垂头丧气,见子路指责,自己无话可说,于是对天发誓:"我他娘的要是有什么私心杂念,天打五雷轰。"

按《论语》。子见南子,子路不说。夫子矢之曰:"予所否者,天厌之,天厌之!"

子路逼得老师发誓,也不好再说什么。冉有不说话,默默地赶着车。

"唉。"孔子叹了一口气,摇摇头。"完蛋了,我真是没有见过喜欢仁德超过喜欢美色的。唉,完蛋了。"

按《论语》。子曰:"已矣乎!吾未见好德如好色者也。"

从那之后,孔子又有了离开卫国的想法。不过,他还心存侥幸,想看看自己是不是通过了南子的面试,因此依然留在卫国等待着卫灵公的任用。

这些事,发生在鲁定公十四年(前496年),这一年孔子五十六岁。

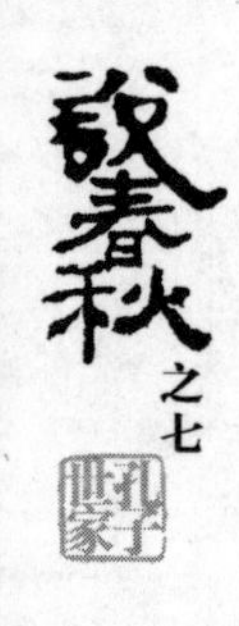

偷情，又是偷情

可是，很快发生了一件孔子意想不到的事情。

南子在宋国的时候有一个情人叫做宋朝，说起来还是她的堂哥。宋朝是春秋著名的美男，几乎与公孙子都齐名。后来的史书都说宋朝是个花花公子，十分淫荡。在《论语》中，孔子曾经提到过宋朝的美，孔子说：如果没有祝鮀的口才，却有宋朝的美貌，恐怕在当今这个世道是很危险的。

按《论语》。子曰："不有祝鮀之佞，而有宋朝之美，难乎免于今之世矣。"

自从到了卫国，南子时刻想念自己的老情人。如今，卫灵公对她言听计从，只要她愿意，卫灵公甚至愿意为她摘天上的不明飞行物。于是，南子提出来想见自己的旧情人。当然，不能说是自己的情人，只说是自己从小玩大的哥哥。

"好，没问题。"卫灵公爽快地答应了，他只要南子高兴。

卫灵公亲自派人去宋国请宋朝前来卫国访问，食宿路费等等全包。当年秋天，宋朝高高兴兴来到了楚丘。老情人相见，二话不说，自有分教。

卫灵公为南子请来老情人的事情在整个楚丘传得沸沸扬扬，除了卫灵公，谁都知道他戴上了绿帽子。

这个时候，太子蒯聩出使齐国回来，路过宋国的时候，宋国人知道来人是卫国太子，于是故意嘲笑他，唱道："既定尔娄猪，曷归吾艾豭？"歌词大意是：既然已经给你们的母猪配种了，怎么还不把我们的公猪还回来？

蒯聩早在齐国的时候就听说了南子把宋朝请去楚丘相会的事情，如今听到宋国人这样唱歌，知道宋国人在嘲笑自己，当时十分恼怒。

"这个宋国臭娘们，我要杀了她。"蒯聩下定决心，要除掉南子。

回到楚丘，蒯聩求见南子，借口很简单：送点齐国土特产。

南子对蒯聩早就图谋不轨，毕竟蒯聩二十多岁的小伙子，比卫灵公这个老头子更有情趣。再者说了，如果搭上蒯聩，等卫灵公死了，自己还能过好日子。所以，对于蒯聩的请求，南子毫不犹豫地答应了：单独接见。

蒯聩带着家臣戏阳速去见南子，戏阳速表面的任务是跟班提包，真正的任务是充当刺客。

"阳速啊，我们去见南子夫人，记住，只要我回头看你，就去杀了她。"临行前，蒯聩布置了任务。

"好的，你放心吧。"戏阳速答应得很利落。

两人就这样到了南子的住处，蒯聩带着戏阳速进去了。

“太子，辛苦了，你真是心中有我啊。”看见蒯聩，南子非常高兴，话说得一语双关，意含挑逗。

“嘿嘿，夫人身体可好？”蒯聩说，说完，回头看看戏阳速。

按着预先的布置，戏阳速就该拔刀杀人了。要杀南子非常容易，因为这里除了蒯聩、南子和戏阳速之外，只有几个宫女。

戏阳速准备拔刀，就在这个时候，他的脑海中浮现出了一个人，谁？齐国的公子彭生。当年公子彭生为齐襄公杀了鲁桓公，结果后来当了替罪羊，被齐襄公所杀。

“难道，我要当替罪羊？”戏阳速犹豫了。

就在戏阳速犹豫的时候，南子回答问题了。

“身体好不好，试过才知道啊。”南子挑逗蒯聩。

蒯聩见戏阳速没有动手，只得转回头来。

“啊，是啊，是啊，试过才知道。”蒯聩敷衍着说，又回过头去看戏阳速。

戏阳速又握紧了剑柄，可是这个时候，他的脑海中又浮现出一个人来，谁？郈地马正侯犯的那个手下。这件事情过去的时间不长，可以说是历历在目。替人杀人，往往就是替人背黑锅。

“难道，我要替蒯聩背黑锅？”戏阳速又犹豫了。

就在戏阳速第二次犹豫的时候，南子终于产生了怀疑。

“太子，你怎么总是回头？”南子问。

“啊，那，没什么。”蒯聩转回头来回答南子的问题，紧接着再次回头去看戏阳速，使劲使眼色。

戏阳速有点紧张，手中的剑抽出来一半，这个时候，他的脑海中又浮现出一个人来，谁？韩厥。想当年栾书动员韩厥杀晋厉公，被韩厥严词拒绝，最终，韩家得保安全。

“我，我要学韩厥。”戏阳速这样对自己说。

蒯聩非常恼火，既然戏阳速不动手，是不是自己亲自动手呢？他一边犹豫，一边回头去看南子。这时候，哪里还有南子？南子见势不妙，已经悄悄地跑了。

“救命啊，救命啊，太子要杀我了。”外面传来南子尖利的叫声，叫声越来越远，显示南子跑得很快。

“怎么回事？”远远地，似乎是卫灵公在高声问。

蒯聩知道，现在自己唯一能做的事情就是赶快逃命。

蒯聩逃命而去，戏阳速也逃命而去。不过，两人逃命的方向并不相同。

当天，蒯聩逃往宋国，之后辗转逃到了晋国，投奔了赵鞅。

戏阳速并没有逃命，他留在了卫国，因为他知道自己是安全的。果然，卫灵公震怒之下要杀蒯聩，却放过了戏阳速。

“都是戏阳速害了我。”蒯聩在晋国逢人就说，结果这话传回了卫国。

“嘿嘿，这不是我害了太子，是太子成心在害我。”戏阳速说，他要为自己辩解，“太子要杀他的母后，本来就是个不义之举。他自己不动手，让我动手，我要是拒绝，他就会杀我灭口，所以我只好答应。可是，如果我真的杀了夫人，他肯定拿我做替罪羊，让我给他背黑锅。所以我只能答应他却不真正动手，这是我保住自己的唯一办法了。俗话说‘民保于信’，老百姓要保护自己只能用信用，所以我就用道义作为我的信用来保护自己。”

戏阳速的说法非常具有说服力，因此并没有多少人指责他。

“凭什么我们就要为权贵们背黑锅？”大家都这么说。

第二六四章　孔子的谎言

蒯聩逃亡，牵连了很多人，孔子平时与蒯聩有些交道，因此也有些担心。再加上眼看在卫国没有什么前途，孔子决定再一次离开卫国。

去哪里？向南是宋国，不敢去；向东是齐国，去了也没用；向西南，是郑国，不敢去。于是，只有一个方向可以去：晋国。

逝者如斯夫

孔子决定去晋国，不过他内心很是忐忑。为什么很忐忑呢？因为晋国是所有国家中周礼破坏得最严重的国家，他们对周礼的蔑视甚至超过楚国人。这个国家六卿掌权，国君早已经被架空了。鲁国三桓虽然瓜分了国家，但至少三桓本身也是公族；可是晋国六卿没有一个公族，所谓的君君臣臣早已经不存在了。

这样一个国家，自己的政治理念能够受到欢迎吗？

此外，晋国此时正是赵鞅执政，此人心黑手狠，行事果断。而当年赵鞅铸刑鼎，孔子还批判过他。再者，目前阳虎就投靠在赵简子的门下，如果自己再去投靠，会不会被人说是去找阳虎，跟阳虎是一伙？

种种原因，让孔子欲行又止，欲止又行，就这么犹犹豫豫上路了。

孔子的情绪影响了所有人的情绪，这一次上路，大家都很沉默，甚至有些沉重。

这一天，来到了黄河渡口，过河就是晋国了。

一条渡船从对岸过来，船上下来几名晋国人。

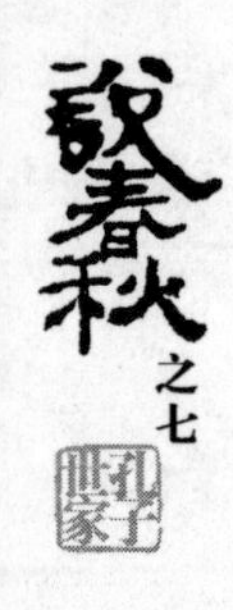

"请问,最近晋国发生了什么?"孔子问。

"你问什么方面的事情?"晋国人反问。

"啊,执政的,譬如赵鞅元帅的。"孔子想了想,问。

"也没什么大事,不过听说赵鞅最近杀了两个人。"

"什么人?"

"一个叫窦犨鸣犊,一个叫舜华吧。"晋国人说,说完,匆匆走了。

"哦,窦犨鸣犊?舜华?"孔子自言自语,猛然之间,嘴角竟然露出一丝微笑,可是立即消失了。

"老师,上船吧。"子路过来,请老师先渡。

孔子看了子路一眼,皱皱眉头,摇了摇头。然后把目光转向黄河,望向远方。

"美哉水,洋洋乎。丘之不济此,命也夫。"孔子高声说道。

什么意思?简单翻译:壮美啊,黄河水,浩浩荡荡奔流不息。我孔丘不能渡过黄河,看来是老天早有安排。

孔子的话说完,弟子们都愣住了,辛辛苦苦到这里,怎么就不去了呢?

胡乱没有说话,他知道这一切是必然的。

"老师,您这话,什么意思呢?"子贡忍不住,上去问了一句。

"我告诉你,窦犨鸣犊和舜华是晋国两个贤能的大夫,赵简子没有当上中军元帅之前,常常要这两个大夫帮助;当上中军元帅之后,却杀了他们。我听说,杀害怀孕的动物和幼年动物,麒麟就不会到那里;排干了水捕鱼,那么蛟龙就不会去那里;打翻鸟巢去取鸟蛋,凤凰就不会到那里。为什么呢?因为君子忌讳同类受到伤害。鸟兽对于不义的事情尚且知道回避,何况人呢?"孔子对子贡说,意思就是窦犨鸣犊和舜华这样的贤人被杀害,自己这样的贤人就不能再去了。

排干了水捕鱼,原话是"竭泽而渔",这个成语出于这里,原文见《孔子家语》。

其实,当时晋国六卿当政,而赵简子广招人才,窦犨鸣犊和舜华即便贤能,也贤能不到哪里去,赵简子杀他们必然有其原因。孔子不肯渡河,窦犨鸣犊和舜华被杀不过是个借口而已。

现在,晋国不去了,卫国也不好意思待下去了,西边去不了,南边去不了,北边去不了,唯一的出路,就是回家。

临回去之前,孔子临河长叹:岁月就这样流逝,日夜不停啊。

按《论语》。子在川上曰:"逝者如斯夫,不舍昼夜。"

不幸而言中

鲁定公十五年(前 495 年),孔子带着一众弟子回到了鲁国。这一年,孔子五十七岁。

在外面折腾了将近两年,结果是一无所获,狼狈而归,孔子很没有面子。再加上当初的不辞而别,孔子实在也没有勇气再去见鲁定公了。

所以,孔子放弃了任何幻想,重新将整个生活重心放在了自己的私立学校上。孔子的学生中,有人觉得看不到希望,于是离去了。不过,又有新的学生前来。总体来说,孔子的学校还算不错,完全能够支撑下去。

子贡似乎对学习的兴趣浓了一些,特别是对礼乐。孔子看到了子贡的进步,也为他高兴。

春天的时候,邾隐公前来鲁国国事访问,鲁定公在祖庙举行了欢迎仪式。这样的仪式是公开的仪式,因此老百姓都可以前去参观。

"想去的都去看看吧,这样的机会不多。"孔子鼓励学生们去现场观摩,他觉得这样的学习效果更好。

子贡和胡乱结伴而去。

欢迎仪式庄严肃穆,两国领导人按照周礼进行了会面。邾隐公作为客人,向主人鲁定公赠玉。结果,赠玉的邾隐公把玉拿得过高,而且仰着脸;而受玉的鲁定公的手太低,而且垂着头。

"嘿,鲁强邾弱,应该是邾隐公比较谦卑,鲁定公比较高傲才对啊。"胡乱说。他觉得这样的场景比较滑稽。

"嗯,老师教给我们礼,让我从礼的角度来看这件事情。我觉得,从礼的角度看,两个国君都要死了。为什么呢?礼法是生死存亡的主体,因为人的左右周旋,进退俯仰,都可以从礼法中找到根据。现在是正月,按礼法国君不应该见面,所以说他们的心中都已经没有礼法了。朝会不合礼法,国君能不死吗?邾隐公的姿势,表明他高傲;鲁定公的姿势,表明他很虚弱。高傲接近于祸乱,虚弱接近于疾病。鲁国国君作为主人,恐怕会先死了。"子贡分析,卖弄着他最近学习的礼法知识。

胡乱没有学过这段历史,因此自己也搞不清楚,回到孔子家中,到处去说。结果人人都知道了,有人不服气,说子贡乱说,结果子贡就去指斥不服气的人。

"子贡啊,你就那么牛吗?要是我,可没有工夫去指斥别人。"一次,子贡正在嘲笑一个同学,被孔子撞见,当场批评了子贡。

按《论语》。子贡方人,子曰:"赐也贤乎哉,夫我则不暇。"

不过,没有多久,到了五月份,鲁定公果然重病身亡。

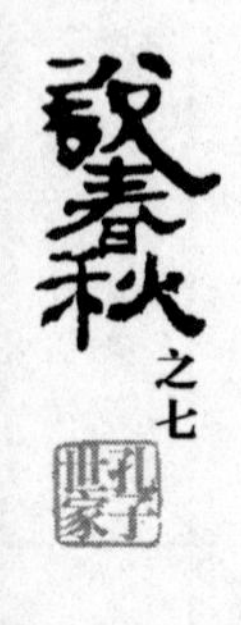

“哈哈，看我说得多准。”子贡得意地四处炫耀，生怕别人不知道。

国君死了，你还兴高采烈，这不是一件很危险的事情吗？

“子路，你去让子贡闭嘴。这个家伙不幸而言中了，证明他就是个多嘴的人。”孔子赶紧让子路去制止子贡，免得惹祸上身。

按《左传》。仲尼曰：“此不幸言而中，是使赐多言者也。”

不幸而言中，这句常用语，就出自这里。

这就是学问

鲁定公鞠躬尽瘁之后，儿子姬将继位，就是鲁哀公。

鲁哀公元年，吴王夫差率领吴军进攻越国，越王勾践投降，吴军占领了会稽山，从会稽山上发现一个人的骨头，骨头超大，能装满一辆车。这是什么人的骨头？吴国人都猜不出来，问越国人，越国人也整不明白。

“你去鲁国的时候，顺便看看鲁国人知不知道。”吴王夫差恰好派使者前往鲁国，让他顺便请教一下鲁国的高人，夫差认为，鲁国人比较有学问。

使者来到了鲁国，办完了正事，想起这件事情来了。问了几个人，都说不知道，有人说孔子最有学问，你为什么不去问问他？

于是，吴国使者登门请教。

“看那骨头的形状，倒好像人的骨头。我想问问，什么人的骨头最大？”吴国使者把事情说了一遍，然后发问。

“嗯，你说的这个事情倒是有段历史可以解释的。”孔子略微想了想，眼前一亮，想到了答案。“上古的时候，大禹治水，在会稽山召集各国君主开会，结果防风氏迟到了，大禹将他杀了，陈尸荒野，他的骨头就能装满一辆专车，这骨头是最大的。”

“啊，是这样的？”吴国使者第一次听说这样的事情，瞪大了眼睛。“那，那他不就是神了？”

“不，不是的。山川的神灵兴云播雨，足以管理天下，山川的守主就是神。社稷的守主就是公侯，山川的祭祀就是诸侯，都属于王者。”

“那，防风氏是干什么的？”

“汪芒氏的君主，负责守卫封嵎之山，山神是釐姓。在夏朝，称为防风氏；在商朝，则是汪芒氏；在周朝，就是长翟，现在叫大人。”孔子解说得非常清晰，而长翟，前些年还有。

“那，人究竟能有多高呢？

“人嘛，僬侥氏只有三尺高，应该是最矮的人了；而长翟最高，但是不超过十尺。”

“哇噻,您太有才了,圣人哪。”吴国使者被折服了。

这段对白,历史上多认为纯属杜撰,近于神话。其实未必,长翟在春秋早期还有,是一个翟人部落,这个部落身材十分高大,都是巨人。不过,大致脑子不太好使或者生育能力不足,因此到此时实际上已经灭绝。

孔子解答了吴国人疑难问题的事情迅速传开,孔子再次名声大噪。一个人对此很不高兴,也很不服气,他认为孔子实际上是在忽悠没有文化的吴国人。

这个人是谁?季孙斯。

恰好这个时候季孙斯听到一个奇闻,在他自己的封邑费地,前段时间挖井,结果从井里挖出来一个土缶(音否,口小肚大的容器,用来装酒或者汲水)。奇怪的是,土缶里竟然装着一只死羊。

“你孔丘不是说自己博学吗?看我要弄你一次。”季孙斯想了一个坏主意,派人也去向孔子请教。

季孙斯的使者来到了孔子家,说是主人有疑难问题请教。听说是季孙斯派来的人,孔子加了小心,因为他知道季孙斯非常不喜欢自己,这一定是黄鼠狼给鸡拜年,没安好心。

“孔丘先生,事情是这样的。我们在费地挖井,结果井里挖出一个土缶来,土缶里面还有一条死狗,请问这是怎么回事?”来人说,故意把羊说成了狗,就等孔子出洋相了。

孔子笑了,心说幸亏今天上午我也听说了这件事情,否则一定上套了。

“据我所知啊,应该是羊才对,为什么呢?我听说啊,树木和石头的精怪是夔(音奎,古代传说中的单足兽)和魍魉(山精),土中的精怪应该是羵(音焚)羊(古代传说中的土中神怪)。”孔子不慌不忙地说,得意地笑。

来人见计谋已经被揭穿,十分尴尬,搭讪了几句,走了。

孔子在鲁国过得还算不错,可是他知道,只要季孙斯在,自己就只能当教书匠,绝对不可能再进入官场。而季孙斯这一次羞辱自己没有成功,一定还会想别的办法。如果想不出别的办法,那就更糟糕,因为那就意味着季孙斯对自己的恼火更大,有可能采取更加强硬的手段。

所以,无论从安全的角度还是从政治前途的角度,待在鲁国都是下策。

可是,不待在鲁国,能去哪里?

终于,卫国传来了一个好消息,这个好消息让孔子决定再去卫国。

鲁哀公二年(前 493 年),孔子在鲁国待了两年之后,再次前往卫国。这一

年，孔子五十九岁。

那么，卫国究竟发生了什么？

卫国的故事

不久前，卫国大夫史鱼死了，临死之前对他儿子说："我身为卫国的大夫，一直以来就极力向国君推荐蘧伯玉，劝国君疏远只会拍马屁的弥子瑕，可是一直没有成功，这是我的一大过失。活着的时候没有尽到职责，死了也就不能享受礼遇。所以，我死之后，把我的灵柩就放在窗户外面就行了。"

史鱼死了之后，儿子遵照他的遗嘱，把他的灵柩停放在窗外。按照常规，是应该停放在厅堂的。

卫灵公前来吊唁，结果发现灵柩放在窗户外面，很是惊奇，于是找来史鱼的儿子责问。

"主公，这是我父亲的遗嘱啊。"史鱼的儿子把父亲临终前的话说了一遍。

卫灵公的脸色变得非常难看，他一向是信任史鱼的，如今史鱼用这样的方式来劝谏自己，自己不应该再让他失望了。其实，卫灵公也知道弥子瑕是个什么样的人，而且最近也有些开始讨厌他了。

"都是我的过失，我改，我改还不行吗？"卫灵公表了决心，当即命令把史鱼的灵柩抬进了厅堂。

回到朝廷，卫灵公立即下令任用蘧伯玉，同时辞退弥子瑕。

任用蘧伯玉的原因很简单，因为他很贤能。可是，辞退弥子瑕的原因呢？卫灵公说了两条。

"第一条，这小子当初私自动用了我的车；第二条，这小子当初把一个吃剩的桃子给我吃。"卫灵公的理由说出来之后，左右都掩着嘴在笑。为什么笑？

原来，这两件事都有故事。

当初弥子瑕受宠信的时候，有一天晚上陪卫灵公在后宫玩耍，很晚了就住在后宫，结果这时候家里人来报告说弥子瑕的老娘重病，弥子瑕于是把卫灵公的车套上驾了出去，一来是自己的车不在眼前，二来是卫灵公的车到哪里都畅行无阻。这件事情第二天就被发觉了，按照卫国法律，私自驾驶国君的专车，砍脚。可是卫灵公不但不生气，反而公开表扬了弥子瑕："大孝子啊，为了探望母亲，冒着被砍脚的危险。"

后来又有一次，弥子瑕陪着卫灵公游果园，弥子瑕摘一个桃子吃，结果咬了一口之后发现非常好吃，就把咬了一口的桃子献给了卫灵公。卫灵公不仅没有恼火，反而非常高兴地说："弥子瑕多爱我，甚至都忘记了那个桃子他咬了一口了。”

就是这两件事情，如今却都成了弥子瑕的罪过。

所以同样的事情，当你喜欢一个人和讨厌一个人的时候，就会有不同的判断。

不管怎样，弥子瑕失势了，蘧伯玉开始受到重用。

“蘧大哥是我的朋友，找他去。”孔子决定去投奔蘧伯玉，两人在卫国的时候很投机，即便孔子回到鲁国之后，两人之间也常有联络。

孔子的谎言

孔子带领弟子们又上路了。

从鲁国到卫国，孔子和弟子们进入卫国的蒲。没想到，在这里遇上了麻烦。

原来，从卫国流亡鲁国的公叔戍悄悄潜回了卫国的蒲，这里是他原先的封邑，于是仿照当年的栾盈回曲沃，公叔戍就在蒲宣布背叛卫国。

“你们要去哪里？”蒲地守军问孔子一行。

“去卫国首都楚丘。”子路回答，他还不知道这里已经叛变了卫国。

“不行了，回去吧。”蒲地守军拦住了他们，任何去卫国的人都要拦住。

怎么办？开始谈判。可是，蒲地人谈判有一个底线：可以放你们过去，但是你们不能去卫国。

孔子这边的谈判代表是子路和子贡，子路不肯让步，而子贡认为老师总说人要讲信用，因此也不敢答应。

就在双方僵持的时候，孔子自己来了。

“算了算了，我们过去不去卫国，我们去宋国，行不？”孔子决定不去卫国了。

蒲地人要求盟誓，于是双方盟誓，盟誓的内容大致是谁要说话不算数，谁就是王八蛋。

就这样，孔子带着弟子们过了蒲地。

“老师，去宋国干什么？”子贡问，他觉得去宋国没什么意思。

“谁说去宋国？”孔子反问。

“不去宋国，去哪里？”

“卫国。”

“啊。”子贡大吃一惊，以为自己听错了。“卫国？”

“对。”孔子说得非常肯定。

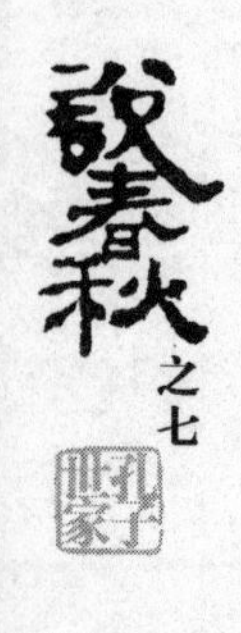

“老师啊，您总是教导我们要讲信用，可是，可是咱们还跟人家盟誓了啊。”

“我们是在胁迫下盟誓的，不算，神灵也不会听的。”孔子说，笑笑。

“哦。”子贡看了老师三眼，自言自语：“看来，世界上没有绝对的诚信啊。”

从那之后，子贡对老师的看法又有了变化，他知道老师在根子里并不是一个迂腐的人，而是一个善于应变的人。这一点，跟自己倒很相像。

“可是老师，您不是最推崇柳下惠吗？柳下惠是在任何情况下都不说谎的啊。”宰我凑上来说了一句，孔子瞪了他一眼，没有搭理他。

卫灵公这时候正在为蒲地背叛的事情烦恼，听说孔子师徒通过蒲地又来投靠自己，非常高兴，于是破天荒地亲自到郊外迎接孔子。

“哇噻，这回妥了。”孔子暗暗高兴，觉得自己好像是给卫灵公雪中送炭的，今后一定受到重用。

卫灵公设宴招待了孔子，问寒问暖之后，终于问到了蒲地的情况。孔子把自己见到的蒲地的情况汇报了一遍。

“孔丘先生，你认为蒲地可以攻打吗？”卫灵公问。

“没问题啊。”孔子回答，这可是立功的机会。

“可是，卫国的大夫们认为蒲地是我国的主要兵源地，我们对抗外敌都靠这里的力量了，如果我们攻打蒲地，恐怕没有胜算啊。”卫灵公的想法与孔子并不一样，看上去很有些忧虑。

“我不这么看，我认为那里的男人宁死都不愿意背叛卫国，所以我们真正要对付的，就是那四五个人而已。”孔子说，他很希望卫灵公出兵。

“嗯，说得有道理。”卫灵公沉思了一下，说。

宴会的气氛不错，不过，卫灵公从那之后再也没有提起讨伐蒲地的事情。

在是否讨伐蒲地的问题上，卫灵公对孔子的回答其实非常不满意。从历史的角度看，孔子的想法确实是错误的。

蒲地是卫国的主要兵源地，卫国此前已经有一块戚地被孙林父占领了。如果说卫国起兵攻打蒲地，胜负难料，即便取胜，也是两败俱伤，最终损失还是卫国的。而国际形势其实更为凶险，这个时候的卫国已经与晋国翻脸成仇，如果贸然攻打蒲地，很可能逼迫蒲地向晋国求救，于是晋国介入，里应外合，卫国就有亡国的危险。

所以，这个时候必须慎重，宁可用时间换空间，进而从蒲地内部入手，解决问题。

第二六五章　丧家之犬

孔子这一次住在了蘧伯玉家中，蘧伯玉非常热情也非常高兴，两人之间确实有很多共同语言。蘧伯玉向卫灵公推荐孔子，可是，卫灵公对孔子似乎兴趣不大。

“唉，如果有国君用我的话，三个月就能见变化，三年绝对大治。”孔子常常这样慨叹，慨叹没有能够遇到赏识自己的明君。

按《论语》。子曰：“苟有用我者，期月而已可也，三年有成。”

在蘧伯玉的再三推荐之下，卫灵公勉强又接见了孔子。

这一次见面的气氛与上一次完全不可同日而语，卫灵公打着呵欠，一副应付差事的架势。

两人有一搭没一搭地聊了几句，大家都觉得很尴尬无趣。

“孔丘先生，能不能给我讲讲布阵打仗的学问？”卫灵公突然问，他知道孔子没有打过仗，因此故意要刁难他。

“不好意思，没学过，我主要研究的是祭祀礼法之类的学问。”孔子说，他明白卫灵公的意思，因此干脆一口回绝。

按《论语》。卫灵公问陈于孔子。孔子对曰：“俎豆之事，则尝闻之矣。军旅之事，未之学也。”明日遂行。

话不投机，典型的话不投机。

天上，一行大雁飞过，嘶鸣着向北而去。

卫灵公仰起头来看大雁，把个下巴留给了孔子。

孔子摇摇头，他知道他该告辞了。

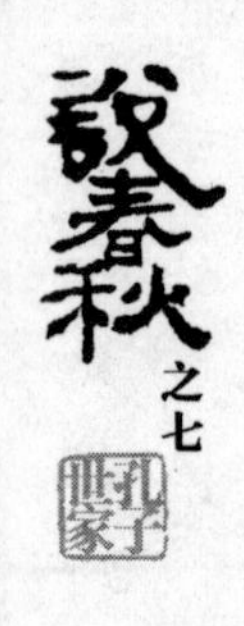

宋国遇险

孔子又离开了。

孔子去哪里？目标依然是陈国。子路、颜回、冉有、子贡、胡乱等人依然跟随，除了他们之外，还有两个小孩子也跟着上路了。

两个小孩子，一个叫言偃，字子游，只有十三岁，鲁国人，是这次孔子回鲁国的时候招收的学生。另一个叫卜商，字子夏，卫国人，是孔子不久前招的学生。两人的家里都比较穷，因此父母送来，都是一边学习，一边在孔子身边伺候孔子的。两个小童都很聪明乖巧，孔子很喜欢他们。因此，这次上路，孔子也带着他们。

从卫国南下，孔子不敢再走匡地，于是干脆穿越曹国。在曹国，孔子师徒并没有待太长时间，因为曹国是个小国，随时会被灭掉的那种，孔子对这个国家毫无兴趣。

穿过曹国，进入宋国。

孔子为什么对宋国没有兴趣？因为孔子知道，宋国对他没有兴趣。整个周朝，即便是楚国和吴越这样的国家，对周礼在表面上都是或多或少要遵从的，只有宋国是个例外，宋国人在骨子里认为他们还是商朝，他的礼法是商礼而不是周礼，因此，他们对孔子的学说毫无兴趣。

孔子一行迤逦来到宋国首都睢阳附近，见到一伙工匠正在干活，太阳照晒之下非常辛苦。旁边，有人拿着鞭子在监督工匠们干活。

"你们在干什么？"孔子下了车，亲自过去问。

"给桓魋造石椁，造了三年了。"一个工匠有气无力地说。石椁就是石棺。

孔子还要问，突然监工提着鞭子走了过来。

"你是什么人？问什么问？赶快走开，否则判你泄露国家机密罪。"监工气势汹汹地说，工匠们都不再敢说话，低头干活去了。

"哼，这么奢侈浪费，死了之后早早烂掉吧。"孔子大声说着，一脸的愤怒。他仔细地看工地，发现巨大的石椁上已经雕琢了许多花纹图案，不过，要全部完工恐怕至少还要三年。

"你吃了豹子胆了，敢这样说话，你哪个单位的？"监工大声呵斥着，举起鞭子要抽孔子，可是，当他看到子路已经拔出剑来并且随时准备向他刺来的时候，他害怕了，放下了鞭子。

"告诉你，这是我老师孔仲尼，怎么样，你不服吗？"子路瞪着眼睛大声说，他有杀人的冲动。

"你，你们等着。"监工灰溜溜地走了，一路走，一路回头。

监工走了，工匠们都抬头看孔子和子路，带着感激的目光。

"老师，按照周礼，丧事不能预先准备，这是什么意思呢?"冉有提出了问题。

孔子看看冉有，其实不用冉有提出，孔子也正想对弟子们解说这个问题。

"按照周礼，人死了之后才能商量谥号，之后才能确定下葬的日子，下葬之后才能设立祭庙，这些都是家里人要做的事情，是不能预先准备的，何况是自己亲自去安排呢?"

这一段，见于《孔子家语》。

可笑的是，后世的帝王们一面尊崇孔子为圣人，一面为自己营造豪华奢侈如同宫殿一般的陵墓，实在是玷污了孔子的名声。而孔子为他们送上了永久的诅咒："死不如速朽之愈。"(《孔子世家》)

又走了一程，大家走得累了，于是在路边的一棵大树下休息。

"弟子们，咱们最近在讲周礼，这样吧，闲着也是闲着，咱们就在这个大树下进行一次两国国君相会的演习。"孔子走到哪里，都忘不了要演练自己教给学生们的知识。

于是，弟子们拿出随时带着的乐器和礼服，穿戴好了，有人扮演国君，有人扮演相礼，有人扮演一般工作人员，然后开始演练，孔子在一旁现场指导。

原本一帮人突然来到这里就让人好奇，又是一帮外国人，当地人就更好奇。这帮外国人还换衣服拿架势好像要演戏一般，当地人就好奇得不得了。当礼乐声响起，当地就算是炸了营了，十里八乡的都来看热闹了。

孔子一看看的人多了，心头高兴。

"嗯，让宋国人也见识一下周礼吧。"孔子让弟子们认真演练，演练完一项，继续演练另一项。

宋国的百姓们看稀罕，看得带劲。

事情迅速传到了睢阳城里，惊动了宋国的司马向魋。向魋，又叫司马桓魋，所以也叫桓魋。

"什么?一帮鲁国人在我国境内演练周礼?奶奶的胆肥了，这不是上门挑衅吗?你们以为你们是谁啊?以为自己是晋国人还是楚国人啊?或者是吴国人啊?"桓魋一拍桌子，令人立即去杀了这些鲁国人。不过有手下立即表示这样做可能引发国际纠纷，还是算了吧。桓魋想了想，说："那，就去把那个大树给我砍了，看他们演练个屁。"

于是，桓魋的人火速赶到，二话不说，把那棵大树给砍了。

"你们为什么砍大树?"子贡去和宋国人讲理。

“为什么？我们司马桓魋说了，你们故意在我们首都演练周礼，是上门挑衅，知道不？”桓魋的手下基本上表达了桓魋的意思。

“那你误会了，我们是鲁国人，要去陈国，路过这里，顺便演练一下而已，不是针对你们啊。”子贡急忙解释。

“去哪里？”

“陈国。”

“陈国？嘿嘿，你们等着。”桓魋的人放下这句话，走了。

子贡感觉宋国人似乎话中有话，可是怎么想也想不出来话中是什么话。

“别管他们，我们继续演练，难道砍倒一棵大树就能阻止我们吗？”孔子下令，就在大树旁边继续演练。

“老师，我觉得情况有些不对劲，是不是刚才那个监工把老师的话告诉了桓魋呢？咱们还是走吧。”子贡劝孔子。

“怕什么？既然上天把高尚的德行赋予了我，桓魋能把我怎么样？”孔子不肯，又拿出了在匡地时候的牛气。

按《论语》。子曰：“天生德于予，桓魋其如予何！”

没等大家摆好架势，一个看热闹的宋国人走了上来，直接来到孔子身边。

“鲁国人啊，快逃命吧，再不走，他们就调集军队来杀你们了。”宋国人说。

“为什么？”孔子有点紧张了，急忙问。

“为什么？公子辰和公子地的事情你们不知道吗？”宋国人反问。

“那什么，不要练了，赶紧收拾好东西走人，越快越好。”孔子变了脸色，不再坚持演练，而是立马逃命了。

为什么孔子听到公子辰和公子地就要逃命？

宋国的故事

宋国的国君是宋景公，他非常宠信桓魋，两人好得像一个人一样。

宋景公有个弟弟叫公子地，公子地非常宠信蘧富猎，好得也像一个人一样。公子地把自己的家产分成了十一份，分给蘧富猎五份。

公子地有四匹白马，都是好马，经常拿出来炫耀。桓魋就看上了这四匹白马，找个机会请宋景公帮他弄过来。

“没问题，你喜欢什么我就给你弄什么。”宋景公也不含糊，派人去向公子地要，就说是自己想要。

听说是国君要，公子地没办法，只能给送了过去。

宋景公拿到这四匹马，当即命令人把马脖子和马尾都染成红色，送给了桓魋。桓魋非常得意，用这四匹马套上车就出去炫耀了。桓魋的马车在大街上转悠，早就有人去报告了公子地。

“什么？臭狗屎，原来是你把我的马给弄去了。”公子地本来就瞧不起桓魋，如今知道自己的马是被他给抢去了，当时就火了。

公子地也没客气，立即派了人出去，正碰上桓魋，把桓魋揪下车来，一顿暴打，之后又把四匹马给抢了回来。

桓魋挨了一顿打，马也被抢走了，皮肉之伤之外，又大大地折了面子，在手下的搀扶下去见宋景公。

“我，我没脸在宋国混了，我，我干脆去鲁国算了，呜呜呜呜。”桓魋哭诉完自己的悲惨遭遇，就要流亡去鲁国。

“你不能走啊，你走了，我怎么办啊，呜呜呜呜。”宋景公拉住桓魋，不让他走，又让人把大门关上。

两人抱头痛哭，把眼睛都哭肿了。

宋景公有个同母弟弟叫公子辰，看见宋景公哭成这个样子，觉得这下子让国君很没有面子，需要找一个合适的方法来解决问题，想来想去，想到了一个办法。

“哥啊，你能把家产分给蘧富猎，却舍不得给桓魋四匹马，这也太不公平了。为了给主公一个面子，我建议你出国流亡。我敢说，不等你走出国境，主公就会派人来挽留你，这样给主公一个面子，对大家都好。”公子辰大概是从书上看到这个办法，向公子地建议。

“好好。”公子地也觉得自己这个事情做得有点过分，应该首先作出姿态来。

于是，公子地宣布流亡陈国，带着一家老小前往陈国了。

公子地一家磨磨蹭蹭地走，就等着宋景公派人来挽留，谁知道一直走到了陈国，宋景公都没有派人来挽留。这下，弄假成真了。

“狗日的公子辰，忽悠我啊。”公子地在陈国大骂公子辰。

公子辰呢？

宋景公不肯挽留公子地，公子辰就去请求他挽留，可是宋景公说什么也不肯。

“奶奶的，太不仗义了。”公子辰大骂宋景公，骂完之后，就觉得是自己害了公子地，“我要是不流亡，不就等于是我欺骗了哥哥？”

公子辰很仗义，随即也流亡去了陈国。

第二年，也就是鲁定公十一年（前 499 年，孔子时任鲁国司寇）)，公子辰和公子地在陈国的支持下联手进入宋国的萧地，以此为据点背叛了宋国。

从那时候开始，宋国与陈国之间处于敌对状态。

丧家之犬

孔子师徒急匆匆逃走，不过不敢向南走，因为向南是陈国，桓魋一定会追过去。于是，孔子师徒转头向西，先到郑国，再从郑国转道陈国。

这一天来到了郑国的一座城邑，不知道什么原因，孔子竟然和弟子们走失了。弟子们很着急，于是分头去找。子贡和胡乱一组，一边走一边问。正走着，前面来了一个农夫。于是，子贡上前去问。

“请问，有没有看见一个身材高大的老人？”子贡问。

农夫想了想，说：“嗯，我倒是看见一个人在东门转悠，身材很高，有点驼背，东张西望的样子，像一条丧家之犬。”

“没错了，那肯定是老师了。”子贡断言。

于是，子贡和胡乱赶往东门，果然看见孔子在那里转悠。

“老师，可算找到你了。”子贡和胡乱都松了一口气，总算找到了孔子。

“你们怎么找到我的？”孔子问，他也松了一口气。

于是，子贡把那个农夫的话复述了一遍。

“哈哈哈哈。”孔子笑了，想了想说：“他对我的外形说得不准，可是说我像丧家之犬，倒是很准确啊。”

按《史记》。孔子适郑，与弟子相失，孔子独立郭东门。郑人或谓子贡曰：“东门有人，其颡似尧，其项类皋陶，其肩类子产，然自要以下不及禹三寸。累累若丧家之狗。”子贡以实告孔子。孔子欣然笑曰：“形状，末也。而谓似丧家之狗，然哉！然哉！”

丧家之犬，这个成语来自这里。

这一年，是鲁哀公三年(前 492 年)，孔子六十岁。

按《论语》。子曰：吾六十而耳顺。

即使被人说成丧家之犬，孔子也能欣然接受，确实是耳顺了。

孔子为什么不在郑国寻求发展？原因大致有以下几点。

首先，郑国被公族瓜分，其情况比鲁国还要严重，因此所谓的君君臣臣是无法受欢迎的；其次，郑国本身对周礼也并不感冒，还制造了刑鼎，运用了竹刑，本身就是对周礼的否定；再次，鲁国和郑国之间处于敌对状态，鲁国人在这里很难被相信。

好在，孔子师徒很顺利地通过了郑国，之后进入陈国。

孔子在陈国

孔子在陈国住在了司城贞子家，当年孔子做鲁国司寇的时候两人之间有些交情，因此前来投靠司城贞子。

不过，孔子对自己看到的一切感到失望，他原本以为陈国还是一个周礼国家，可是他所看到的不过是一个残垣断壁的破败国家。

说起来，陈国这些年来过的就不是人过的日子。

当初被楚国灭掉之后，又被楚国恢复，之后陈国君臣每个晚上做梦都是被楚国灭掉。后来吴楚大战，陈国站在了楚国这一边，谁知道又站错了队，吴国几乎灭掉楚国，然后吴国就三番五次讨伐陈国，抢了不少地盘。就在一年前，吴国还来讨伐过陈国。

按《论语》。子曰："危邦不入，乱邦不居。"

陈国，典型的危邦，随时被灭亡的国家。

所以，孔子感到很失望很后悔。

可是，既然来了，也不能立即就走，就算忍，也要在这里忍一段时间。

孔子在陈国没有谋取职位，他只把这里当成自己中途休息的所在，因此，孔子在陈国的记载很少。而少有的几个故事中，我们还是不妨来看看。

陈国国君是陈怀公，有一天大致是打扫卫生之类，在朝廷的房梁上发现了一个隼，只剩下骨头，与骨头在一块的是一支楛木箭，箭长一尺八寸，箭头是石头的。这个隼和这支箭的来历是什么？陈怀公听说孔子在陈国，于是派人去请教。

"这个嘛……"孔子想了想，知道了答案。"这个隼的年头可不短了，为什么这么说呢？因为这支箭。当年周武王灭了商朝，命令各个国家进贡，肃慎氏就进贡了楛木箭。当时周武王把珍玉分给了同姓诸侯，而把远方的贡品给了异姓诸侯，肃慎氏的楛木箭当时就给了陈国。你们不妨去库房里查一查，估计还有这种箭。"

陈怀公让人去仓库查了一番，还真就查出来这样的箭，一看记录，还真是周朝初年开国祖先陈胡公从周朝带过来的。那么很显然，这个隼就是在当时被射中，结果死在了梁上。

"喔，太牛了，真有学问。"陈怀公赞叹。赞叹归赞叹，有学问归有学问，陈怀公并不需要孔子这样的人。

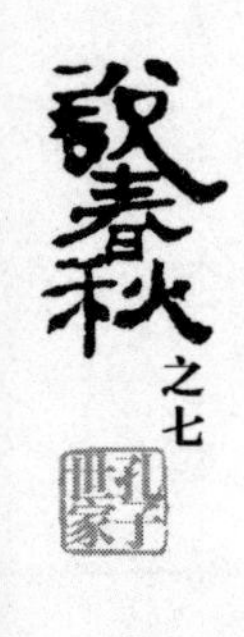

司败是陈国的一个官职，相当于鲁国的司寇。陈司败就是陈国的司败，原名叫什么已经没有记载。

陈司败有一天请孔子作客，孔子带着弟子巫马期同去。说着说着话，陈司败问了一个问题。

“请问先生，鲁昭公懂得周礼吗？”陈司败问。

“那当然了。”孔子不假思索，信口回答。在他心里，鲁国人不能让陈国人笑话，所以事事要维护鲁国。

陈司败嘿然，不再说这个话题。

过了一阵，孔子上厕所方便，陈司败对巫马期说：“我听说君子不应该偏袒，难道孔子也要偏袒吗？鲁昭公娶吴国君主的女儿为妻，称之为吴孟子。可是，鲁吴同姓，应该叫吴姬才对啊。周礼说了同姓不婚，如果鲁昭公懂得周礼的话，那不是人人都懂了吗？”

等到孔子告辞之后，巫马期把陈司败的话转告给了孔子。

“我孔丘真是幸运啊，一有过失，别人就会给我指出来。”孔子说，他承认自己错了。

按《论语》。陈司败问：“昭公知礼乎？”孔子曰：“知礼。”孔子退，揖巫马期而进之，曰：“吾闻君子不党，君子亦党乎？君取于吴为同姓，谓之吴孟子。君而知礼，孰不知礼？”巫马期以告。子曰：“丘也幸。苟有过，人必知之。”

鲁国消息

孔子在陈国期间得到了两个鲁国的消息，其中一个算是好消息。

第一个消息是当年的夏天鲁国的司铎宫发生了大火，大火越过国君的宫室，烧毁了桓公庙和僖公庙。救火的人都喊着要保护国库，南宫敬叔赶到之后，命令负责管理周朝典籍的官员赶紧把书搬出来，并且下令：“这些书都交给你了，如果有损失，拿命来抵。”

子服景伯也赶到了，命令掌管法令礼书的官员赶紧把礼书搬出来，同样警告他不得损毁，否则将会依法处置。季孙斯也亲自前来救火，并且命令救火受伤的人必须立即撤下来，因为财物烧了还能再造，人死了就不能复活。

消息传到了陈国，孔子慨叹一声：“这恐怕是上天要毁掉鲁桓公和鲁僖公的庙吧。”

当时，胡乱正在旁边。

“老师，我看过《孔子家语》，说是您算出来是鲁公庙和僖公庙被烧了，是不是真的？”胡乱想起这件事请来了，向老师请教。

“胡言乱语不可信啊，我怎么能算出来？你也不动动脑筋，大火烧起来也就一天时间，难道来告诉我这个消息的人是大火刚烧起来就离开了鲁国？他肯定是大火烧完之后才带消息过来的，不用我猜，他直接都告诉我了。要是我算出来的，那岂不是跟子贡一样是不幸而言中了？那我不也成多嘴的人了？”孔子瞥了胡乱一眼，摇摇头。

“哦。”胡乱现在明白了，好多传奇都是瞎编的。

第二个消息是个好消息。

季孙斯死了。

季孙斯得了重病，临死之前，给近臣正常布置了一个任务：“兄弟，有一件事情你要替我完成啊。我的夫人南孺子快生了，生下来要是个男孩子，就报告国君，立他为继承人；如果是女孩子，就立肥为继承人。”

肥是季孙斯的儿子，名叫季孙肥。

等到季孙斯死了之后，季孙肥就临时管理季孙家，一直到季孙斯下葬，南孺子这孩子都没有生下来。

这一天季孙肥在鲁哀公那里，南孺子在家里生了，结果还真就给季孙肥生了个弟弟。正常于是带着南孺子赶到鲁哀公这里报告，结果发现季孙肥也在。

“什么事？夫人怎么来了？”季孙肥问，其实他心里都明白。

正常暗叹倒霉，可是这时候也不能不说，于是当着季孙肥的面，把当初季孙斯的遗嘱说了一遍。

“那太好了，我可以把担子卸下去了。”季孙肥说得轻松而又中肯。

“那什么，共刘，你跟他们去一趟，任命那个孩子为季孙家的继承人吧。”鲁哀公派了个大夫去季孙家，当场宣布自己的任命。

一行人来到季孙家的时候，晚了。

季孙斯的小儿已经被人掐死在床上了。

“哎哟，兄弟，兄弟，你死得好冤哪，我要替你报仇。”季孙肥挤出了几滴眼泪，然后去看正常，他要让正常做这个替罪羊。

正常早已经不见了，他早就料到了这个结果，他逃到了国外。

于是，季孙肥成为继承人，就是季康子。季孙肥下令捉拿凶手，同时派人去请正常回来，正常哪里敢。“我要是回去，就是精神不正常了。”

为什么说这对孔子是个好消息？因为死敌季孙斯死了，而季孙肥对自己一向比较尊重。

第二六六章　带着学生去泡妞

鲁哀公四年(前 491 年),在陈国待了不到一年的孔子再次动身了,目的地是蔡国。

在陈国,孔子没有任何收获。如果一定要说收获的话,那么只能说他收获了一个弟子,这个弟子叫颛孙师,字子张。算起来,只有十二岁。颛孙师的情况和子夏子游差不多,家里比较穷,孩子本身又比较有潜质,因此在父亲的恳求下,孔子收了这个学生,与子夏子游一起一边学习,一边服侍老师。

一年前,蔡国被吴国迁到了州来,也就是今天的下蔡。就在孔子去的前两个月,蔡国刚刚发生了一次政变,蔡昭公被杀。之后,蔡国再次投靠楚国。

蔡国这个国家比陈国还要糟糕,夹在吴楚两个国家之间,内部又很乱。按照孔子的说法,这个国家不仅是乱邦,而且是危邦,孔子根本就不应该来。

在蔡国,孔子没有任何记录留下来。大致,孔子以鲁国卸任司寇的身份在蔡国得到了一处封邑,之后和弟子们就在这里学习了。历史上,孔子也没有蔡国的弟子,显示他在蔡国也并不受欢迎。

那么,孔子到蔡国的目的是什么呢?应当是把这里当成一个跳板,在这里进行观察,看看吴国和楚国哪个国家的机会好些,之后前往这两个国家中的一个。

孔子泡妞

鲁哀公五年(前 490 年),孔子显然看好了楚国,于是,离开蔡国,前往楚国。

孔子没有去楚国首都郢都,他的心里没有把握,他去的地方是叶,他要找的人是叶公,叶公是谁?沈诸梁。

为什么找沈诸梁？因为沈诸梁是当今楚国的顶梁柱，在楚国说一不二的人物。如果得到沈诸梁的认可，孔子在楚国就算是得到了承认。

沈诸梁在上一年刚刚平定了楚国的北方，此时正在叶地休养。

孔子一行向东而去，这一天来到了阿谷这个地方，晴空万里，微风轻吹，天气十分惬意，大家的情绪都因此而轻松。

前面是一条小溪，一个美丽的村姑正在那里洗衣服。一帮老爷们看到了美丽的村姑，会是什么反应？

"哇噻。"大家都情不自禁地赞叹起来，有人还流下了口水。

孔子没有"哇噻"，也没有流口水，不过眼看着红花青草，流水美人，也感觉非常养眼，久违的春心也禁不住荡漾了一回。孔子本来想上去泡一泡这个村姑，可是弟子们在身边，不敢造次。怎么办？一转头看见子贡，有了主意。

"赐啊，你不是总说自己是泡妞高手吗？你去泡泡那个妞给我看看。"孔子说。大家听见，都盯着子贡看，这可是个美差。

"这个——"子贡有点犹豫，泡妞他是内行，平时也总在师兄弟们面前炫耀，可是真当着这么多兄弟们去泡，还是有点尴尬。

"怕什么？来来来，这个给你，假装去跟她讨水喝，看她怎么说。"孔子拿了一个觞(音商，古时盛酒的器具)，递给子贡。

子贡没办法，拿着觞，在万众期盼的目光中走向了美丽村姑。

"嗨。"子贡打个招呼，来到了美丽村姑的身边。

村姑其实早已经注意到了这样一群男人，高矮胖瘦各不相同，看这帮男人指指点点，就知道没怀什么好意。此时子贡前来打招呼，村姑抬头看看，发现竟然是个帅哥。

"什么事？"村姑问。

"美女，我们从北边来，要去楚国。走在路上口渴难耐，恰好看见你在溪边，跟你讨口水喝。"子贡搭讪着，酷酷地笑一下。

"这水又不是我家的，全民所有的，想喝就喝啊，问我讨什么？"村姑笑着说，她喜欢子贡，所以一边说，一边从子贡的手里接过了觞。舀了一觞水，涮涮，倒掉，又舀了一觞，放在地上。

"拿走吧。"村姑说，脸色绯红。

子贡拿起了觞，又看了村姑几眼，提着水回去了。子贡把刚才的对话向老师说了，师兄弟们都竖着耳朵听。

"嗯。"孔子听完，点点头，觉得意犹未尽，看看手边恰好有一个琴，于是抽掉了琴上的轸(琴上的部件)，递给子贡。"来，用这个再去泡一泡。"

子贡拿着抽掉轸的琴，一边走一边想话题，走到村姑身边的时候，想好了。

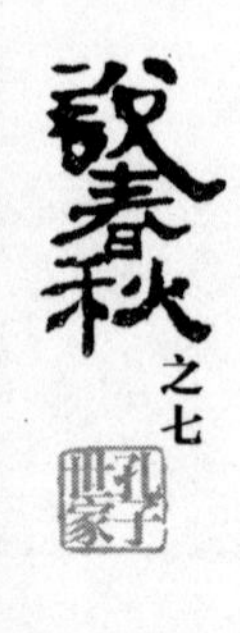

"啊,美女,你是我所见过的最美的姑娘,你的声音那样甜美,让我如沐春风。我多么想弹一首情歌给你啊,可是这个琴没有轸,你,你能为我调'情'吗?"子贡说,故意把调琴说成了调情。

村姑原本对子贡也是含情脉脉,可是如今子贡拿个没有轸的琴来,这不是存心调侃自己吗?

"我不过是一个村姑,五音不全,哪里懂得什么调情阿。"村姑有些生气,说完,自顾洗衣服,不再理子贡。

子贡又搭讪了几句,见村姑不理睬他,觉得没趣,提着琴回来了。

"别灰心啊,来,给你这个。"孔子拿出五匹好布来,递给子贡。

有了好布,子贡觉得泡这个小村姑十拿九稳了。

"美女,我好喜欢好喜欢你啊。这里有五匹好布,我不敢说拿来当聘礼,就算略表心意吧,我放这里了。"子贡油嘴滑舌,调戏村姑。

村姑这会是真的火了。

"你毛病啊?脑子被驴踢了?缺心眼啊?这么值钱的东西就随便扔啊?告诉你,我就算当剩女也不会跟你走,你赶快走吧。你光天化日之下调戏良家妇女,等会我们护村队的来了,让你吃不了兜着走。"村姑大声嚷嚷起来。

子贡一看势头不对,赶紧拿了布就走。

孔子笑了,大家哄堂大笑。

笑归笑,众人也有些害怕,急忙忙上路了。

泡个村姑没泡下来,子贡很郁闷。

叶公不好礼

孔子终于来到了叶地,沈诸梁非常欢迎他,他听说过孔子的学问,而他本身也是很有学问的人。

两人的第一次会面沈诸梁就向孔子请教了治国之道,结果孔子大讲礼乐,听得沈诸梁脑袋疼。都什么时代了,还在讲周礼?

"孔丘先生,你说的这些很好,不过好像离我们太远了些。我想问问,具体来做,我们楚国应该怎样做?"沈诸梁找个机会,把话题引到了他关注的层面。

"那,这什么——"孔子讲理论讲得带劲,突然出来一个现实的问题,一时间脑子没转过来,愣了一愣,然后说:"提高国内老百姓的幸福指数,让外国人纷纷移民到楚国。"

按《论语》。叶公问政。子曰:"近者说,远者来。"

沈诸梁笑了笑,心说这不是该怎么做的问题啊,这是做好了自然会得到的结果啊。他知道,到了操作层面,孔子的弱点就暴露了。

“那,还是说说礼吧。先生说了半天的礼,我听得七七八八,还是有些不太明白,我举个例子好不好。我们楚国曾经有一个人偷了别人家的羊,于是他儿子把他给举报了,我们楚国认为这样的人是守法良民,不知道在鲁国是怎样的?”沈诸梁举了个例子,想看看是不是符合孔子所说的周礼。

“我们鲁国不是这样的啊,在我们那里,父亲犯了罪,儿子为父亲隐瞒;儿子犯了罪,父亲为儿子隐瞒。我们认为,这就是遵守礼法。”孔子说,他觉得楚国人的做法缺乏人性的一面。

“看来,鲁国和楚国的区别还是很大啊。”沈诸梁感慨,同时看了孔子一眼。

按《论语》。叶公语孔子曰:“吾党有直躬者,其父攘羊,而子证之。”孔子曰:“吾党之直者异于是,父为子隐,子为父隐,直在其中矣。”

谈话非常友好,沈诸梁始终很客气,对孔子的知识也很佩服,不过,他觉得孔子的理论太过时了,而且绝对不适合于楚国。

不管怎样,孔子师徒就住在了叶地。

一天,沈诸梁外出,路上恰好遇上了子路。

“子路先生,我想问您一个问题。”沈诸梁说话很客气,他是个很有修养的人。

“叶公,请。”

“我想问问,孔丘先生究竟是个怎样的人?”

“这——”子路被问傻了,他从来就没有想过类似的问题,怎么回答呢?老师讲的都是礼乐,好像挺迂腐,可是做起事来好像还挺灵活,好像也没有什么原则。子路很犹豫,生怕说错了会给沈诸梁错误的指向。“这个,这个,我一时也说不清楚。”

沈诸梁有些失望,告辞先走了。

“他最亲近的弟子都说不清楚的话,说明什么?说明孔丘就是个大忽悠。”沈诸梁自言自语。

子路回来见到孔子,把刚才发生的事情说了一遍。

“嗨,你怎么说自己说不清楚呢?你就说‘这个人啊,学习起来就忘记了吃饭,快乐起来就忘记了忧愁,忘记了自己已经一把年纪了’。”孔子说,他对子路有些失望。

按《论语》。叶公问孔子于子路,子路不对。子曰:“汝奚不曰:其为人也,发愤忘食,乐以忘忧,不知老之将至云尔。”

其实,不管子路怎样回答,沈诸梁对孔子的态度都已经是确定了的。

终于,沈诸梁还是摊牌了。

这一天,孔子被请到了沈诸梁家中,不过接待他的不是沈诸梁,而是沈诸梁的管家沈四。

“孔丘先生,吴国又出兵攻打陈国了,楚国不得不出兵相救,楚王已经率领楚国大军出发了,而叶公也已经在昨晚出发,会合楚国大军。出发之前,叶公托我给先生带几句话。”沈四的话说得很客气,像他的主人一样,看上去就让人喜欢。

不过,孔子的感觉不是太好。

“啊,请说。”孔子说。

“先生的渊博知识让叶公非常敬佩,先生所说的治国方略都是百年大计,不过——”世上无难事,只怕说不过,沈四说到不过,孔子心里咯噔一下。“当今世界乱象纷纷,楚国内忧外患不断,东边有吴国,北边有晋国,两大劲敌随时侵入我国。因此我国当前是生死存亡之际,确实顾不上百年大计。如果今后我国国内安定下来,吴国和晋国不再侵扰,那时候,叶公会亲自上门相邀,请先生来将楚国治理成大同世界。”

这番话说得客气无比,外加上奉承,但是,核心的内容只有一个:您还是回家吧。

郁闷,绝对的郁闷。

孔子知道,自已又该走了。带着满腹的惆怅和沮丧,孔子一行上路了。大家的情绪都很低落,整支队伍无力地向北走去。

“老师,怎么走?”子路问。

“走老路。”孔子说,头也没抬。

子路知道,所谓的老路,就是走陈国。

队伍在缓慢地行进,就像送葬的队伍一样令人绝望。

狂人接舆

沉闷,空气似乎已经不再流动,令人窒息的沉闷。

突然,前面传来一阵歌声,或者说,一阵嘶吼声,或者说,原生态唱法。

什么人在唱?唱的什么?沉闷的队伍为此一阵骚动。

终于,唱歌的人出现了。一个破衣烂衫的流浪汉迎面走来,一直到了孔子的车头前,依然在高唱。现在,大家能够听清楚了。

“凤凰啊凤凰啊,你已经没有什么鸟用了。过去的就那么回事了,未来的还能挣扎。完蛋了完蛋了,当官的没什么好东西。”流浪汉唱着,从孔子师徒身边走了过去。

“凤凰？没什么鸟用?”孔子极度低落的情绪一下子竟然高亢起来,这难道不是在说我吗？这人是我的知音啊。

孔子从车上跳了下来,因为车走得很慢。

“先生,先生,请留步。”孔子对流浪汉的背影高声喊着,想要跟他谈谈,谈谈周礼,谈谈音乐,谈谈人生理想。

流浪汉没有回头,因为他不是什么先生,他就是个流浪汉。

弟子们见老师的喊声没有用,大家一起帮着喊起来:“先生,先生,请留步。”

大家一起喊的时候,流浪汉禁不住停下来回头看。可是当他看着那么多双眼睛用奇怪的眼神盯着自己的时候,他怕得要死。

“哇。”流浪汉怪叫一声,像兔子一样逃命而去了。

按《论语》。楚狂接舆歌而过孔子曰:“凤兮凤兮,何德之衰。往者不可谏,来者犹可追。已而已而,今之从政者殆而。”孔子下,欲与之言,趋而避之,不得与之言。

所谓楚狂接舆,意思是一个楚国的流浪汉来到了马车旁。但是历史上的解释是楚国狂人名叫接舆,而且是姓陆名通字接舆。试问,孔子根本没有跟人家说上话,怎么知道人家叫接舆?

史上多以为此人是个高人,其实不过是个流浪汉。至于流浪汉骂当官的,有什么好奇怪的吗?

流浪汉的出现没有让孔丘师徒的情绪变得更好,但是至少让这支队伍的沉闷改变了很多,大家有了话题,开始有了议论声,于是,步伐更快了一些。

几天之后,来到了一条江边,江的那一边,就是陈国了。可是,渡口在哪里呢?

不远处,两个楚国农民正在耕地,于是孔子派子路去问路。子路下了车,孔子就接过了缰绳,在车上等待。

“喂,老乡,渡口在哪里啊?”子路大声问道。

两个农民早已经注意到了这样一队人马,不过他们并没有在意,自顾自地耕着地。直到子路来问路,才停下来。

“喂,那个拿缰绳的是谁啊?”农夫甲反问。

“孔丘。”

“孔丘？鲁国的那个百事通孔丘?”农夫甲有些吃惊,似乎是看到了明星。

“对。”

"那不用问了,他什么都知道,自然也知道渡口在哪里啊。"农夫甲用讽刺的口气说,似乎很是蔑视孔子。

子路这时候的情绪不高,所以不愿意跟他计较。不过从根本上说,经过这段时间的失败,子路对老师的信心大打折扣,农夫甲的讽刺,某种程度上让他觉得挺解气。

"那,这位老乡,你能不能告诉我啊?"子路去问另一个农夫,农夫乙。

"你是谁?"农夫乙问。

"我,我是仲由。"子路心说,你们这些老农民怎么这么多问题?

"孔丘的学生?"

"是。"

"天下到处是滔滔洪水,谁能改变?我看你啊,与其跟着一个要辅佐别人的人,不如跟我们躲避乱世吧。"农夫乙一边说,一边还在耕地。

问路没问到,反而被教训了两番,按着往日的脾气,子路就要动手打人了。可是奇怪的是这一次子路竟然没有生气,竟然隐隐然觉得这两人说的都是对的。

子路回到孔子身边,把两人的话对孔子学了一遍。

孔子一脸的怅然。

"唉,人当然不能和鸟兽同群了,其实我和他们的看法也没有什么区别。只是,如果天下有道的话,我难道还想去改变什么吗?"孔子说,然后陷入沉思。

按《论语》。长沮桀溺耦而耕,孔子过之,使子路问津焉。长沮曰:"夫执舆者为谁?"子路曰:"为孔丘。"曰:"是鲁孔丘与?"曰:"是也。"曰:"是知津矣。"问于桀溺,桀溺曰:"子为谁?"曰:"为仲由。"曰:"是鲁孔丘之徒与?"对曰:"然。"曰:"滔滔者天下皆是也,而谁以易之。且而与其从避人之士也,岂若从避世之士哉?"犹而不辍。子路行以告,夫子怃然曰:"鸟兽不可与同群,吾非斯人之徒与而谁与?天下有道,丘不与易也。"

孔子师徒终于还是找到了渡口,顺利过了江,进入陈国地界。

走不多远,路过一座城邑,只见许多民工在修城门。城门外驻扎了一支军队,看旗号是楚军。孔子师徒的队伍从城边过去,孔子端坐车上不动,子路就觉得有些奇怪。

"老师,您说过啊,按照礼法,如果遇上三个人,就应该下车;如果遇上两个人,就应该站起来扶着轼。修城的人这么多,怎么您竟然坐得这么安稳?"子路发问。

孔子其实正在思考问题,因而忽视了眼前的一切。可是子路这么问起来,还真不好说是自己的不注意。

"啊,这个,是这样的。"孔子即兴想起一个理由来,想一个理由对他来说很容易。"我听说啊,国家要灭亡了却不知道,这是不智;知道国家要灭亡却不去反抗,这是不忠;反抗了却不能为国捐躯,这是不廉。这些修城门的陈国人都是这类货色,我为什么要为他们起立?"

子路无语。

按《说苑》。楚伐陈,陈西门燔,因使其降民修之。孔子过之,不轼。子路曰:"礼过三人则下车,过二人则轼;今陈修门者人数众矣,夫子何为不轼?"孔子曰:"丘闻之,国亡而不知,不智;知而不争,不忠;忠而不死,不廉;今陈修门者不行一于此,丘故不为轼也。"

第二六七章　信仰危机

战争很残酷，吴国和楚国在陈国境内对峙，孔子师徒不敢穿越，于是沿着陈蔡边境前进。所到之处，见到的都是残垣断壁。陈国的百姓要么携家而逃，要么被吴军杀死。

孔丘师徒一路前行，竟然见不到一个活人。

一天，两天，三天，孔丘师徒走了三天，随身携带的粮食都已经吃完，却没有地方去讨要粮食。师徒们忍饥挨饿，子路带着师弟们好歹从残垣断壁之间弄些吃的东西出来，保证老师能吃个半饱，弟子们就都靠一点汤汤水水充饥。

与弟子们的争论

即便大家都饿得面黄肌瘦，孔子每天依然要弟子们操习礼法，弹奏礼乐，吟诗唱歌。大家伙本来就饿得昏头昏脑，走路都困难，谁还有心思搞这些？别人不敢说，子路敢说。

"老师，到了这种地步还有心思唱歌，是不是不合乎礼法啊？"子路问孔子，他有些恼火。

"子路啊，君子唱歌是修养心性，一般人唱歌是给自己壮胆。你连这一点都不理解我，还跟我学什么呢？"孔子也有些恼火了，对子路大声说。

"老师啊，君子也有走投无路的时候吗？"子路问，依然明显带着不满。

"君子也有这种时候啊，不过，君子走投无路仍会坚持节操，小人要是走投无路了，什么事情都能干出来。"孔子回答，他感觉到子路的不满，因此话里也带着讽刺。

按《论语》。在陈绝粮，从者病，莫能兴。子路愠见曰："君子亦有穷乎？"子

曰:"君子固穷,小人穷斯滥矣。"

"俗话说:恶有恶报,善有善报。老师您积德这么长时间了,可是上天竟然不开眼。我看,干脆咱们归隐算了。"子路说,他显然受到了那两个农夫的影响。

孔子看着他,叹了一口气。

"《诗》里写道:'匪兕(音寺,犀牛)匪虎,率彼旷野。'不是犀牛不是老虎,沿着旷野快快逃命。难道我的学说不对吗?为什么会落到如此地步?"孔子问子路,似乎也有些沮丧。

"老师啊,是不是您的德行还不够呢?会不会是您的智慧还有欠缺?"子路受到孔子的诱导,把自己心里的疑惑和盘托出了。

信仰危机,这就是信仰危机。

面对子路的信仰危机,孔子一下子警惕起来。人可以没吃没喝,但是不能没有信仰。所以,孔子振作了,他要挽救子路的信仰。

"是这样吗?"孔子瞥了子路一眼,把庄严的神情运到了脸上,正色说道:"子路,你过来坐下,我要跟你好好说说。"

子路走近,坐了下来。

"你认为聪明人就无所不知吗?那么比干怎么还会死于非命?你认为良言相劝就会被人感谢吗?那伍子胥怎么还会被杀?你认为清廉的人就一定会被重用吗?那伯夷叔齐怎么还会被饿死?学识渊博的君子不被任用的多的是,难道仅仅是我孔子一个?芝兰生在深山老林,并不因为无人欣赏就不吐露芬芳;君子修习礼乐推崇仁德,也并不因为贫穷困顿就败坏节操。贤和不肖是才能问题,做和不做是为人的问题。遇不遇上明主是时机问题,死亡和生存是命运问题。有渊博的才能却没有机遇,即使有天大的本领也无法施展;但是一旦遇上了机遇,要施展才能又有什么难的呢?所以,君子要抓紧时间修养身心,等待时机的到来。"孔子一番话,让子路没话可说。

子路走了,孔子想了想,让人把子贡叫来了。

"赐啊,《诗》里写道:'匪兕匪虎,率彼旷野。'难道我的学说不对吗?为什么会落到如此地步?"孔子用同样的问题问子贡,看他怎么回答。

子贡尽管也有些不满,可是不像子路那样都暴露出来。

"老师,我觉得吧,您的主张或许太过高深太过超前了,因而天下人不能接受您,能不能稍为降低一点标准呢?"子贡的话还是比较讲究。

"赐啊,一个好的农夫善于耕种,但是不一定善于收获;一个工匠巧于制作,但是不一定了解市场;君子研究自己的理论学说,主次分明,有条有理,但是不一定就会被人们接受。现在不研修完善自己的学说,却只求能被人接受,赐啊,你的志向也不远大啊。"孔子又把子贡批评了一顿,禁不住有些失望。

子贡起身告辞，孔子又想了想，让子贡把颜回叫来。

“回啊，《诗》里写道：‘匪兕匪虎，率彼旷野。’难道我的学说不对吗？为什么会落到如此地步？”孔子用同样的问题问颜回，看他怎么回答。

“老师，您的学问博大精深，以至于天下人都不能接受您。”颜回开头的话竟然和子贡一样，孔子禁不住屏住了呼吸，看他接下来怎么说。“虽然这样，老师您还是致力于推广并实践它，没有人识货，那是各国统治者的耻辱。老师您有什么忧愁吗？虽然不被接受，但是这更显示出老师您的君子本色啊。”

不管是不是出于真心，颜回的话确实说得太好听了，说得孔子眉开眼笑。如果从拍马屁的角度来说，这样的马屁确实是出类拔萃的。

“还是你了解我啊，你说得太有道理了。如果哪天你发了财，我愿意去给你当管家。”孔子高兴地说，他真是越来越喜欢颜回了。

按《史记》。**颜回曰：“夫子之道至大，故天下莫能容。虽然，夫子推而行之，不容何病，不容然后见君子！夫道之不修也，是吾丑也。夫道既已大修而不用，是有国者之丑也。不容何病，不容然后见君子！”夫子欣然而笑曰：“有是哉，颜氏之子！使尔多财，吾为尔宰。”**

孔子突然想起了胡乱，于是让颜回把胡乱给叫来了。

“难道我的学说不对吗？为什么会落到如此地步？”孔子用同样的问题问胡乱，前面的《诗》就免了，他知道胡乱听不懂。

“这个——”胡乱哪里懂这个问题，想了想，说：“老师啊，我也不知道您的学说对不对，不过我知道几百年之后您的学说人人都要学，几千年来都是这样，谁当皇帝都要尊崇您的学说，就连我也学了很多。”

“真的？”孔子有些惊讶。

“我还能骗老师吗？”

“这样的胡言乱语，我喜欢。”孔子高兴，真的很高兴。重要的是，他对自己重新充满了信心。

偷食的人

弟子们都饿得走不动了，于是几个还能走得动的人分头去找粮食。

子贡的运气不错，竟然找到了一个当地的农夫。也是子贡聪明，用自己随身带着的金银，跟农夫换了一石粮食。这个农夫也是偷偷从城里出来回家看看的，于是把自己家里藏的粮食拿出来换了财宝。

子贡背着粮食回到了孔子师徒停留的地方，大家看到子贡背着粮食回来，一片欢呼，总算是看到了活路。

"那什么,子贡你辛苦了,休息一下。子路、颜回,你们去煮饭。"孔子非常高兴,现在他确信自己的弟子中最能干的确实是子贡。当然话说回来,子贡也最有钱,换了别人,也拿不出金银换粮食。

子路和颜回早已经准备好了煮饭的罐子,当时到了一堵断墙后面,临时垒了一个简易的灶台,点上火,开始煮饭。为什么要在墙后呢?为了避风。

饭煮上了,子路又去那些被毁坏的民房里找吃饭的碗去了,就剩下颜回一个人看着火。

子贡走得很累,靠着墙休息,突然想要小便,于是起身去找地方撒尿。恰好路过颜回煮饭的地方,于是,发现了一个惊天秘密。

只见颜回的黑手伸向了煮饭的罐子,从里面挖出一团饭来,放进了自己的嘴里。

"哇噻。"子贡当时差点喊出来,心说这个狗日的伪君子,平时在大家面前人五人六的,老师还说他是道德楷模,让大家学习他,可是现在,他竟然借职务之便偷吃粮食。

"要是被子路看见,非打死他不可。"子贡暗说。

子贡决定不要打草惊蛇,自己先把小便解决了,然后把事情反映给老师,揭穿颜回的伪君子真面目,让老师来处置他。

子贡小便完之后,悄悄地来到了孔子这里。

"老师,我有个问题。"子贡说。

"赐,说吧。"孔子很亲切,因为子贡换来了粮食。

"仁德廉洁的人,是不是在穷困的时候就能不守节操?"子贡问。

"嘿,不守节操的人,怎么能称为仁德廉洁呢?"

"那么,颜回这样的,是不是会坚守节操?"子贡忍不住,把颜回带出来了。

"那当然了。"孔子觉得问题有些怪,不过他对颜回很有信心。

"嘿嘿。"子贡冷笑了两声,把自己刚才看到的事情说了一遍,然后等孔子说话。

"赐啊,我对颜回观察的时间已经很长了,虽然你这么说,我还是不怀疑他,我觉得一定有原因。这样,你不要再说了,我来问问他。"孔子想了想说。

于是,孔子就让其他弟子把颜回叫来了。

"回啊,前几天我梦见先人了,难道是先人在启示和保佑我吗?你做好饭拿进来,我要把它进献给先人。"孔子没有直接问,而是撒了个谎说要祭祀先人,从侧面来套颜回。

"老师,这饭已经不能拿来祭祖了。"颜回回答。

"为什么?"孔子和子贡都有点惊讶。

"是这样的,刚才煮饭的时候,有烟灰掉进了饭里。不管它吧,饭就脏了;

扔掉吧,太可惜了,所以,我就把弄脏了的饭吃掉了。等会分饭的时候,就从我的那份里扣掉。”颜回解释,神态自然,完全不知道子贡早已经来告过一状了。

如果一份饭先被吃掉了一点的话,就不能拿来祭祀祖先了。

“你说得对啊,要换了是我,我也会把脏了的饭吃掉的。”孔子说,笑了,让颜回继续去煮饭。

等到颜回走开了,孔子才对子贡说:“我对颜回的信任,并不是从今天才开始的。”

子贡感到惭愧,脸憋得通红。

从那以后,原本有些瞧不起颜回的子贡对颜回口服心服了。

四体不勤 五谷不分

子贡的粮食让大家吃了个半饱,好歹有了走路的力气,于是继续前进。一路上,子路又抓了一头不知谁家跑散的小猪,烤来给大家吃了。

走到第七天上,大家又是颗粒未进,实在有些走不动。

这个时候,孔子师徒已经到了城父(今河南省宝丰县)。楚军大营就在前面,再往前,就是吴军大营。

“子贡,还是你吧,去楚军大营看看能不能弄点吃的。”孔子又给子贡布置了一个任务,他知道子贡的口才最适合去完成这个任务。

子贡没有推辞,一个人去了楚军大营。到了楚军大营,直接报上名号,要找叶公沈诸梁。沈诸梁看见子贡,倒也热情,子贡说起孔子师徒这些天来路上的艰辛,沈诸梁也感到吃惊。

“孔丘先生要去哪里?”沈诸梁问。

“去卫国。”

“这里现在已经是战场,非常危险,吴国人十分野蛮,到时候误伤了你们也不一定。这样吧,我派人护送你们到楚国,再从楚国经郑国回卫国吧。”沈诸梁倒真是个好人,当时派了一队家兵,带齐了一路上的干粮,随着子贡走了。

有沈诸梁提供的粮食,有楚军的保护,孔子师徒现在算是脱离了危险。

“回去吧,回去吧。鲁卫的年轻人胸怀大志但是行为粗率,文采斐然但是不知道怎样节制自己。我啊,还是回去教导他们吧。”孔子叹息,他知道,自己已经不可能在治国上有什么进取了,回去教书育人才更现实。

按《论语》。子在陈曰:“归与,归与!吾党之小子狂简,斐然成章,不知所以裁之。”

为孔子驾车的是子路和子贡两人轮流，因为他们的驾车技术比较好。这一天又回到了楚国地界，子贡驾车，子路脚气发了，落在了后面。

“老师，我们跟着老师遭受的这场苦难，大概这辈子是忘不掉了。”子贡说。一辈子娇生惯养，那里吃过这样的苦？现在到了安全的地方，想起来还是后怕。

“嘿，你这是什么话？”孔子不高兴了，黑着脸说，“俗话不是说嘛，胳膊断了三次，就成了良医了。这一次的遭遇对于我来说就是一次幸运啊。你们跟着我受这次难，都是幸运的人啊。做君主的不受点磨难，成不了好君主；有高远志向的人，不受点挫折就不能建立功业。从前，商汤被困在吕，周文王被囚在羑里，秦穆公经历了崤谷的耻辱，齐桓公经历了长勺的惨败，晋文公被骊姬追杀，这之后才成就了霸业。我们这一次困厄，从寒到暖，又从暖到寒，只有贤人才能领会其中的收获，但是要说出来也未必说得清楚。”

子贡想想，倒也是这样。

“赐啊，你让子路来驾车吧。”孔子对子贡有些恼火，决定让他下车走路。

“子路师兄，子路师兄。”子贡倒没意见，虽然他看不起子路的智商，但是觉得子路还是个很直爽的老大哥。

子路没有应声。

又喊了几句，子路还是没有应声。

子路丢了。

子路一个人在后面，走岔了路。越走越不对，问问路人，才知道走错了，于是向回走，到了岔路口又问了路，这才回来正路。

这一耽误，时间就长了去。

又走了一程，看看天色黑了，子路还没赶上大队，难免有些心慌。还好，前面一个老农夫用拐杖挑着锄草的农具。子路上前去问：“老丈，有没有看见我老师啊？”

“你老师是谁啊？”老农夫问。

“鲁国孔丘啊。”

“哼，四体不勤，五谷不分，什么狗屁老师？”老农夫说得很不屑，似乎对孔子很不满。说完，老农夫把拐杖插在地上，锄草去了。

子路一听，这口气似乎应该是见过老师的，否则怎么平白无故这么骂人？想想看，老师似乎还真是这样。

子路没有说话，拱手站在一旁。

过了一阵，天渐渐黑了，老农夫看见子路很恭敬地站着，于是招呼他跟自己一块回家。到了家里，老农夫杀了家里的鸡，为子路做了饭，之后招待子路

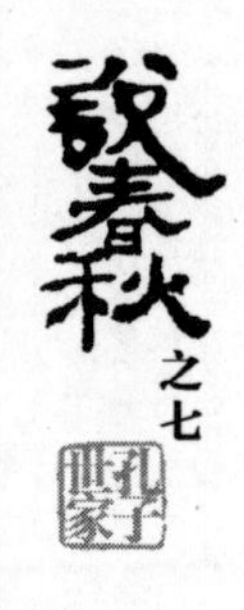

吃肉喝酒,留他住了一个晚上。

第二天一早子路启程,急匆匆追赶老师,结果没有追出太远,发现老师和师弟们都在等自己。

子路把自己路上遇上的事情对老师说了,孔子说:"嗯,这是隐者啊,高人哪。走,我跟你回去向他请教请教。"

于是,子路驾车,和孔子回到了老农夫的家里,可是恰好老农夫出去了。两人等了一阵,没有等到,于是失望而归。

"老师啊,虽然这个隐者是个高人,可是我觉得有才能而不出去做事也是不对的。长幼之间的次序尚且不能荒废,何况君臣之间的大义呢?为了保住自身,就败坏了君臣大义,这是不对的。如今君子出来为国家做事,都是尽人事而听天命而已,老师您的学说在这个世道是不会被施行的,这点其实已经不需要再说了。"子路的话,听上去是在批判老农夫,实际上重点在最后一句,就是说老师您的学说确实不太适用啊。

这段话,说得孔子无话可说。自从子路投师以来,还没有过一次如此精彩、如此让老师无话可说的。

"唉。"孔子叹了一口气。

按《论语》。子路从而后,遇丈人,以杖荷蓧,子路问曰:"子见夫子乎?"丈人曰:"四体不勤,五谷不分,孰为夫子?"植其杖而耘。子路拱而立,止子路宿,杀鸡为黍而食之,见其二子焉。明日,子路行以告,子曰:"隐者也。"使子路反见之,至则行矣。子路曰:"不仕无义。长幼之节,不可废也。君臣之义,如之何其废之。欲洁其身,而乱大伦。君子之仕也,行其义也,道之不行,已知之矣。"

四体不勤,五谷不分,这两个成语,来自这里。

《史记》中的假历史 

关于孔子的这段历史,《史记》中的记载是这样的。

孔子在陈蔡之间,楚使人聘孔子。孔子将往拜礼,陈蔡大夫谋曰:"孔子贤者,所刺讥皆中诸侯之疾。今者久留陈蔡之闲,诸大夫所设行皆非仲尼之意。今楚,大国也,来聘孔子。孔子用于楚,则陈蔡用事大夫危矣。"于是乃相与发徒役围孔子于野。不得行,绝粮。

这个说法基本上就是杜撰。当时的形势,陈国是楚国的扈从国,蔡国也已经倒向楚国。楚国要的人,这两个国家怎么敢阻拦?再者说,有没有孔子,楚国要灭陈蔡都是小菜一碟。

再则，陈蔡两国要联合行动，恐怕他们之间商量的工夫，孔子都已经到了楚国了。

再则，以陈蔡两国的兵力，何必围孔子？直接砍了埋掉不是更省事？

再则，假如真是如此，《论语》为何没有提到？

所以，孔子师徒完全受困于兵荒马乱，无处讨食，与陈蔡两国政府没有任何关系。

再看《史记》中的另一则。

昭王将以书社地七百里封孔子。楚令尹子西曰："王之使使诸侯有如子贡者乎?"曰："无有。""王之辅相有如颜回者乎?"曰："无有。""王之将帅有如子路者乎?"曰："无有。""王之官尹有如宰予者乎?"曰："无有。""且楚之祖封于周，号为子男五十里。今孔丘述三五之法，明周召之业，王若用之，则楚安得世世堂堂方数千里乎？夫文王在丰，武王在镐，百里之君卒王天下。今孔丘得据土壤，贤弟子为佐，非楚之福也。"昭王乃止。其秋，楚昭王卒于城父。

这一段，基本上也是杜撰。子贡颜回等人这时候不过是孔子的学生，顶多是个三好学生，根本没有历练，更不要说有什么能力显示出来。子路虽然做过季孙家的管家，也从来没有带兵打仗，而楚国历来尚武，竟然自以为不如一个鲁国人？再说宰我，宰我在孔子这里也就是嘴皮子厉害，还没听说他做官如何出色。所以，子西不可能说这样的话。

再则，第五册中，我们知道子西是个非常无私的人，如果他真的认为孔子非常贤能，他首先要做的恐怕是让贤，而不是阻止楚昭王。

再则，楚国尚武，对于周礼一向敬而远之，就像叶公好龙一样。所以，楚国不可能重用一个反对战争的人。

所以，楚昭王从来也没有请过孔子。

以上两则杜撰的历史，不过是太史公要为孔子脸上贴金而已。

第二六八章　挫折让人变通

从楚国，经由郑国，孔子师徒顺利地回到了卫国。这一年，是鲁哀公六年(前489年)，孔子六十三岁。

经历了这一趟的困厄，孔子知道自己再也折腾不起了。可是，回鲁国太没有面子，于是他决定就留在卫国。

孔子不好意思再去见卫灵公，就住在了蘧伯玉提供的住处，重新开始招收学生。

孔子的志向

从浮躁回归平实，从好高骛远回归现实，这就是孔子这一趟南方之行的最大成果了。

孔子重新平静下来，生活才又重新有了笑声。孔子常常会和学生们促膝谈心，也常常带着弟子们在周围游玩。

一天，学校放假，孔子带着子路、子贡和颜回出去游玩，登上附近的农山。来到山顶，极目四望，孔子不禁悲从中来。

“登高望下，使人心悲，几位同学，说说你们的志向吧，我想听听。”孔子说。他觉得自己奋斗一生，一事无成，把希望寄托在了弟子们身上。

按着惯例，以及按着脾气，或者按照资格，都是子路第一个发言。

“我希望得到白羽如同月亮，赤羽如同太阳，钟鼓之音直冲云霄。旌旗翩翩，在大堤上盘旋飘扬。我率领军队出击，击败敌人，夺取土地。嘿嘿，这样的事情只有我能做到，这两位兄弟可以跟着我混，哈哈哈哈。”子路说完，大笑起来。

“勇士啊，愤青啊。”孔子说道，之后去看子贡。

子贡看看颜回，颜回笑笑，示意子贡先说。子贡也笑笑，意思是不客气了。

“我嘛，当齐国楚国两军对峙，旗鼓相当难分上下，两国军队就要交战的时候，我愿意穿着白色衣冠，在两军的白刃之间游说两国，凭着我的三寸不烂之舌，化干戈为玉帛，让两国和平万岁。嘿嘿，这个，恐怕只有我能做到。子路大哥颜回兄弟，你们可以做我的随从了，嘿嘿。”子贡说完，嘿嘿地笑了。

“辩士啊，轻轻松松化解战争于无形啊。”孔子说，语气里有些赞叹的意思。之后，孔子去看颜回。

颜渊笑了笑，却没有说话。

“回，你怎么不说？难道你没有志向？”孔子问他，其实他最想知道颜回的志向。

“文韬武略，两位师兄都已经说过了，恐怕我没什么可说的了。”颜回笑着说，很谦恭的样子。

“我知道你的志向一定与他们不同，你还是说说吧。”孔子非要颜回说。

“那我就说说。”颜回还是一脸的笑容，慢慢说来。“我听说鲍鱼和兰芷不能收藏在同一个箧子里，尧舜和桀纣不能治理同一个国家，两位师兄的志愿和我不大一样。我想能够辅佐一位圣明的君主，不要城墙，不要护城河，把武器锻造成农具，让天下一千年没有战争，这样的话，又何必子路师兄奋勇作战，又何必子贡师兄游说于军前呢？”

“美哉，德乎！姚姚者乎！”孔子的赞叹声脱口而出。姚姚者乎，就是很得意的样子。

子路和子贡都有些不以为然，和平万岁当然好，可是这怎么可能？要找这样一份工作，难道不是要等到共产主义？

“老师，能不能说说您的愿望？”子路问孔子。

“我的愿望就是颜回刚才说的啊，我愿意带着衣服跟颜回混啊，哈哈哈哈。”孔子笑了，今天他很高兴。

又有一次，子路、曾皙、冉有、公西华陪着孔子闲坐。

“不要因为我年龄比你们大，你们就不好意思说。你们平常总说‘没有人了解我’。如果有人了解你们，任用你们，你们会怎样做？”孔子最近总是问他们这个问题，因为他在考虑怎样推销他们。

不用问，第一个回答问题的还是子路，他永远是第一个，就像打群架的时候他永远冲在最前面一样。

“一个中等国家，处在两个大国之间，外有强敌，内有灾荒。让我去治理，三年时间，我让老百姓既有勇气对抗强敌，又懂得治理国家的道理。”子路又是

一通豪言壮语,孔子笑了笑。

“求,你怎么样?”孔子又问冉有,他其实更看好冉有。

“我嘛,没有子路哥那么大的志向啊。”冉有说着,笑了笑。“我呢,给我一个方圆五六十里或者七八十里的小国家让我去治理,大概也是三年时间吧,我能让百姓富足。至于礼乐这样的事情,还要等待君子来做了。”

冉有话里有话,其实他对孔子的礼乐说法不以为然,认为那太理想太脱离现实。

“赤,你说说。”孔子对冉有的话不置可否,问公西华。

“我不敢说我能做什么,我愿意学习。祭祀宗庙,或者接待外国君主盟会这类事情,我愿意穿上礼服,戴上礼帽,做一名助理主持人。”公西华说,他岁数最小,说话也不敢太大声。

孔子点点头,他对公西华还是很欣赏的。

曾皙正在一旁弹瑟,瑟声不高,因为他知道不要干扰了这边的谈话。此时一曲尚未终了,孔子耐心地等着。对于曾皙,孔子还是另眼相看的,一来曾皙的岁数仅仅小于自己,现在的教学主要还是他在负责,在孔子的学校里的地位仅次于孔子和子路,作用则仅次于孔子;二来,曾皙跟随自己多年,这一次又特地从鲁国过来辅佐自己,这让孔子非常感激。

一曲接近尾声,孔子才发问。

“点,说说你啊。”孔子问。

“铿”一声,孔子的话音落的时候,恰恰是曾皙瑟声结束的一刻。

“我的志向和他们都不一样啊。”曾皙说,笑笑。

“没关系啊,人各有志啊。”孔子说。

“我的志向不大,晚春的时候,穿着轻薄的衣服,会同五六个朋友,带着六七个孩子,在沂水边沐浴,在舞雩台上跳舞,唱着歌一路归来。”曾皙说。他的志向,类似于隐者了。

“我的志向跟曾皙一样啊。”孔子慨叹。

子路、冉有和公西华离开之后,曾皙留了下来。

“老师,你觉得三个人说得怎样?”曾皙问。

“都说出了自己的志向啊。”

“那,老师为什么对子路的话有些不以为意?”

“治理国家要靠礼,可是他说话还是一点礼让都没有,所以我笑话他。”

“冉有谈的不是治理国家吗?”

“怎么见得方圆五六十里就不是个国家呢?”

“那公西华呢?他说的不是有关国家的事吗?”

“祭祀和盟会,不是国家的事是什么事?公西华要是只能当助理主持人,还有谁能当主持人?”

通过这一段对话,弟子们知道,孔子的志向已经从治理国家、拯救天下下降到了享受人生了。

按《论语》。子路、曾皙、冉有、公西华侍坐,子曰:“以吾一日长乎尔,毋吾以也。居则曰:不吾知也。如或知尔,则何以哉?”子路率尔对曰:“千乘之国,摄乎大国之间,加之以师旅,因之以饥馑,由也为之,比及三年,可使有勇,且知方也。”夫子哂之:“求,尔何如?”对曰:“方六七十,如五六十,求也为之,比及三年,可使足民。如其礼乐,以俟君子。”“赤,尔何如?”对曰:“非曰能之,愿学焉。宗庙之事,如会同,端章甫,愿为小相焉。”“点,尔何如?”鼓瑟希,铿尔,舍瑟而作,对曰:“异乎三子者之撰。”子曰:“何伤乎?亦各言其志也。”曰:“暮春者,春服既成,冠者五六人,童子六七人,浴乎沂,风乎舞雩,咏而归。”夫子喟然叹曰:“吾与点也。”三子者出,曾皙后,曾皙曰:“夫三子者之言何如?”子曰:“亦各言其志也已矣。”曰:“夫子何哂由也?”曰:“为国以礼。其言不让,是故哂之。”“唯求则非邦也与?”“安见方六七十如五六十而非邦也者?”“唯赤则非邦也与?”“宗庙会同,非诸侯而何?赤也为之小,孰能为之大!”

弟子们的矛盾

俗话说:林子大了,什么鸟都有。

学生多了,什么人都有。即便是孔子的学生,也同样如此。

孔子的学生,分为老中青三辈,三辈的情况各不一样。

老一辈的学生中,子路和冉耕追随孔子在卫国,最近曾皙也过来了,还带着小儿子曾参。所以老一辈的就是三个人,三个人之间的关系处得不错。

中间一辈中,胡乱是整天没事干,和谁关系都好。子贡原本性格傲慢,喜欢说三说四,大家都挺烦他。不过周游列国回来之后,性格改变了很多,不再说别人坏话了,也谦虚了很多,再加上平时出手大方,常常周济生活困难的同学,因此,同学们渐渐开始喜欢他。

子贡最好的朋友是冉有。说来特怪,子贡一向目中无人,可是对冉有一直很客气,大致是被冉有的才能和沉稳的气质所折服。而冉有也很欣赏子贡的机智和慷慨,因此两人成为莫逆之交。

而子贡跟宰我始终不对眼,原因很简单:两人都很能说。平时没事了,两人就会争吵。争吵到最后,就成了仇人。

宰我的性格有点怪癖,而子贡又是人人喜欢,因此宰我就不太受欢迎了。

小一辈中,孔子比较看好的有四个人:子夏、子游、子张和曾参。

论才华和聪明程度，子夏比其他三个人都要出色。不过，子夏有一种傲气，看不起比自己差的人。而其余三个人尽管在聪明程度上不如子夏，但是不约而同地认为自己的人品比子夏好。

就这样，子夏成了小一辈中的的公敌，受到孤立。不过，子夏不在意。

基本上，老一辈都已经与世无争，因此老一辈与师弟们的关系都处得不错。

子贡和子夏都是卫国人，而且都很聪明，子贡很喜欢子夏，经常关照他。子夏家中很穷，子贡常常资助他一些，两人因此就走得更近。

师兄弟们之间，钩心斗角的事情常常会有。

有一次，孔子要出行，看天色似乎要下雨，孔子正在犹豫要不要拿雨伞的时候，跟随他出行的子游说话了："老师，子夏有把好伞，叫他拿来用吧。"

子夏确实有把伞，是子贡才送给他的。子张之所以建议用子夏的伞，不仅仅出于嫉妒，实际上还想让子夏难受，因为子夏这个人家里特穷，所以比较吝啬，平时绝对不借东西给别人。

"别出这馊主意了。"孔子当然知道子游的算盘，也当然不会上当。"子夏这个人不是那种很大方的人，不过这没有什么。告诉你，跟一个人交往，尽量交他的长处，不要触碰他的短处，这样就能长久地交往。"

子张见自己的小算盘被老师说破，一脸的尴尬。从此以后，再也不敢玩这种小心眼。

按《说苑》。孔子将行，无盖，弟子曰："子夏有盖，可以行。"孔子曰："商之为人也，甚短于财！吾闻与人交者推其长者，违其短者，故能久长矣。"

对于学生们之间的各种争斗，孔子都看在眼里。孔子通常不会直接批评他们，避免介入其中。不过，这不等于孔子坐视不管。孔子的办法，就是在平时的授课之中讲解为人处世交友的道理，旁敲侧击。

以下，都是《论语》中孔子教导学生们的道理。

子曰：君子周而不比，小人比而不周。

子曰："见贤思齐焉，见不贤而内自省也。"

子曰："君子欲讷于言而敏于行。"

子曰："德不孤，必有邻。"

子曰："已矣乎！吾未见能见其过而内自讼者也。"

子曰："君子和而不同，小人同而不和。"

子曰："君子病无能焉，不病人之不己知也。"

子曰："君子求诸己，小人求诸人。"

子曰："君子矜而不争，群而不党。"

子曰:"君子不以言举人,不以人废言。"

子曰:"当仁不让于师。"

子曰:"君子贞而不谅。"

见贤思齐,和而不同,群而不党,当仁不让,这几个成语出于这里。

有一次,子贡陪孔子聊天,说着说着,话题就到了几个小字辈的学生身上了。

"老师,您认为子张和子夏谁更贤能一些?"子贡问。孔子知道子贡和子夏的关系好,自己说什么,一定会传到子夏那里去,岂不是又要生是非?

"子张过了,子夏不够。"孔子说,意思是子张迂腐了点,子夏则市侩了点。

"那,是子张贤能一些了?"

"哼,过了和不够是一样的。"孔子说。他才不会说谁比谁好呢。

按《论语》。子贡问:"师与商也孰贤?"子曰:"师也过,商也不及。"曰:"然则师愈与?"子曰:"过犹不及。"

过犹不及,这个成语来自这里。

挫折让人变通

到了这个时候,孔子有一个看法有了重要的转变。

从前,孔子认为真正的仁者应该是为国君服务的,而不是为大夫服务。因此当初在鲁国和在卫国的时候,他就很反对学生们去出任大夫家的家臣,他把家臣称为陪臣,就是蔑视他们。

可是,如今的情况,各国的国政都在大夫手中,国君对人才基本没有需求,要出仕,在国君这个层面基本上没什么可能了,连自己都没戏,何况自己的学生呢?从前混得最好的子路和冉有,也都是当了家臣。

所以,孔子现在变得现实了,不仅不再阻止学生们当家臣,甚至开始鼓励。毕竟,自己的学生如果都穷困潦倒,今后谁还来当自己的学生?

"君子生于世间,没有非要做的事情,也没有一定不能做的事情,怎样合理恰当,就怎样去做好了。"孔子说,半辈子的挫折,让他学会了变通。

按《论语》。子曰:"君子之于天下也,无适也,无莫也,义之与比。"

一次,子贡问怎样才能让自己实现老师所提倡的"仁",孔子说了:"工匠要做好他的事情,首先就是要完善他的工具。对于你来说,当你住在一个国家的时候,跟随大夫中的贤能者去做事,与有仁德的士人交朋友。"

按《论语》。子贡问为仁。子曰:"工欲善其事,必先利其器。居是邦也,事

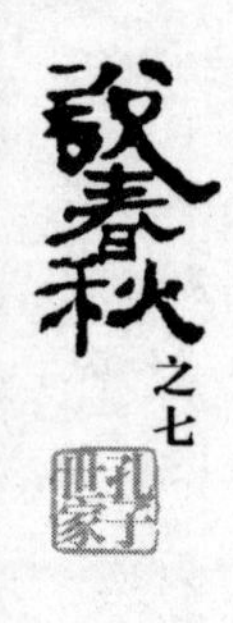

其大夫之贤者，友其士之仁者。”

如果用现代话来说，从前，孔子只想着要当国家高级公务员，想要改变国家。如今，知道要当国家公务员没有希望了，所以，开始勉励弟子们去好的公司打拼，与白领阶层交朋友。

子贡是个聪明人，他知道老师实际上已经听从了自己的建议，降低了自我要求以及对学生们要求的标准。

不过，为了印证自己的想法，子贡过了一段时间又想了一个办法。

这一天，子贡悄悄地来找孔子了。

“老师，我有一块美玉，是找个好匣子收藏起来，还是找个好价钱卖掉？”

“卖掉啊，卖掉才能产生价值啊，去找个好买家吧。”孔子说得毫不犹豫，要是放在从前，那可有好一番大道理来讲的。

按《论语》。子贡曰：“有美玉于斯，温椟而藏诸？求善贾而沽诸？”子曰：“沽之哉，沽之哉！我待贾者也。”

子贡彻底明白了，老师卖不出去自己，现在要尽力把学生们卖掉，让学生们去寻找自己的前途了。

第二六九章　子路和颜回

孔子要推销出去的第一个人是子路，这倒不是他认为子路最有才能，而是出于感情因素。子路跟随他的时间最长，最忠心最直爽，出力也最多，岁数又老大不小，如果再不能推销出去，这辈子就算是废在自己手中了。所以，于情于理，都要首先帮助子路找到出路。

孔圉是卫国的卿，一向非常好学，跟孔子的交往很多，时常向孔子请教学问，因此两人的关系很好。好到什么地步呢？或者说孔圉好学到什么地步呢？

按《论语》。子贡问曰："孔文子何以谓之文也？"子曰："敏而好学，不耻下问，是以谓之文也。"

这段话什么意思？就是在孔圉死之后被谥为孔文子，子贡问孔子为什么孔圉被谥为文，孔子说了："因为孔圉聪明而且好学，又不耻下问。"

敏而好学，不耻下问，这两个成语都来自这里。

孔圉是卫灵公的女婿，是现任国君卫出公的姑父。因此升迁机会比较多，这个时候已经成了卫国的卿。

公叔戍占领的蒲地已经被卫国夺了回来，现在是孔圉的封地，而蒲地恰好缺一名地方官员，也就是令，换现在说法，就是蒲县县长。

"我给你推荐一个人吧，子路这人不错，好学忠诚，没有私心杂念，还在季孙家当过管家，人品能力都是上佳，怎么样？"孔子向孔圉推荐，两人都姓孔，虽然不是一个来源，可是还是觉得比较亲切。

"好啊好啊，我面试一下。"孔圉知道子路的经历，也认识子路，不过还是要面试一下。

面试的结果是孔圉非常满意，于是子路成了蒲令。

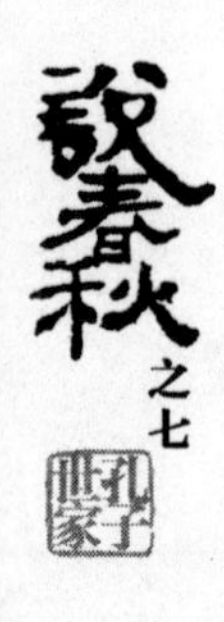

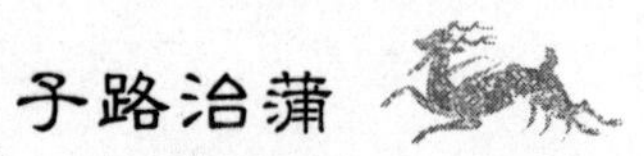

临行之前，子路来向孔子道别。

“由啊，你将要去当蒲令了，老师送给你车呢，还是送给你忠告呢？”孔子问。他为子路高兴，虽然他也只有一辆车，也愿意送给子路。

“忠告吧。”子路没有犹豫，他不能要老师的车。何况，上任之后，就会有车。

“那好。”孔子其实愿意送的也是忠告，他早就想好了。“蒲这个地方是卫国的主要兵源地，壮士很多，很难治理。不过我告诉你，只要恭敬客气，就能让勇者服气；只要宽容公正，就能与人相处融洽；只要谦恭廉洁，就可以亲近尊长。”

“嗯，还有吗？”子路觉得老师说得挺好，还想听。

“以身作则，然后可以劳民。”

“还有吗？”

“不要怠惰。”

“还有吗？”

“等你做一阵再来问吧。”孔子笑了，子路就是这样的人，问起来没完，有时候也挺让人烦。

按《论语》。子路问政。子曰：“先之，劳之。”请益。子曰：“无倦。”

子路带着老师的忠告上路了。

从楚丘到蒲，子路在石门这个地方住了一个晚上。第二天早上离开的时候，因为时间很早，守门人觉得这个人行色匆匆，有些可疑。

“请问，你是从哪里来的？”守门人问。

“啊，从孔丘那里。”

“孔丘？就是那个明知没戏却还要去做的人吗？”

“哈哈哈哈。”子路笑了，点点头，上路了。

按《论语》。子路宿于石门，晨门曰：“奚自？”子路曰：“自孔氏。”曰：“是知其不可而为之者与？”

不可为而为之，这个常用语，就来自这里。

子路在蒲地的治理不错，他一切按照孔子的标准去做，公正无私，工作努力，一门心思为老百姓做实事，因此子路在蒲的名声非常好，老百姓喜欢他，孔圉对他也很放心。

时间不长,子路又把高柴引荐给了孔悝,担任了孔悝封地的士师,也就是执法官。对此,孔子还有些意见,觉得子路应该推荐更优秀的师弟。可是没办法,子路就跟高柴的关系铁。

子路常常会派人看望老师,同时也向老师请教。而孔子也非常关注子路,有时候也会派弟子去看望他。

有一次,子路让人来问一个问题。

"什么是君子?"

"修养自身,保持谦恭。"

"这就行了?"

"修养自身,以帮助别人。"

"还有吗?"

"修养自身,以造福百姓。"孔子说,不过随后加了一句。"这一点,尧舜还担心自己做不到呢。"

按《论语》。子路问君子。子曰:"修己以敬。"曰:"如斯而已乎?"曰:"修己以安人。"曰:"如斯而已乎?"曰:"修己以安百姓。修己以安百姓,尧舜其犹病诸?"

又有一次,孔子得了重病,看样子就要过去了。于是子路就派自己的属下去伺候孔子,按照家臣规格要求他们。后来孔子病好了,对子路的做法很不满。

"太过分了吧。"孔子说。为什么这样说呢?"子路是在忽悠我啊。我本来没有家臣,他给我弄几个假的家臣来,让我骗谁啊?骗老天爷?况且说了,让我死在家臣手中,还不如死在学生们手中呢。再者说了,就算我不能得到风光大葬,难道还会死于道路吗?"

其实,子路也是好意,一般的大夫家中没有家臣,一定要是很有势力的卿大夫才有家臣。子路知道孔子好面子,所以派来几个手下假扮家臣,也是为了让孔子死得有面子。

谁知道,孔子反而不高兴了。

看来,子路天生不是个拍马屁的料,费了半天劲,最终还是挨骂。要是子贡做这样的事情,估计孔子不会这么说。要是颜回做这样的事,大概要受表扬了。

按《论语》。子疾病,子路使门人为臣。病闲,曰:"久矣哉,由之行诈也。无臣而为有臣,吾谁欺,欺天乎?且予与其死于臣之手也,无宁死于二三子之手乎。且予纵不得大葬,予死于道路乎?"

不管是请教也好，拍马屁也好，孔子说归说，心里还是挺高兴，他也知道子路是好心。不过，最新的一件事情真的让孔子紧张得不得了，以至于立即派子贡去找子路。

什么事？说起来，是件好事，好人好事，放在今天，算是感动中国的事情。

原来，子路看到蒲地的农村水利系统不完善，担心暴雨来临造成水灾，因此在春忙之后，组织当地百姓兴修水利，挖沟造渠。看到当地百姓生活普遍比较困难，子路于是从自己的俸禄里拿出粮食，每天向修水利的民工提供一顿免费的午餐。按照当时的规矩，午餐都应该是自己携带的。子路这一举动受到当地百姓的交口称赞，换了今天，也同样会受到广泛赞扬。

这一天，子路又率领百姓挖沟，子贡来了。

"子贡，你怎么来了？老师身体还好吗？"看见子贡，子路非常高兴，先问候了老师。

"老师身体很好，不过心情不好。"子贡说，对子路笑笑。

"为什么？"子路有些奇怪，老师心情不好，有什么好笑？

"老师很担心你，让你立即停止供应免费午餐。"子贡说。

"为什么？我这是施行仁德啊。老师平时总是叫我们要仁德，可是真正做起来又要阻止我，为什么？"子路很不解，甚至有些气愤地问。

"老师这么说。如果你认为老百姓确实不够吃的，应该上报给孔圉大夫或者国君，然后从公家的仓库里拿出粮食来救济大家。如今你私自用自己的粮食给大家，是要让百姓怨恨君主，而感激你。你想想，后果是不是会很严重？"子贡回答，这是孔子教给他的。

"是哦。"子路恍然大悟。

所以，仁德不仁德，还是要服从于政治的。坐而论仁，往往是不考虑当权者的利害的。这就是为什么有的人在当权之前爱民敬民，当权之后就变成了另一个样子，这未必就是他的思想改变了，而是情势所迫。

屁股决定脑袋，这条真理千古不变。

颜回少白头

在孔子的弟子中，论管理才能，冉有是独一无二的，孔子准备第二个推销出去的就是冉有。为此，孔子曾经问过冉有有没有兴趣在卫国找一份工作，冉有婉言谢绝了，他说他还想学习。但是实际情况并不是这样，冉有的家族都在季孙家做事，而冉有本人和季康子的关系不错，因此，冉有相信，他迟早会回到季孙家。

冉有谢绝了在卫国做官，孔子第三个准备推销谁呢？颜回。

孔子最欣赏的学生自然是颜回，连孔子自己也说颜回贤于自己。

有一次孔子问子贡："你觉得自己和颜回哪个要强一些？"

"我哪里能和颜回相提并论呢？颜回能够闻一知十，我不过是举一反二。"子贡说。其实，他对颜回的品德很敬佩，对颜回的学习态度很佩服，却未必对颜回的能力认同。

"是啊，你不如他，我跟你都不如他。"孔子说，说得很诚恳。

按《论语》。子谓子贡曰："汝与回也孰愈？"对曰："赐也何敢望回。回也闻一以知十，赐也闻一以知二。"子曰："弗如也。吾与汝弗如也。"

孔子认为颜回比自己还要贤，并不是假意谦虚，而是出于真心。为什么一向骄傲的孔子这样高看颜回呢？因为孔子是理想主义者，颜回则比他更理想主义。孔子想把自己的理想主义加于这个世界，颜回则愿意首先自己来实践这个理想主义。有的时候孔子对自己的话都有些怀疑，可是颜回坚决信从。

可以说，颜回就是孔子的完美版。或者说，孔子所标榜的，就是颜回所实践的。

孔子说：君子无忧。

"如果君子的修行没有成功，就乐在过程；如果成功了，就乐在结果。所以，君子一生都是快乐的，没有一天是忧愁的。可是小人不一样，成功之前忧虑能不能成功；得到之后又忧虑会不会失去。所以，小人一辈子都在忧愁，一天也不能快乐。"孔子这样说。

按《说苑》。子路问孔子曰："君子亦有忧乎？"孔子曰："无也。君子之修其行未得，则乐其意；既已得，又乐其知。是以有终生之乐，无一日之忧。小人则不然，其未之得则忧不得，既已得之又恐失之。是以有终身之忧，无一日之乐也。"

所以，尽管颜回很穷，但是他乐在其中。换今天的话说，就是穷开心。

对此，孔子大为赞赏：贤哪颜回。每天就吃一顿饭，住在贫民窟，别人都忧愁得受不了，可是他每天还是那么快乐。贤哪，颜回。

按《论语》。子曰："贤哉回也！一箪食，一瓢饮，在陋巷，人不堪其忧，回也不改其乐。贤哉回也！"

也正因为如此，孔子对颜回的教导往往都是高屋建瓴，站的高度明显比别人要高得多。

一次，颜回问什么是仁。

"仁，就是克己复礼。"孔子回答。这个词后世常常被用到。"一旦克己复礼了，天下的人就会说你是仁人了。所以，成就仁在于自身，难道还要仰仗别

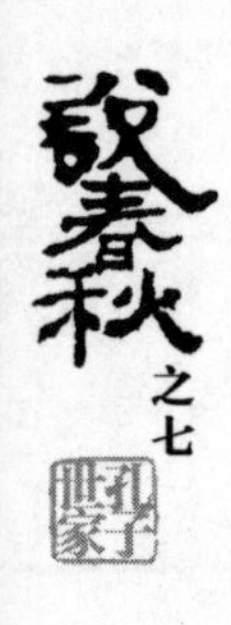

人吗？”

克己复礼，这个词的解释一向五花八门。大致的意思，就是约束自己，使自己的言行符合礼法的规范。

“那，具体怎样实行呢？”颜回问，他很少这样问问题。

“非礼勿视，非礼勿听，非礼勿言，非礼勿动。”孔子用了一个排比句。这里的非礼，不是现在的调戏妇女的意思，而是不符合礼法。

“我虽然不够聪明，我会按照老师的话去做的。”颜回说。

其实，这样的标准，连孔子自己也做不到。这，也是孔子认为颜回比自己贤的原因。

按《论语》。颜渊问仁。子曰：“克己复礼为仁。一日克己复礼，天下归仁焉。为仁由己，而由人乎哉？”颜渊曰：“请问其目。”子曰：“非礼勿视，非礼勿听，非礼勿言，非礼勿动。”颜渊曰：“回虽不敏，请事斯语矣。”

尽管看上去安于贫穷，内心里，颜回对于出仕还是很渴望。说来也是，如果不想出仕，学这些礼法又有什么意义？

整个《论语》，颜回只向孔子问过两个问题，除了上面一条问仁，就是另一条问治国的。

“老师，该怎么治理国家？”颜回问，鼓足了勇气。

“嗯，用夏朝的历法，乘坐商朝的车，戴周朝的帽子，乐曲用《韶》《舞》。不要听郑国的歌曲，远离奸佞小人，因为郑国的歌曲很淫荡，而奸佞小人很邪恶。”孔子这样说。基本上，颜回就是孔子谈论人生理想的最佳人选了。

孔子这样的回答，就如同现代人问怎样生活，于是孔子回答：“娶日本老婆，找法国情人，开德国车，看美国电影，请中国厨子。”

好是好，可是怎么能实现呢？

按《论语》。颜渊问为邦。子曰：“行夏之时，乘殷之辂，服周之冕，乐则韶舞。放郑声，远佞人。郑声淫，佞人殆。”

孔子知道颜回的理想，也知道颜回的心思。他当然希望颜回能够成为一国君主的辅佐，可是看来这太不现实。如果再不为颜回找一条现实的出路，就耽误了这个孩子。再者说了，颜回父子都是自己的学生，如果颜回的问题解决不好，自己的良心也说不过去。

因此，在安排好了子路之后，孔子主要就在帮颜回物色工作了。

孔子为颜回介绍了几份工作，可是，每一次的面试结果都是失败的。

“你准备怎样帮我管理封地？”一个大夫问。

“克己复礼啊，非礼勿视，非礼勿听，非礼勿言，非礼勿动。只要我做好了，三年之内整个封地就都克己复礼了，之后三年，整个国家就都克己复礼了。”颜回回答，用老师的话。

“那什么，你看，多么蓝的天啊。”大夫岔开了话题。大夫心说：“我关心的是你能不能管理我的属民，提高我的封地的粮食产量，处理好我的财务。克己复礼，复你个头啊。”

面试失败。

“你觉得管家应该怎么当？”另一次面试。

“用夏朝的历法，乘坐商朝的车，戴周朝的帽子，乐曲用《韶》《舞》。不要听郑国的歌曲……”颜回这一次换了一个说法。

“啊，那什么，我还有点事处理，你先回家等消息吧。”这位大夫直接赶人了。颜回走了之后，大夫对他的朋友说：“颜回脑子不是有毛病吧？夏朝历法干我们鸟事？郑国的歌曲那么好听，为什么不听？”

面试失败。

经历了多次的面试失败之后，颜回自己也很沮丧，不过他还要努力让自己感觉快乐。

孔子对此也很无奈。

按《论语》。子曰：“回也其庶乎。屡空。赐不受命，而货殖焉，亿则屡中。”

按过往的译法是这样的：颜回应该说很出色吧，可是他总是缺衣少食；子贡不信天命，去经商，结果常常能够预测准行情。

这样的译法是错误的，是为了掩饰孔子和颜回的失败。

正确的译法应该是：颜回难道注定只能是个平民了？他出仕总是落空；子贡没有按照老师的意愿出仕，选择了经商，总是赚大钱。

孔子这两句话显然是对照着来说的，如果说颜回出色，那么下一句就应该是子贡不出色。就如现在常说“坏学生发财了，好学生反而受穷”。所以，传统的译法是不正确的。

实际上，孔子想要说明的：想当官的当不了官，不想当官的却发了财。

隐隐然，孔子替颜回抱不平。但实际上，孔子应该为此负主要责任。颜回之所以沉醉于理想国的状态中，与孔子的循循善诱是分不开的。

“师兄，你怎么头发都白了？注意休息啊。”这一天，胡乱看见颜回情绪不佳，前来劝解。颜回的头发两年前就有些花白，如今已经全部白了。根据传说，这都是学习太刻苦的原因。

“唉，胡乱，你是后人，不妨跟你说句实话，我这头发，都是愁白的啊。自古以来，谁听说过学习刻苦头发就会白的？”颜回说，一脸愁容。

“愁什么？”

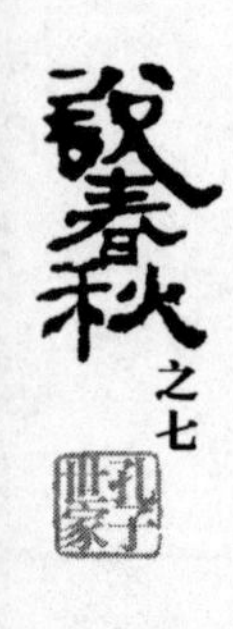

“愁什么？你不知道吗？”颜回反问。

胡乱尽管是后人，也不是个傻瓜，他很容易就猜出颜回在愁什么，人生愁苦，无非是愁情愁财愁前途。

“师兄，我觉得吧，老师都把自己的理想标准降低了，你为什么不多跟子贡师兄和冉有师兄学学，少讲点理想，多学些现实的技能呢？”胡乱出于好意，却忘了自己改变不了历史。

“你真是胡言乱语随便说啊，老师把我当成了仁德的标杆树在那里，我要是倒了，老师多没面子？我多没面子？唉。”颜回叹口气，摇摇头，走开了。

“面子，又是面子。自古以来，面子害死了多少人？唉。”胡乱自言自语，也叹了一口气。

第二七〇章　冉有和子贡

孔子回到卫国的第二年，也就是鲁哀公七年的春天，晋国攻打卫国。其实，也就是赵鞅攻打卫国。为什么赵鞅要攻打卫国？两个原因。

第一，在赵家和范家、中行家的战争中，卫国站在了赵家的对立面。第二，卫国废太子蒯聩投奔了赵鞅，赵鞅要帮助蒯聩夺回卫国国君的位置。

说起卫国国君，还有一段故事。

冉有的性格

当初卫灵公为了南子赶走蒯聩之后，一直没有立太子。直到卫灵公鞠躬尽瘁之前，才立了另一个儿子公子郢为太子，而公子郢从一开始就不愿意，到卫灵公死后，则是坚决不肯当卫国国君，而推荐蒯聩的儿子姬辄继承君位，最终，公孙辄登基，就是卫出公。

这个时候，蒯聩和卫出公之间的关系就很复杂了。

按理，卫出公可以把父亲请回来当国君，可是卫出公不愿意，他觉得国君的位置比老爹更重要。而蒯聩也可以选择待在国外，毕竟是自己的儿子出任国君了，应该为儿子高兴。

可是，父子二人谁也不肯让谁。

就在卫出公继任的时候，蒯聩也在想办法回来当国君。当时晋国内部正乱，赵鞅顾不过他来，于是只派了阳虎帮助他。阳虎带着人假装是为了卫灵公奔丧的，袭击了卫国的戚地，然后以戚地为蒯聩的据点，随时准备赶走卫出公，抢走卫国国君的宝座。

卫出公知道父亲有赵鞅的支持，因此不敢轻易攻打戚地，不过布置了重兵防范父亲。

这一次赵鞅出兵攻打卫国，卫国全力防守，晋国也没有什么办法。

对于这件父子相争的事情，孔子的态度怎样呢？

冉有对孔子的想法很感兴趣，他很想知道孔子想要帮助谁。

“兄弟，老师会不会支持卫出公？”冉有问子贡。从孔子的理论来说，父子相争，他应该支持父亲，也就是支持蒯聩；可是君臣相争，他又应该支持国君，那就是支持卫出公。

“我侧面问问。”子贡说，他也对这个答案感兴趣。

于是，子贡假装请教学问，来找孔子了。

“老师，伯夷叔齐是两个什么人？”子贡问孔子。

“古代的贤人啊。”孔子说。看见子贡来请教问题，孔子很高兴。

“那么，他们有没有什么抱怨？”

“求仁而得仁，有什么好抱怨的？”孔子说得不以为然。

子贡从孔子那里出来，对冉有说：“老师不会支持卫出公。”

按《论语》。冉有曰：“夫子为卫君乎？”子贡曰：“诺，吾将问之。”入曰：“伯夷叔齐，何人也？”曰：“古之贤人也。”曰：“怨乎？”曰：“求仁而得仁，又何怨？”出曰：“夫子不为也。”

冉有和子贡是死党，两人都非常聪明。论口才，子贡高于冉有，但是论城府，冉有深于子贡。子贡的聪明外露，而冉有的智慧深藏在内心。就像上面那件事情，冉有和子贡都猜到了孔子的态度，但是冉有不去问，而让子贡去问，而子贡非常想去问。

两人都属家境比较好的，因此共同话题很多。相比较，子贡比较傲气，喜欢批评嘲笑人；而冉有非常老到，八面玲珑谁也不得罪，用现代话说，就是情商非常高。

由于冉有的管理能力很强，而且人非常谨慎，孔子让冉有做管家。

一次，子路从蒲地来看望老师，顺便带了些土特产之类。

“老师，我有个问题想请教。”子路说，他每次来都有问题请教。

“说啊。”

“我总能听到一些好建议，是不是可以按照这些建议去施行？”

“你应该向当地的父老咨询之后再决定啊。”孔子回答。

子路得到了教导，告辞走了。

过一阵，冉有来请示工作，请示完之后，问了同一个问题。

“老师，有些好的建议，是不是可以听到了就施行？”冉有问。

“那当然了，听到了就去做啊。”孔子回答。

冉有得到了教导，也走了。

公西华一直就在孔子的身边，这个时候他提了一个问题。

“老师，为什么两个师兄提同样的问题，老师的回答截然不同呢？”公西华有些困惑，因为这两个师兄都是老师喜欢的学生，不大可能故意告诉谁错误答案。

“子路总是喜欢冒进，喜欢打头阵，所以我要让他谨慎；而冉有呢，总是小心翼翼，瞻前顾后，所以我要鼓励他大胆去做。”孔子说。

冉有的谨慎，由此可见一斑。

而孔子的因人施教，由此也可见一斑。

按《论语》。子路问：“闻斯行诸？”子曰：“有父兄在，如之何闻斯行之？”冉有问：“闻斯行诸？”子曰：“闻斯行之。”公西华曰：“由也问闻斯行诸，子曰有父兄在。求也问闻斯行诸，子曰闻斯行之。赤也惑，敢问。”子曰：“求也退，故进之；由也兼人，故退之。”

子贡初试锋芒

终于，鲁国来人了。确切地说，季康子派人来了。

“请我回鲁国？”孔子难免一阵激动，他早就想回鲁国了。

可是，孔子失望了。

季康子的人是来请冉有的，具体地说现在季孙家中缺一个管家，也就是从前子路的角色。季康子非常看好冉有，因此派人来请。

回不回去？傻瓜才不回去。

“回去吧。”孔子也很支持。

冉有决定回去，没有不回去的理由。

“师哥，你这次回去，一定要找机会让季孙把老师请回去。”子贡为自己的朋友高兴，不过他更觉得这是一个机会，一个为孔子回鲁国作铺垫的机会。

“兄弟，放心吧，这件事情交给我了。”冉有其实也非常清楚老师的思乡之情，他会把这件事情办好的。

临行之前，冉有请求老师让子贡送自己去鲁国，孔子也慨然允诺了。

依依不舍，冉有离开了老师和师兄弟们。

冉有和子贡以最快的速度回到了鲁国，见到了季康子。季康子对冉有一向非常欣赏，当即任命他为季孙家的管家。冉有把子贡也介绍给了季康子，意

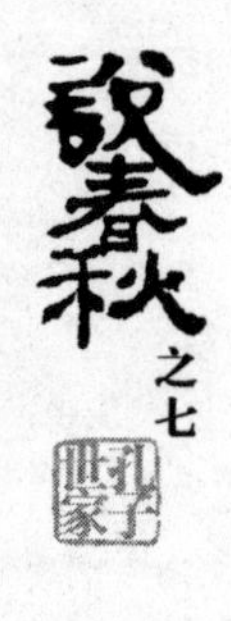

思是希望季康子也给个职务，不过季康子并没有回应，因为他并不了解子贡。而子贡本人对于在季康子家谋事并没有兴趣，他不过是想来鲁国看看。

就这样，冉有上任，成了季孙家的管家。子贡住了几天，准备回到卫国。可是就在这个时候，发生了一件事情，让子贡一时还不能回去。

此时，吴王夫差要与晋国争霸，在太宰伯嚭的建议下，吴国挥师北上，已经到了鲁国边境。吴国人提出要和鲁国盟誓，鲁哀公迫于吴国人的强横实力，不得不前往鄫地去见吴王夫差。伯嚭要求鲁国用百牢接待吴王夫差，没办法，鲁国也只能照办了。（此事见第五部第194章）

这还不算完，伯嚭知道鲁国实际上在季孙家的管治之下，因此派人请季康子前往鄫地，要让季康子知道吴国人的厉害。

季康子当然不想去，可是又不敢不去，怎么办？

“主公，我的师弟子贡能言善道，何不派他前往吴国人那里推辞掉？”冉有推荐了子贡，觉得这是一个立功的机会。

“好吧，让他以家臣的身份前往吧。”季康子这个时候也没有别的办法，只能死马当做活马医了。

子贡很高兴接受这样的任务，不过他倒不是想要在季孙面前表现什么，而是觉得这是施展自己口才的一个机会。

就这样，子贡以季孙家臣的身份前往鄫地，去见伯嚭。

子贡去拜见伯嚭，伯嚭这个时候正是大权在握，藐视天下的时候，除了吴王夫差，看见任何人都抬着头说话，根本不把人放在眼里。

“我们国君不远千里，来到这里，就是为了增进两国的友谊。可是，贵国的执政大夫却闭门不出，这是什么礼法啊？啊？你们鲁国还是礼仪之邦呢。”得知子贡是季康子的使者，伯嚭兜头就是一顿训斥。

别人怕他，子贡不怕他。

“得了，别说什么礼法不礼法了，我家主公不来，跟礼法没关系，纯粹就是害怕你们。”子贡上来就是一通大实话，直接把伯嚭给说愣了。伯嚭万万没有想到，特好面子的鲁国人说话这么直接，这么不讲面子。伯嚭原先的推测，季康子估计要找娶老婆拉肚子之类的借口呢。

伯嚭不知道，眼前这个人根本就不是鲁国人。

“那什么，怕我们？我们有什么好怕的？”伯嚭虽然嘴上还是很硬，可是气势已经被打了下去。

人都是这样，如果事情按照自己的预想推进的话，气势就会越来越嚣张；但是如果事情的进展完全不在自己的预料之中，那么思路就会被打乱，气势自然就会被压下去。

"大国如果不以礼法约束自己，不以礼法来对待诸侯，那事情就麻烦了。"子贡已经看出了伯嚭的色厉内荏了，所以毫不放松，步步紧逼。"我们的国君已经奉命前来了，大夫自然应该留在国内镇守。说到礼法，当年太伯到吴国的时候，依然施行周礼。可是到了他儿子那一辈，就都断发文身了，这难道合乎礼法？不过都是迫于情势罢了。"

关于太伯的事情，子贡是从孔子那里学到的。不过，子贡的学习态度不好，因此不知道其实太伯就已经断发文身了。但是胡说胡有理，这时候拿出来用，竟然把伯嚭说得无话可说了。

伯嚭是万万没有想到季康子家还有这么一个能说的人，更是万万没有想到这个人竟然敢跟自己这样说话。

"那，那什么，我不跟你说了，你回去告诉季康子，让他自己看着办吧。"伯嚭讲不出理来，干脆来蛮横的。

子贡告辞要走，突然，伯嚭叫住了他。

"等等，你叫什么？"伯嚭问，他觉得这个人有些不寻常。

"端木赐。"子贡说。

"端木赐？你是不是孔丘的学生？"伯嚭又问，他听说过子贡的名字。

"对。"

"哦，怪不得这么有学问。"伯嚭有点恍然大悟的感觉，当初孔子为吴国使者解答骨节专车的事情在吴国已经人人皆知了，所以伯嚭知道孔子非常博学。

到了这个时候，伯嚭真是对子贡刮目相看了，态度一下子温和了很多。

伯嚭对孔子很有兴趣，问了很多孔子的事情。子贡也不客气，一通忽悠，把老师吹上了天，把老师说得天文地理无所不通，七十二行无所不晓，把个伯嚭忽悠得云里雾里。

"哇噻，孔子怎么什么都会啊？真是圣人哪。"伯嚭惊讶地问子贡，这时候他也改口称孔子了。

"当然，老师就是天降的圣人，所以什么都会。"子贡忽悠得眉飞色舞，这时候什么都敢说。

"你，你不是在忽悠我吧？"伯嚭笑着问，他突然觉得有些不可思议。"你一定是在夸大了。"

"嘿嘿，太宰，跟您这么说吧。我子贡就是一堆土，我老师则是一座高山，你认为我这一堆土能增加山的高度吗？"子贡继续忽悠，他的口才确实非常出色。

"那，你对孔子的知识有斟酌取舍吗？"

"老师的知识就像是一个大酒樽，谁要是不去饮，谁才是傻瓜呢。"

两人又聊了一阵，伯嚭对孔子几乎已经到了崇拜的程度。

“那，我想请孔子来吴国做事，帮我转达一下？”伯嚭现在最想见的人就是孔子了。

“不瞒太宰说，我老师现在身体不好，而且对当官没有任何兴趣了。您的问候我会替您转达，至于去吴国当官，我看，还是算了吧。”子贡替孔子谢绝了，他不看好吴国和伯嚭。

“那什么，你怎么样？有兴趣跟我去吴国吗？”

“我？我先跟老师再学几年，然后我去找您吧。到时候您不要装成不认识我啊，哈哈哈哈。”子贡找了个理由谢绝了。

子贡告辞的时候，伯嚭依依不舍，送他出门，外带了一份吴国特产作为礼物。

后来子贡把这件事情跟孔子说了一遍，孔子很感动地说：“太宰是我的知己啊。我小的时候出身微贱，所以什么都学。君子会认为自己的才能太多吗？不会的。”

按《论语》。太宰问于子贡曰：“夫子圣者与？何其多能也。”子贡曰：“固天纵之将圣，又多能也。”子闻之，曰：“太宰知我乎。吾少也贱，故多能鄙事。君子多乎哉？不多也。”牢曰：“子云：吾不试，故艺。”

子贡回到鲁国，向季康子报告了自己这趟出使的情况，并且告诉季康子：“你可以不用去，吴国人不会把你怎么样。”

“既然吴国人不会把我怎么样，我看，我还是去吧。”季康子还是有些担心自己不去会招来吴国人的讨伐，所以决定还是去。

就这样，季康子最终还是去了鄫地见伯嚭，临行前邀请子贡留在季孙家，不过，子贡拒绝了。

子贡的分步走

子贡从鲁国回到了卫国，孔子急忙向他打听鲁国的事情，子贡把自己的所见所为一五一十说了一遍，孔子听得很仔细，还不停地发问。

师徒二人一直聊到半夜，子贡才告辞而去，孔子则有些意犹未尽。

“唉，老师是该回去了啊。”子贡暗想。

除了为老师的将来想办法之外，子贡觉得也应考虑自己的未来了。对于孔子，子贡已经非常敬仰，老师的学问，老师的为人都让子贡佩服得五体投地。不过，老师的处世态度并不是子贡所喜欢的。

按照子贡的想法，现在就该出去经商了，他对自己的商业头脑非常有信心。可是，子贡也知道，老师对自己的期望越来越高，如果自己不按照老师的意愿去当官，反而去从事老师最讨厌的经商的话，老师会很失望。

“那，分几步走吧。”子贡对自己说。

这一天，子贡陪老师聊天。

“老师，如果一个人能做到贫穷但是不奉迎别人，富贵但是不骄傲，怎么样？”子贡问。

“那这个人就算不错了。”孔子看子贡一眼，他觉得子贡是在说他自己，所以他要进一步勉励子贡。“不过呢，贫穷还能自得其乐，富有还能谦恭有礼，这就更好了。”

“老师，《诗》中的‘如切如磋，如琢如磨’就是您说的意思吗？”子贡突然引用了《诗》，这让孔子大为吃惊，因为子贡一向就不大喜欢学习《诗》。

“如切如磋，如琢如磨”出于《诗经·卫风·淇澳》，说的是制造玉器的过程，这里引申为精益求精，不断进步。子贡意思，就是我说的那种人虽然很好了，可是还要不断进步，达到孔子所说的境界。

切磋、琢磨，这两个词来自这里。

“哇噻，赐啊，你现在都懂得抢答了，说到过去你就知道将来了。从今以后，可以跟你讨论《诗》了。”孔子有点喜出望外的意思。

“嘿嘿。”子贡笑了，其实，这两句诗是他找子夏帮他准备的，子夏的学习成绩比颜回还好。之所以这样，只是想让孔子知道，自己跟老师学习这么多年，还是很用心的，还是很有收获的，老师不要太失望或者觉得对不起我。

这天，师徒二人谈得开心，孔子讲了很多《诗》的感受，子贡也背了几首，不用说，都是子夏替他准备的。

总之，孔子觉得子贡的学问一下子提高了很多，看来是开了窍。

按《论语》。子贡曰：“贫而无谄，富而无骄。何如？”子曰：“可也。未若贫而乐，富而好礼者也。”子贡曰：“诗云：如切如磋，如琢如磨。其斯之谓与？”子曰：“赐也，始可与言诗已矣。告诸往而知来者。”

又过了几天，子贡又来陪老师聊天。聊着聊着，子贡提出问题来了。

“老师，我已经厌倦了学习，对于老师您说的治国之道又很困惑。所以，我想休息了。”子贡说出这样的话来，想退学了。

孔子吃了一惊，原本想发火，可是想想子贡最近进步不小，又不好对他太生硬。由此可见，子贡前几天的铺垫是很有道理的。

“那，你怎么休息啊？”孔子问。

“我，我干脆去从政吧。”子贡说，虽然实际上他对从政没什么兴趣，可是一

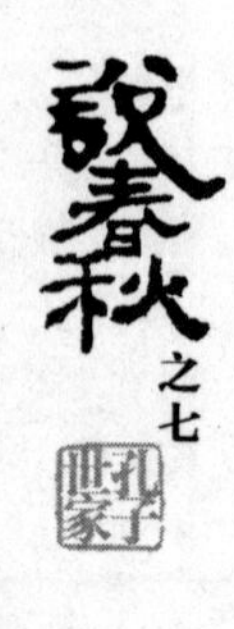

定要这么说。

“你以为从政可以休息啊?”孔子笑了,毕竟从政也是自己对弟子们的期待。“《诗》说:‘温恭朝夕,执事有恪。’从早到晚都要保持恭敬,随时随地都要小心谨慎。你说容易吗?你能得到休息吗?”

“温恭朝夕,执事有恪”出于《诗经·商颂·那》。

“那,我回家去侍奉父母,当个孝子,行不行?”子贡早就想好了说辞,他知道孔子很重视孝,因此说回家当孝子保证不会被批。

“你以为那简单啊?”孔子又笑了,他觉得子贡很可爱。“《诗》中写道:‘小子不匮,永锡尔类。’要当个孝子,也不是那么容易啊。”

“小子不匮,永锡尔类”出于《诗经·大雅·既醉》,意思是孝子的孝心无穷尽,祖宗永赐你们好。

“那,那我老婆孩子热炕头,怎么样?”子贡想了想,说一个很没有志气但是至少合乎人情的理由。说完,他看着孔子,担心这一次会挨批。

“嘿嘿,这倒是人人都想的。”出乎子贡的意料,孔子并没有生气,反而笑了。确实,回到卫国之后,孔子平实了很多,不再像从前那样动不动豪言壮语了。“《诗》中写道:‘刑于寡妻,至于兄弟,以御于家邦。’老婆孩子热炕头也没那么舒服的。”

“刑于寡妻,至于兄弟,以御于家邦”出于《诗经·大雅·思齐》,意思是给老婆做典范,推及到自己的兄弟,然后来治理国家。引申就是,处理好与老婆的关系,比治理国家还要难。

“那,那我去结交朋友行不?”子贡有点沮丧,老师总能找到合适的诗来跟自己说事,自己想反驳都找不到根据。

“朋友?”孔子这一次没有笑,瞪了子贡一眼。“《诗》中写道:‘朋友攸摄,摄以威仪。’结交朋友也很累的。”

“朋友攸摄,摄以威仪”出于《诗经·大雅·既醉》,意思是朋友之间可以相互辅助,所用的就是威仪。

“那,那,那我去当农民伯伯,回家种地总行了吧?”子贡无可奈何,说要回家种地。为什么说无可奈何?因为孔子最讨厌学生去种地,他认为那样是浪费了所学的知识,是对老师和知识的亵渎。

“种地?当农民伯伯?哼。”果然,孔子冷笑了一声。“《诗》中写道:‘昼尔于茅,宵尔索绹。亟其乘屋,其始播百谷。’当农民伯伯,辛苦死你。”

“昼尔于茅,宵尔索绹。亟其乘屋,其始播百谷”出于《诗经·豳风·七月》,意思是农民伯伯白天割茅草,夜里搓绳索,抓紧时间修房子,还要赶着种庄稼。

“那那那那那,那这辈子就没有休息的机会了?”子贡现在的思维有点混乱了，这不怪他，只能说孔子的忽悠太到位了。

孔子笑了，站了起来，然后指指远方。

“你看那里。”孔子说，子贡也站了起来，顺着孔子手指的方向看了过去。“你看那座坟墓，高高的。看它那么高，好像山巅；看它的侧面，又好似鬲。到了那个里面，就可以躺着休息了。”

说完，孔子陷入长长的沉思。

子贡已经被完全带入了孔子的思路，望着坟墓，他油然而生一股敬意，脱口而出：“死真的是一件了不起的事情啊，君子休息了，小人终结了。死真了不起，我爱死。”

“我爱死”后来成为一个习惯用法，意思是特别喜欢，譬如“我爱死你了”、“我爱死大米饭了”，这个习惯用法，大致就是出于子贡的话了。

第二七一章 《诗经》

上一次和子贡的谈话让孔子的心情沉重了好几天，不过在几天之后，孔子回过味来。

“这个狡猾的子贡，他肯定是想离开这里出去做事了。”孔子明白了子贡的意图，子贡说话一向是有意图的。

尽管舍不得子贡离开，孔子还决定尽快为子贡找到出路。还好，以孔子的人脉加上子贡能干的名声，很快，孔子为子贡争取到了一份官职——信阳宰。

胡言乱语随便说

尽管不想去当官，可是对于老师的美意，子贡不忍心拒绝。既然不忍心拒绝，子贡就只能去上任，照例，上任之前，要向老师请教怎样做官。去的时候，叫上了胡乱同去。

“多谢老师，我怕自己做不好，特地向老师请教。”子贡的口才很好，说出话来恭敬而且谦虚，让孔子听着舒服。

“说吧。”

“在一个地方执政，最重要的是什么？”

“粮食储备要足，保持军备，在老百姓中有公信力。”孔子说，高屋建瓴。

“那，如果迫不得已要去掉一项，去掉哪项？”子贡问，这是他提问的习惯方式，总是让孔子挠头。

孔子挠了挠头，学生当中有三个人爱提这类问题，一个是子贡，一个是宰我，另一个是胡乱。不同的是，子贡提问题是真心请教，宰我提问题是纯属刁难，胡乱提问题则是胡言乱语。所以，虽然三人的问题都很刁钻，孔子却不讨厌子贡，而讨厌宰我，漠视胡乱。

“我看，那就把粮食去掉吧。人生自古谁无死？可是，没有公信力，国家就维持不下去了。”孔子艰难地作出了选择。

按《论语》。子贡问政，子曰：“足食，足兵，民信之矣。”子贡曰：“必不得已而去，于斯三者何先？”曰：“去食。自古皆有死，民无信不立。”

“老师，我觉得不对。俗话说：民以食为天。要是人都饿死了，国家不是都不存在了？”胡乱插了一句话。

“那你觉得什么对？”孔子瞥了胡乱一眼，反问。

“我觉得，应该去兵。世界和平嘛，和谐社会嘛，要什么兵？”胡乱说。

“真是胡言乱语，当今世界没有军备的话，到时候想死都死不成，都被抓去当奴隶了，不是比死更惨？”孔子反驳。

“可是，这不是颜回师兄的梦想吗？”胡乱不服，还说。

“唉，那就是个梦想啊。”孔子叹了一口气，摇摇头，心说还好宰我没在旁边，否则自己真就顶不住了。

胡乱还要说，看见子贡对自己使眼色，于是不再说话。

等到孔子叹完了气，子贡笑笑，继续发问。

“老师，如果有人能够广施恩惠，让老百姓都过上好日子，这算不算是仁？”子贡提出这个问题非常聪明，因为孔子最爱听的就是这个仁字。

“算不算仁？”果然，孔子来了精神，声音一下子提高了八度。“这岂止是仁，简直就是圣啊，尧舜要做到这点都十分困难啊。什么是仁？就是为了自己生存而帮助别人生存，为了自己成功而帮助别人成功。能在现实中推己及人，那就是实现仁的方法了。”

按《论语》。子贡曰：“如有博施于民，而能济众，何如？可谓仁乎？”子曰：“何事于仁，必也圣乎！尧舜其犹病诸！夫仁者己欲立而立人，己欲达而达人。能近取譬，可谓仁之方也已。”

子贡点头，他觉得老师说的很正确。

“嘿嘿嘿嘿。”胡乱在一旁笑了起来，子贡瞪了他一眼，心说：“这孙子，真没礼貌。”

“乱，你笑什么？”孔子皱皱眉头，问。

“我在笑，所谓的舍己为人、先人后己、大公无私等等，实际上都不是老师提倡的了，可是大家还以为是老师的说法呢。”胡乱说，依然在笑。

“舍己为人？凭什么舍己为人？为什么舍己为人？毛病吧，真是胡言乱语。”孔子不解地看着胡乱，训斥道。

没办法，几千年以后的事情，不是孔子可以想象的。

胡乱没有说话，还在偷偷地笑。

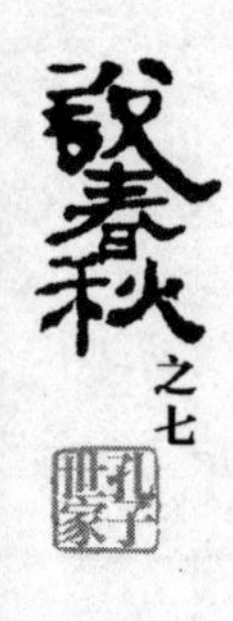

气氛有点尴尬，这个时候子贡很后悔把胡乱给带来了。

“那什么，”为了改变尴尬的气氛，子贡在寻找新的话题，“如果百姓都称赞某个人，能不能用他？”

“不能。”孔子回答得很干脆，子贡吃了一惊。

“那难道，百姓都说他坏话的人，这样的人反而可以用？”

“不能。”孔子回答得同样干脆，看着子贡一脸的疑惑，接着说：“如果好人都说他好，坏人都说他坏，这样的人就可以用。”

子贡点头，虽然问题都是勉强提出来的，可是答案还是让子贡感觉受益匪浅。

按《论语》。子贡问曰：“乡人皆好之，何如？”子曰：“未可也。”“乡人皆恶之，何如？”子曰：“未可也。不如乡人之善者好之，其不善者恶之。”

己所不欲，勿施于人

子贡来到信阳，担任信阳宰。

仅仅干了一个月，子贡就干不下去了。

“奶奶个球，太没劲了。”子贡对自己说。他不是管理不好，而是根本不想去管。他很讨厌管人的感觉，也很讨厌向老板汇报工作的感觉。更令他讨厌的，就是官场里的奉迎做戏，尔虞我诈。

子贡的性格，想不干就不干了。于是，递交了辞职信，拍拍屁股走人了。

不管怎么说，子贡觉得自己努力过了，虽然没有达到老师的期望，至少按照老师的期望去做了。所以，去见老师也不用太惭愧。

就这样，子贡去见孔子了。

“赐啊，你是不是不干了？”看见子贡，孔子迎头就问。

“啊，老师，你怎么知道？”子贡吃了一惊，自己辞完职就来了，不可能有人就把这事情告诉老师了。

“其实，我早就知道你对做官没有兴趣，去的时候看你步伐沉重，十分勉强。而你回来的时候，步伐轻快，似乎是甩掉了包袱。所以，我知道一定是不干了。”孔子说，说得和颜悦色，丝毫没有要批评子贡的意思，这让子贡也彻底放了心。

子贡坐了下来，恰好胡乱来到，孔子就让胡乱温了酒，也坐在一旁。

子贡先问候了老师的身体，之后开始介绍自己一个月来的情况，孔子仔细地听着，有时点头有时摇头。

“老师，我这人就这样，不想把自己的强加给别人，也不想被别人强加什么。所以，我真不是一个混官场的料。”最后，子贡这样总结自己，也算是说出一个辞职不干的理由。

“赐啊，我知道，这确实不是你能做到的。”孔子说，他知道要改变一个人的性格确实很难，尤其是子贡这种聪明人。

按《论语》。子贡曰：“我不欲人之加诸我也，吾亦欲无加诸人。”子曰：“赐也，非尔所及也。”

“师兄，你不想管人，也不想被人管，世界上哪里有这样的职业啊？”胡乱一边斟酒，一边问。

“我想去经商，自己当老板，跟商品打交道，跟人之间只是平等的交易，谈得来就成交，谈不拢就不谈，岂不是就能做到这一点？”子贡说，他辞职就是为了经商，实际上，他一直的目标就是经商。

孔子没有说话，只管喝酒。孔子的心情很矛盾，经商是他不主张的，可是他又知道，子贡的才能就在经商上。所以，反对也不好，支持也不好，就干脆沉默。

“老师，我想要离开这里了，不过我会经常回来看您。离开之前，老师能不能赠送我一句可以终身奉行的话？”子贡问，十分恭敬真诚。

胡乱竖起了耳朵，他也想知道。

“大致，就是宽恕吧。”孔子沉吟了一下，眼前一亮，提高了声音说：“己所不欲，勿施于人。”

“己所不欲，勿施于人。子贡牢记在心，谢谢老师。”子贡向孔子跪拜，他知道，这句话够自己受用终身了。

胡乱也向孔子跪拜。他也知道，老师的话够自己祖祖辈辈受用了。

按《论语》。子贡问曰：“有一言而可以终身行之者乎？”子曰：“其恕乎！己所不欲，勿施于人。”

己所不欲，勿施于人。这句话听起来简单，理解起来容易，执行起来也并不难，可是世世代代及至今天，又有多少人能够做到呢？如今讲精神文明讲和谐社会，讲来讲去，不如讲一句“己所不欲，勿施于人”。

《诗经》

子贡离开了，孔子的心情非常不好。自己这么多弟子中，有两个人对自己最为关心，一个是子路，那是真心关心自己，随时想着自己；另一个是子贡，与子路相比，子贡更有心计，更了解老师的心思，更能投其所好，让老师开心。

所以，与子路在一起，孔子有安全感；与子贡在一起，孔子有幸福感。如

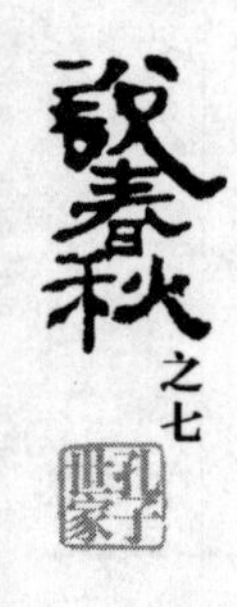

今，子路去了蒲，虽然时时派人来看望老师，可是本人来的机会并不多；而子贡去经商，不知道什么时候才能再来看自己，没有子贡，孔子突然觉得有些索然无味。

孔子知道，自己应该寻找新的寄托了，什么寄托？

"老师，这段诗是什么意思？"就在孔子感到茫然的时候，子夏来向老师请教学问了。"巧笑倩兮，美目盼兮。素以为绚兮。"

前面两句出于《诗经·卫风·硕人》，全句的意思是：美女的笑容明媚动人，美丽的眼睛顾盼生情，不加装饰却更加动人。

"这就像画画啊，彩色都是在素色的底上作画啊。"孔子回答。

"就像仁义为底，礼法出于其上一样吗？"子夏说。

"哇噻，你联想得对啊。商啊，你启发了我，我愿意跟你谈论诗。"孔子非常高兴，高兴得笑了。

按《论语》。子夏问曰："'巧笑倩兮，美目盼兮'，何谓也？"子曰："绘事后素。"曰："礼后乎？"子曰："起予者商也，始可以言诗已矣。"

事实上，子夏对孔子的启发不仅仅是这两句诗，而是一个大的计划。

"商啊，我想要做一件事情，你来帮我吧。"孔子说。他要做一件事情，为了自己，也为了子夏，还为了子子孙孙。

孔子的学生中，虽然学习刻苦的不少，但是真正能够做学问的并不多，颜回是一个，颜回之外，就只有子夏、子游和子张了。在这几个能够做学问的人中，颜回、子游、子张都是循规蹈矩的人，创见性不足，唯有子夏特别有自己的见解，倒有可能成为一代宗师。

所以，孔子渐渐地特别喜欢子夏，他感觉要发扬自己的学问，子夏是最有希望的。

鲁哀公七年（前488年），孔子六十四岁，晚秋的时候，孔子决定修编《诗》，首席助手就是子夏。

诗，夏商就有，到了周朝则更加繁荣。最早，王室专门有官员负责收集各地的诗。所以，周朝的诗不仅多，而且分类清晰。到了孔子这个时代，有记载的诗已经有三千多篇。但是，这三千多篇诗鱼龙混杂，质量不一，并且对于一般人来说太过庞杂。

事实上，在孔子之前，就已经有人删编过诗。而孔子也准备对这三千多篇诗进行删编，当然，按照自己的标准。怎样删编呢？《史记》中有记载。

按《史记》。古者《诗》三千馀篇，及至孔子，去其重，取可施于礼义，上采契后稷，中述殷周之盛，至幽厉之缺，始于衽席，故曰"《关雎》之乱以为风始，《鹿鸣》为小雅始，《文王》为大雅始，《清庙》为颂始"。三百五篇孔子皆弦歌之，以求合《韶》《武》《雅》《颂》之音。礼乐自此可得而述,以备王道,成六艺。

大致的意思是这样的:古诗三千多篇,孔子按照合不合于礼义的标准,再去掉那些重复的作品,最终精选出三百零五篇,这就是后来的《诗经》。基本上,这些诗从周朝的老祖宗开始一直到春秋,还包含了一些商代的诗。风雅颂三个部分的第一首都很有讲究,风的第一首是《关雎》,小雅的第一首是《鹿鸣》,大雅的第一首是《文王》,颂的第一首是《清庙》。

为什么这几首诗要排在首位呢?《关雎》讲的是婚姻之礼,《鹿鸣》讲的是君臣之礼,《文王》讲的是事天之礼,《清庙》讲的是祭祖之礼。所以说,孔子选定的每一首诗,各有各的理由。

在编选的时候,子夏就问过老师这样的问题。

"老师常说男女授受不亲,为什么要收录'国风'这种靡靡之音?"子夏问,他觉得这不符合老师所宣讲的仁德的主旨。

"孩子,一首诗淫不淫不在于诗中写到什么,而在于你心中想到什么。在我看来,国风这些诗不过是在写百姓的生活,男欢女爱有什么错吗?所以,我这三百多首诗怎么看呢?告诉你一句话:不要用邪念去看。"孔子很严肃地给子夏上了一堂课,子夏点点头。

"嗯,我可以去看女孩子洗澡了,只要我没有邪念就好。"子夏心想,他早就想去看隔壁姑娘洗澡,怕被老师骂,如今看来,可以去看了。

按《论语》。子曰:"诗三百,一言以蔽之,曰'思无邪'。"

"那,为什么要《关雎》这样讲男女幽会的作为整部《诗经》的第一首呢?"子夏还要问,因为他还想去跟隔壁的女孩子幽会。

"孩子,《关雎》这首诗讲的可是至高无上的道理啊。你想象一下,诗里面的两个男女在旷野之中,山水之旁,一切出于自然,难道不是天作之合?《关雎》所讲述的道理,难道不是人类最基本的生存之道?如果没有男欢女爱,人类怎么繁衍?我们还讲什么仁义?所以,《关雎》所讲的,就是人世间最美好最崇高最仁义的事情,这样的诗不放在第一位,什么能够放在第一位?"孔子说,眼中放射出春天般的光芒。

"哇噻,《关雎》实在是太伟大了,真是人类生长于天地之间的根本啊。"子夏慨叹,心中已经下定决心要去和隔壁的姑娘行一行这最伟大最崇高的仁义。

胡乱恰好在旁边,他不懂诗,但是说到君子好逑,他还是有兴趣。

"老师,这么说来,泡妞也是合乎仁义的?"胡乱提出了一个问题。

"泡妞可以,但是不能乱泡,要泡之以道。"孔子想了想,笑了笑,然后叹了一口气。"唉,老了,可惜我已经老了。"

现在,孔子已经完全沉浸在《关雎》的意境中了。

按《论语》。子曰:"关雎,乐而不淫,哀而不伤。"

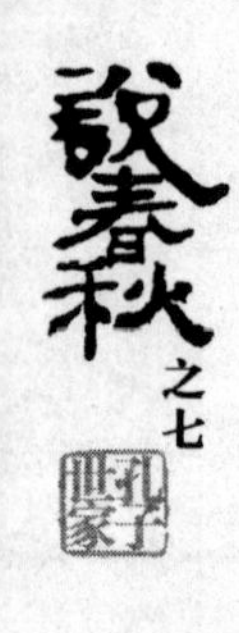

孔子认为,《诗经》简直就是一部百科全书。

孔子常常对学生们说:“同学们啊,怎么不学诗呢?诗可以激发情趣,可以了解社会,可以懂得交往朋友,还可以抒发自己的不忿。近了说,可以教给你们怎样孝敬父母;远了说,可以告诉大家怎样侍奉君王;另外呢,还可以知道不少鸟兽草木的名称。”

基本上,一部《诗经》,就能让大家家庭和睦,事业发达,在朋友圈子中八面玲珑,在官场如鱼得水。

按《论语》。子曰:“小子,何莫学夫诗?诗可以兴,可以观,可以群,可以怨。迩之事父,远之事君。多识于鸟兽草木之名。”

于是,孔子的学生们拼命背诵《诗经》,一个个背得头昏脑涨。

“老师,《诗经》真有您说的那么灵吗?”胡乱悄悄地来问。

“灵不灵,看悟性。”孔子说了,心说你这样的背再多也没用。“就算把整部《诗经》背下来,让你去执政,你做不好;或者让你去出使,你什么都说不清楚。那就算你背得多,有个球用啊?”

按《论语》。子曰:“诵诗三百,授之以政,不达;使于四方,不能专对;虽多,亦奚以为?”

关于《诗经》,论述已经太多,此处省略十万字,只用两句话来概括:《诗经》是中国和世界历史上一部超级伟大的作品,影响了整个中华文化数千年。而如果没有孔子编修,也许我们今天已经见不到或者至少不能如此完整系统地见到祖先们的精彩作品了。

第二七二章　父与子

孔子专心在卫国教书育人，修删《诗经》，闲暇的时候就带着子夏、子游、子张、公西华、曾参等小弟子们在郊外游玩，吟诗唱歌，倒也其乐融融，浑然不知老之将至，不提。

与此同时，鲁国又发生了大事。

吴国人打来了

鲁哀公七年(前 488 年)冬天，鲁国挥师南下，侵占了邾国，并且活捉了邾国国君。邾国大夫茅成子逃到吴国，请求吴国出兵帮助邾国复国。

吴王夫差一开始有些拿不定主意，毕竟吴国和鲁国的关系一向不错，而且鲁国是传统大国，不知道实力究竟怎么样。于是，夫差让人去把在吴国政治避难的叔孙辄请来，向他询问。

“鲁国有名无实，根本没有实力，打丫的，保证大王势如破竹。”叔孙辄对季孙恨得牙痒痒，听说夫差要打鲁国，双手赞成。

之后，叔孙辄把自己所知道的鲁国的情况添油加醋说了一遍，无非是鲁国国富民穷，鲁国人民厌战怕战；鲁国当官的贪污受贿，贪生怕死，不堪一击等等。

“嗯，好，打丫的。”夫差被叔孙辄忽悠了一通，下了决心。

从夫差那里出来，叔孙辄径直去了公山不狃那里，他们是一同来这里避难的。

“公山，好消息啊，好消息啊。”叔孙辄见到公山不狃，急忙报喜。

“什么好消息？”

叔孙辄把刚才的事情说了一遍，说这次够鲁国和三桓受的，估计不死也要剥层皮。

“兄弟，你这么做太不地道了。”叔孙辄没料到，公山不狃不仅没有高兴，反而斥责起自己来。“本来呢，君子离开自己的祖国就不应该投奔敌国。如果又为敌国出谋划策，攻打自己的祖国，那还不如上吊算了。像我们这样的情况，遇到有害于祖国的事情就应该躲起来。再说一个人离开了自己的祖国，不能因为怨恨国内的某些人就怂恿敌国祸害整个国家啊。现在你因为一点个人恩怨，就想灭亡自己的祖国，这不是以祖国为仇敌吗？啊，你还是个人吗？”

公山不狃指着鼻子痛斥叔孙辄，脸涨得通红。叔孙辄被骂得灰头土脸，脸也憋得通红。

“那，那我已经说了，该怎么办？”叔孙辄感到惭愧了，说起来，鲁国人对故乡的感情还是没得说的。

“怎么办？”公山不狃见叔孙辄有了悔意，自己的态度也就缓和下来。“这样吧，到时候吴王一定会派你做向导，你就找个理由推辞掉，之后吴王一定会来找我，我再想办法。”

一切都在公山不狃的预料之中，夫差决定出兵，并且让叔孙辄作向导。

“哎哟，我最近身体不好，胸闷背痛还长痔疮，不是我不想去，是怕耽误了大王的大事。公山不狃身体好，让他去行不？”叔孙辄找个借口推辞了，还推荐了公山不狃。

于是，夫差让公山不狃做向导，还向他咨询鲁国的情况。

“大王，鲁国虽然平时没有什么比较亲近的国家，可是历史一再证明，一旦鲁国有难，其他国家都愿意帮助他们，到时候晋国、齐国和楚国一块出兵去救鲁国，吴国可就成了以一敌四了，所以我看还是算了吧。”公山不狃趁机劝阻夫差。

“四国？十四国又怎么样？你说的这几个国家我都接触过，都是软蛋国家，怕他们干什么？”夫差根本不接受公山不狃的忽悠，他太了解这些中原大国的德行了。

鲁哀公八年（前 487 年）三月，吴王夫差亲自领军，率领吴军进攻鲁国，公山不狃带路。

鬼子进村，汉奸带路，这个模式就这么来的。

公山不狃故意把吴军往险道上带，一路上把吴军折腾得叫苦不迭，来到鲁国武城（今山东费县西南）的时候，吴军已经累得筋疲力尽。

后来，把鬼子带到地雷阵里，祖师爷就是公山不狃。

不过，即便很疲劳，吴军的战斗力那是没得说，一鼓作气拿下了武城。随后挥师北上，又拿下东阳。

鲁国震动，于是季康子全国紧急动员，三桓联合出兵，抵抗吴国人。

公宾庚和公甲叔子率领一部分鲁军作为先锋迎击吴国人，结果大败亏输，公甲叔子和他的车右双双被活捉。

按照吴军的惯例，所有被俘军官一律杀死，可是吴王命令不要杀死公甲叔子和他的车右，理由是这两个人是同一乘车上的，证明鲁国人能共赴国难，看来这个国家无法征服。

吴王夫差连楚国和晋国都不放在眼里，为什么独独对鲁国另眼相看？因为鲁国是吴国的文化启蒙者，吴国人对鲁国始终心存敬意。

随后，吴国人继续前进，抵达泗水上游。

季康子非常惊慌了，鲁军当前的实力根本不够吴军去打，可是人家都快打到伟大首都了，怎么办？

"主公，正面的不行，咱们来侧面的；白天打不过，咱们晚上打。"家臣微虎提出个建议来，精选三百壮士，夜里摸进吴军营地，直扑吴国夫差的大帐，杀死夫差，这样吴军群龙无首，必然溃散。

就这样，吴军选拔了三百名壮士，其中就有孔子的学生有若。

三百壮士在傍晚时分吃了一顿好的，算是壮行，之后上路。可是就在要上路的时候，有人来劝阻季康子："主公，这三百人都是国家的精英啊，就这么稀里糊涂去，成功的希望不大，送死的可能性不小，太不合算了。"

季康子耳朵软，觉得这话也对，立即取消了行动。

"哇噻，白吃了一顿好的。"三百壮士大喜，这辈子没吃过这么好的。

三百壮士虽然没有成行，可是鲁国的汉奸早已经把情报送到了吴王夫差那里，吴王夫差吓得够呛，他的理解，这三百人就是三百名刺客，晚上黑灯瞎火的，三百名刺客涌进来，自己这条命还真危险。当天晚上，夫差睡得很不安生，稍有些风吹草动，就立即换个住处。

第二天，夫差决定跟鲁国人谈判结盟，不打了。

吴国人要和平，鲁国人当然愿意，于是双方签订了和平协议，吴军撤军回去了。

有若逃过了一劫。

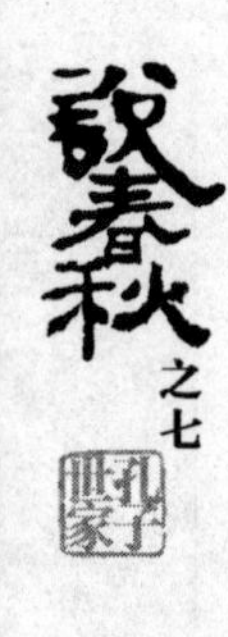

儿子的娘去世了

时间过得真快,转眼间到了鲁哀公十年(前 485 年),孔子已经六十七岁了。

这一天,鲁国来人了。

“谁来了?”孔子兴奋而紧张,他对鲁国的一切都感兴趣,盼望着早日回到自己的家乡。

可是,来人令他失望了。

谁来了? 儿子孔鲤。

“你来干什么?”孔子问,面带着一些失望。实际上,孔子对儿子远不如对子路子贡子夏们那么亲近。之所以这样,也很容易解释。

首先,孔子常年和弟子们在一起,同甘共苦,荣辱与共,而与儿子反而很少见面,几乎没有沟通;

其次,弟子们不同的个性但是共同的对老师的尊重让孔子非常受用,子路的直率忠诚,子贡的贴心和善解人意,子夏的聪明好学等等,都让孔子打心眼里喜欢。而儿子在学问上很不用心,在自己面前畏畏缩缩,这些都常常让孔子不高兴。所以看见孔鲤,孔子的心情远不如看见子路子贡们。

“爹,娘死了。”孔鲤畏畏缩缩地说。原来,丌元氏去世了,她在宋国的家人派了人到鲁国报了信。

孔子有点为难了,虽然听说这个消息之后还是有点略略的悲伤,但是很快就过去了,两人之间的感情早已经恩断义绝了。现在的情况就是,要不要祭祀前妻,要不要为前妻服丧。大致想了一下,孔子作出了决定。

“他已经不是我的妻子了,也就不是你娘了。好了,住几天你就回去吧。”孔子的决定非常绝情,让身边的弟子们都有些错愕。

“可是,她始终还是我娘啊。”孔鲤脱口而出,这是他生平第一次冲撞父亲。父亲可以休掉自己的妻子,可是他不能割断和亲娘的血脉啊。

“那也不行,如果在我这里设灵堂祭祀,算是怎么回事啊?”孔子坚持,他决定的事情,很少会改变的。

孔鲤哭了,不说话也不走。

“伯鱼,你先去休息,办法会有的,别急。”曾皙来解了这个围,让人带孔鲤去休息。

事情很快得到了解决,解决问题的是曾皙。曾皙是看着孔鲤长大的,就算孔子周游列国期间,曾皙也常常到孔家帮忙。因此,曾皙和孔鲤之间甚至比孔子和孔鲤之间的关系还要亲近一些。

所以曾皙出面去找了孔子的朋友蘧伯玉,看看能不能在蘧家借个地方设灵堂,就算是借给鲁国来的朋友孔鲤的。这样的话,就说得过去了。

“那有什么问题?”蘧伯玉立即就同意了,私下里,他觉得孔子做得有些不近人情了。

就这样,就在蘧伯玉家设了灵堂,孝子孔鲤主持,举行了一个虚拟的葬礼和祭祀,孔子的弟子们纷纷前去吊唁,当然名义上是吊唁朋友的母亲,而不是吊唁师母。而孔子始终没有去,他觉得事情本身就很无厘头。

葬礼结束之后,灵堂撤去,孔鲤也就回到了孔子的住处。

第二天,孔子听到有人在哭,于是问身边的人谁在哭。

“伯鱼啊。”身边人说,原来是孔鲤在哭母亲。

“嘿,太过分了,哭起来没完了?告诉他别哭了。”孔子很不高兴地说。

孔鲤于是不敢再哭了,连丧服也脱掉了。过了几天,匆匆回鲁国去了。

按《礼记》。伯鱼之母死,期而犹哭。夫子闻之,曰:“谁与哭者?”门人曰:“鲤也。”夫子曰:“嘻,其甚也。”伯鱼闻之,遂除之。

三代休妻

事实上,孔家休妻是有传统的。

孔子三代休妻,在《礼记·檀弓》中有明确记载。

孔子的儿子是孔鲤,字伯鱼;孔鲤的儿子是孔伋,字子思;子思的儿子是孔白,字子上。子思的性格比较像孔子,因此孔子更喜欢孙子一些。

子思的妻子在离婚之后去世了,孔白没有戴孝。子思的学生问子思:“以前老师的父亲不是为离婚的母亲戴孝了吗?”

“是的。”子思说。

“那老师为什么不让孔白戴孝呢?”

“我父亲做得也没有错啊,该怎样就怎样了。可是我怎么能那么做呢?孔白的母亲要还是我老婆,那就还是孔白的母亲;如果已经不是我老婆,那也就不是孔白的母亲了。”子思说。他的说法跟他爷爷一样。

后来,孔家不为已经离婚的母亲戴孝,就是从子思开始的。

子思的母亲离婚之后回到了卫国,死在了卫国。柳若对子思说:“您是圣人的后代,大家都在看着您怎样做,要谨慎一些啊。”

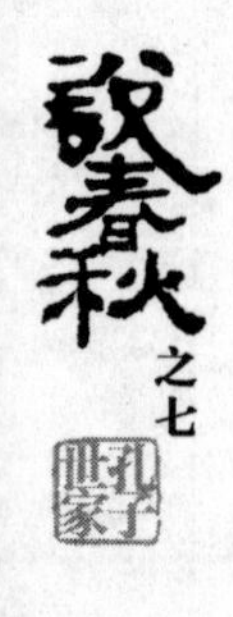

“谨慎什么？有礼仪没钱财，君子无法行礼；有礼仪有钱财，可是没时机，君子也无法行礼。我需要谨慎什么？”子思没好气地说。

这段对话，子思对于母亲的那种怨恨跃然纸上。

子思的母亲在卫国死了，子思跑到孔家宗庙里去哭，有学生见到了，就对他说：“别人的母亲死了，你怎么跑到孔家的宗庙去哭呢？”

“哦，我错了，我错了。”子思说，于是跑回自己的房间哭去了。

父子关系

孔子与孔鲤的父子关系相当平淡，这一点是有明证的。

整部《论语》，提到孔鲤的仅仅有三处，即便是这三处，孔子对孔鲤的态度也都很寻常，甚至语带斥责，却看不出期许来。

孔子对孔鲤的学习态度非常不满，实际上孔子也不大关心儿子的学习，只是偶尔看见了说两句，多数情况下，说都懒得说。

一天，孔子看见孔鲤，把他叫了过去。

“你学习《诗》里的周南和召南了吗？作为一个人，要是不学周南和召南，那跟一堵墙傻乎乎地戳在那儿有什么区别呢？”孔子劈头盖脸说了儿子几句，孔鲤不敢说话，退下去找这两首诗背诵去了。

按《论语》。子谓伯鱼曰：“汝为周南召南矣乎？人而不为周南召南，其犹正墙面而立也与？”

孔鲤不好学，而且平时的衣饰也不太讲究，这不怪他，从小就没有了娘，谁来管他的衣饰？可是，孔子最看重的就是两样：学问和衣饰。

有一次，孔子看见孔鲤的穿着很不得体，叫住了他。

“孔鲤，你过来。”孔子叫道。

孔鲤一听见父亲叫他，脑袋都疼，他就知道没什么好事。

“你看你，穿得像个叫花子一样，太不像话了。”孔子对儿子说话就没有对学生们说话那么循循善诱了，总是很严厉。“君子不能不学习，衣饰不能不讲究。衣饰不合适就是失礼，失礼就无法在这个社会上立足。让人远远地看到你的外貌就喜欢你，靠的是衣饰；让人跟你打交道之后越来越喜欢你，靠的是学问。”

按《说苑》。孔子曰：鲤，君子不可以不学，见人不可以不饰；不饰则无根，无根则失理；失理则不忠，不忠则失礼，失礼则不立。夫远而有光者，饰也；近而逾明者，学也。

陈亢，字子禽，是从陈国来的学生，他总是怀疑孔子是不是对自己的儿子特别关心，或者留了什么绝学给儿子。于是，有一天陈亢找了个机会，来问孔鲤。

"伯鱼兄，我想问你个问题。"陈亢凑近了，神秘兮兮地问。

"什么事？"

"老师对你有什么特殊关照啊？嘻嘻。"

"没有，绝对没有。"孔鲤笑了，苦笑。

"真没有？我不信。"

"那我想想，哦，对了，有两次。"孔鲤是个厚道人，从不撒谎。

"那你说说。"

"有一次吧，父亲一个人在院子里，我恰好路过，结果父亲问我'学诗了没有？'我说没有，父亲就说'不学诗，就不懂得怎么说话'。从那之后，我开始学诗。还有一次，又是他一个人在院子里，我又是路过，父亲又是叫住我，问我学礼了没有，我说没有，父亲就说'不学礼，今后难以立足啊'。那之后，我就开始学礼。大概，就是这两次吧。"孔鲤说完，笑笑，好像挺对不住陈亢。

陈亢从孔鲤那里回来，非常高兴。

"今天我知道了三件事情，知道诗很重要，知道礼很重要，知道君子疏远自己的儿子。"陈亢暗自高兴，以为得到了什么绝招。

按《论语》。陈亢问于伯鱼曰："子亦有异闻乎？"对曰："未也。尝独立，鲤趋而过庭，曰：'学诗乎？'对曰：'未也。''不学诗，无以言。'鲤退而学诗。他日又独立，鲤趋而过庭，曰：'学礼乎？'对曰：'未也。''不学礼，无以立。'鲤退而学礼。闻斯二者。"陈亢退而喜曰："问一得三：闻诗，闻礼，又闻君子之远其子也。"

孔子论孝

说到了孔子的父子关系，顺便就来说说孔子怎样说"孝"的。

说到孝，人们以为孔子把孝放在至高无上的地位，其实不然，孔子对孝的论述，多半是后人的附会。

孔子是提倡孝的，因为周礼是提倡孝的。但是，孔子从小没有父亲，母亲早亡，而自己与老婆孩子之间的关系都很平淡，也就是说，他缺少行孝的实践，也缺少被孝的体会。所以，他对孝的提倡几乎完全是出于周礼的要求，他对孝的理解也未必就比别人高多少。

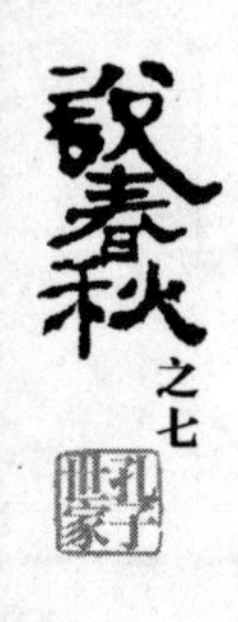

《论语》中提到孝的地方并不多，至于如何才算孝，孔子的观点实际上就是两点：第一，要奉养。但是，奉养父母是一些动物都能做到的事情，所以仅仅是奉养是不够的。第二，要尊敬父母。

按《论语》。子游问孝。子曰："今之孝者，是谓能养，至于犬马，皆能有养，不敬，何以别乎？"

至于怎样具体去做，孔子提到的也不多，主要也是两个方面。第一，要关心父母的身体；第二，尊重父母的意见，不要跟他们争吵。

按《论语》。孟武伯问孝。子曰："父母，唯其疾之忧。"

按《论语》。子曰："父母之年，不可不知也。一则以喜，一则以惧。"

按《论语》。子曰："父在，观其志。父殁，观其行。三年无改于父之道，可谓孝矣。"

按《论语》。子曰："事父母几谏，见志不从，又敬不违，劳而不怨。"

孔子并不主张为了父母就牺牲自己的前途，也不主张无原则地顺服父母，

所以，孔子说："父母还健在的时候，不要去远的地方打拼。"不过随后加了一句："如果去的话，一定要事先有目标，让父母知道自己去了哪里。"

按《论语》。子曰："父母在，不远游，游必有方。"

有一次，曾参锄地的时候把瓜的根锄断了，老爹曾皙大怒，一手杖打过去，正打在曾参的脑袋上，当场将曾参打昏在地。过了一阵子曾参醒过来，挣扎着站起来，对父亲说："敬爱的爹，刚才儿子做了错事，您老人家用力教训我，没把您累坏吧？"

之后，曾参又弹琴唱歌，以表示自己已经没事了。

这件事情传到了孔子那里，孔子非常生气，命令守门的："曾参来了不要让他进来，我没有这样的学生。"

曾参听说之后很纳闷，老师教导我们要孝敬父母，我这不是做得很模范吗？于是，曾参请了个师兄弟去帮自己问问到底怎么回事。

"这个不懂道理的混账东西，其实根本不知道什么是孝。"孔子的火还没有消，所以先骂了几句，然后解释。"当年舜是个孝子，他父亲瞽叟是个糊涂虫。在他父亲需要他帮忙的时候，他随时都在；可是当他父亲跟后娘要害他的时候，他跑得比兔子还快。所以，轻轻的打就忍受了，要命的打就一定要逃跑。曾参在他父亲暴怒的时候还等着挨打，如果被打死了，不就是陷他父亲于不义？他这叫孝吗？再者说了，曾参是个公民啊，他父亲杀他就是犯罪，害己害父，这不是混账是什么？"

这件事，见于《说苑》。

所以我们说，孔子对于那种盲目无原则的孝，一向是不赞成的。

说到曾参，就好好说一说。

曾参是曾皙的儿子，因此父子都是孔子的学生，他比孔子小四十六岁。

曾参在孔子的弟子中以孝著称，经常问些孝的问题。孔子去世之后，写了一本《孝经》，世代流传。据称，《大学》也是曾子根据孔子的论述记述下来的。

孔子之后，孔家私立学校主要由曾参管理，孔子的孙子子思师从曾参，因此曾参是孔子正统儒家思想的传承者。

《论语》中有关曾参的有十三条，显示曾参在孔子学生中的地位是比较高的。

按《论语》。曾子曰："士不可以不弘毅，任重而道远。仁以为己任，不亦重乎？死而后已，不亦远乎？"

任重道远，这个成语来自这里。

按《论语》。曾子有疾，孟敬子问之，曾子言曰："鸟之将死，其鸣也哀，人之将死，其言也善。君子所贵乎道者三：动容貌，斯远暴慢矣；正颜色，斯近信矣；出辞气，斯远鄙悖矣。笾豆之事，则有司存。"

鸟之将死，其鸣也哀，人之将死，其言也善。这个常用语，出于这里。

按《论语》。曾子曰："君子以文会友，以友辅仁。"

以文会友，这个常用语，出于这里。

后世，曾姓后裔均把曾参作为自己的开派祖先。

第二七三章　孔子还乡

鲁哀公十一年(前483年)春天,齐国准备进攻鲁国,要报上一年鲁国和吴国联军进攻齐国之仇,齐悼公派国书、高无平率领齐军进驻齐鲁边境的清地,随时进攻鲁国。

面对来自齐国的威胁,鲁国怎么办?

激将法

“齐国人陈兵边境,肯定是要进攻我们,怎么办?”季康子有些没主意,找来管家冉有商量。

“不怕他们,你们三个卿,留一个在国内镇守,另外两个随同国君前往边境抵抗敌人就行了。”冉有知道,齐国目前也是外强中干,国家的力量实际上都在陈家手中,国君派出来的军队强大不到哪里去。

季康子去找孟孙和叔孙商量,提议三家出兵,结果双双遭到拒绝。

“这也正常,因为国家本来就是季孙家在管理,他们两家麻木不仁可以理解。”冉有并不感到意外,这也算是意料之中的事情。

“可是,该怎么办呢?”季康子愁眉苦脸。

“有什么难的?”冉有不以为然,隐隐然,他现在的地位接近于季康子了。“其实,以咱们一家的力量,对付齐国人一点问题也没有。既然那两家不愿意出兵,没关系,咱们也不用去找国君了,就用自己的兵力,就在这里以逸待劳,等齐国人杀到,咱们背城一战。”

事到如今,季康子也只能如此了,不过他决定还是去找鲁哀公汇报一下。

就这样,季康子和冉有去见鲁哀公。到了朝廷外面,季康子想了想,让冉有在外面等着,自己进去。

冉有在外面等着的时候,叔孙州仇和孟懿子来上朝了。

"哎,老冉,齐国人要打过来了,怎么整啊?"叔孙州仇走到近前小声问,尽管不想出兵,可是事关大家的利益,也没法不关心。

冉有瞥了他一眼,心里挺瞧不起他。

"这我哪儿知道啊,这都是国家大事,都是君子们才关心的,我们这样的小人管他呢。天塌下来,个头大的顶着呢。我不知道,我不知道。"冉有话里带着讽刺,说得叔孙州仇脸上有些挂不住。

这时候,孟懿子也凑了过来。

"小冉,别卖关子啊,说说吧。"孟懿子也问。

冉有瞥了孟懿子一眼,又瞥了叔孙州仇一眼,总共是两眼。

"对不起,这样的事情,只能跟有能力的人说,否则,说了也没用。"冉有的这句话更不客气,闹得孟懿子也是一个大红脸。

"老冉,你的意思是我们算不上是个大丈夫,不配对我们说是吗?"叔孙州仇问冉有。

"我可没说过,你们是卿啊,我不过是季孙家打工的,这样的事情应该你们告诉我才对啊。"冉有笑了,话里还带着讽刺。

叔孙州仇和孟懿子对视了一眼,无话可说,两人气哼哼地上朝去了。

两人进去,恰好季康子出来,点点头,擦肩而过。

退朝之后,叔孙州仇和孟懿子一商量,两人不约而同:"狗日的冉有瞧不起我们,我们不能让你瞧不起,我们要出兵。"

结果,两家同时整顿军马,准备出兵,反而比季孙家准备得还要早。

激将法,冉有的激将法非常成功。

在有记载的历史中,冉有是激将法的祖师爷了。

死要面子活受罪

三桓现在高度一致了,三家联合出兵。不过,在冉有的建议下,依然还是在曲阜以逸待劳,放齐国鬼子进来打。

具体的战术布置也都由冉有来进行,按照冉有的布置,鲁军出城驻扎,分为左右两军。右军由孟懿子的儿子孟孺子率领,颜羽为他驾车,邴泄为车右。左军由冉有率领,管周父驾车,樊须为车右。

"樊须,太年轻了吧?"季康子反对。

樊须,字子迟,也是季孙家的家臣,非常勇猛,性格直率单纯,有点像子路,

今年只有二十二岁。冉有很喜欢他，去哪里都带着他。

“不碍，虽然年轻，樊须能够坚决服从命令。”冉有坚持，既然冉有坚持，季康子也就没有再反对。

叔孙家的兵力用来守城，三桓都在城里指挥守城。

从前作战，都是国家领导人亲自出战。现在，国家领导人都被安排在安全的地方了。冉有为什么这样安排？一来，三桓都是贪生怕死的货色，到时候一打仗带头逃跑，那仗还怎么打？二来，三桓不去，省得碍手碍脚了。

齐军果然一路杀到了曲阜城下，两军在城外摆开阵势。

鲁国军队的士气一向很低，大家都不想打仗。所以面对齐军，多数人在想该怎么逃跑。冉有下令冲锋，可是根本没人动。

“让我们冲，你他妈怎么不冲啊？”大家都这么想，只是不说。

冉有的冷汗已经出来了，如果打了败仗，怎么办？

“你再三申明命令吧，然后率先冲锋。”这个时候，樊须给出建议。

冉有看了樊须一眼，之后按照樊须的建议进行。

冉有快速地申明了命令，无非是冲在前面的有赏，落在最后的砍头之类。三遍之后，冉有的战车率先冲锋，身旁的亲兵们跟着冲了出去，整个左军士气大振，向齐军冲杀过去。

在鲁国这样“以德治国”的国家里，当官的如果不作出表率，老百姓是不会买账的。

鲁军左军杀入齐军右军，齐国人也怕拼命的，齐军右军当即大乱。

左军占据优势，右军呢？

右军呢？

右军在哪里？

右军已经消失了。

孟孺子带领的鲁军右军早已经逃命去了，齐军左军则在后面追赶。林不狃是孟孙家的家臣，带着他手下的兄弟昂首挺胸地撤退，看上去就好像打了胜仗一般。

“老大，快点跑吧，这样会被齐国人追上的。”手下兄弟看着心急，要求快一点逃命。

“哎，我们不比别人差，为什么要逃跑？”林不狃不同意，他还要面子。

“那，那就留下来跟齐国人打仗算了。”

“嘿，你以为跟齐国人拼命就显得你好吗？”林不狃还是不干，面子也要，命也要。

俗话说:死要面子活受罪。

没多久,齐国人追了上来,结果是林不狃死于非命。

死要面子活受罪,鲁国人的面子害死人。

但是,鲁国人的可爱之处在于,不仅自己要面子,还总能给别人留面子。

孟之侧算是孟孙家的勇士,逃命的时候留在最后掩护大家。还好,孟之侧也活着回来了,是最后一个进入曲阜城门的。看着城里惊魂未定的残兵败将们,孟之侧觉得大家已经很难受了,就别再显得自己多么勇敢了。

"哎,不是我想跑在最后啊,是这匹马太不给力了。"孟之侧自言自语,又像是对大家说。

"噢。"大家恍然大悟,原来这厮也是个逃兵,也不比我们高尚到哪里去。

于是,大家都笑了。

这件事情被孔子知道之后,对孟之侧非常赞赏。

按《论语》。子曰:"孟之反(即孟之侧)不伐。奔而殿,将入门,策其马,曰:'非敢后也,马不进也。'"

右军惨败,但是左军大胜,冉有的队伍砍了八十颗齐军的人头。因为是孤军深入,齐国人不敢久留,第二天撤军了。冉有请求追击齐国人,季康子说什么也不同意,于是看着齐国军队逃出了鲁国。

在庆功会上,孟孺子还在为自己的逃跑解释呢。

"其实啊,我虽然比不上颜羽那么勇敢,可是我至少比邴泄要强啊。颜羽当时是不想逃跑的,他很勇敢。我呢,虽然想逃跑,可是我能沉住气,我不说。邴泄这伙计胆小怕死,使劲喊'快逃吧快逃吧'。"孟孺子把自己推干净,把逃跑的责任推到了邴泄的身上。

大家都笑了,反正算是打了胜仗,逃跑的事情就算了。

鲁国人,自己要面子,也愿意给别人面子。

机会来了

这次齐鲁之战,功劳最大的自然是冉有。季康子从前没有想到过冉有竟然还有军事才能,很奇怪他是从哪里学的。

"老冉,你的军事才能哪里学的? 还是天生的?"季康子问冉有。

"是从孔子老师那里学的。"冉有说。

自从从卫国回来,冉有一直就在想怎样把老师请回来。冉有知道,季孙家对孔子意见非常大,孔子要回来,一定要过季孙这一关。好在,对孔子最不满的季孙斯已经不在了，而季康子对孔子的反感要小很多，所以，只要有好的由头，说动季康子请孔子回来就有可能。如今既然季康子问起来，自己正好把老师给扯出来。

"啊，孔子连这个也会？那，孔子究竟是个什么样的人？"季康子挺感兴趣，虽然父亲很讨厌这个人，可是自己并不了解这个人。不过既然冉有都这么尊重孔子，想来孔子确实是个很有学问的人了。

"我老师啊——"冉有早就准备了一套说词，此时开始忽悠，一时间，把孔子捧上了天，眼看着季康子听得发呆，冉有最后说了："不说别的，你就看看我们这帮师兄弟们吧，我能力一般般了，好些师兄弟都比我强啊。子贡你是见过的啊，口才多好？现在做生意呢，又发大财了。如果鲁国能把我老师给请回来，不说老师的学问了，就这帮学生们，知道老师在鲁国，今后谁不帮鲁国啊？"

"这个，那，我们把他召回来怎么样？"季康子终于说了这样的话，这是冉有期待的话。

"不行。"冉有说，说得季康子一愣。"老师是个德高望重的人，如果我们去召他回来，他一定不会回来的，那么迟早有一天别的国家会重用他，对鲁国就不好了。我的意思，我们还是找国君，然后让国君派出正式的使者请老师回来。"

"好，明天就办这个事。"

冉有笑了，他决定第一时间派人去告诉子贡这个好消息。至于老师，嘿嘿，就让鲁哀公的使者给他一个惊喜吧。

季康子第二天向鲁哀公提出了建议：请孔子回来。

"好啊。"鲁哀公倒是很愿意。

原本，很快就该派出使者，可是一件事情耽误了使者出发的日期。

原来，听说齐国人攻打鲁国，吴王夫差主动来帮忙，要和鲁国一起进攻齐国。其实，鲁国并不愿意进一步得罪齐国，何况两国还是亲戚。可是夫差说了要来，鲁国也不敢说"您别来了"，还只能表示欢迎和感谢。

就这样，夏天的时候吴国大军来到，与鲁国一同进攻齐国，大败齐国之后，吴王夫差才高高兴兴地回国了。

由于这个时候子贡也在鲁国，竟然也参加了这场战争。

终于回家了

孔子现在是归乡心切，有的时候他甚至有不顾一切要回到鲁国的冲动。

事实上,就在季康子决定请孔子回鲁国的同时,孔子差一点就起身回鲁国了。

事情的经过是怎样的呢?说起来,话儿有点长了。

当初晋悼公的儿子公子慭从晋国移民到卫国,公子慭的女儿十分出色,能文能武而且非常漂亮。一次打猎,公子慭让他女儿为他驾车,结果被卫国国君的侄子太叔懿子看到,立马惊艳,于是邀请公子慭父女去家里喝酒,喝酒的时候当面求亲。太叔懿子也是风流倜傥的公子哥儿,公子慭父女也都喜欢他。

按理,两家都姓姬,同姓不婚。可是晋国人本来就不在乎这一点,而太叔懿子又实在太喜欢这个女子,于是两家也不管那些臭规矩了,就成了亲。

后来他们生了两个儿子,大的名叫太叔疾。太叔疾的性格长相就像他的母亲,长大之后就成了卫国有名的美男子,绝对的少女杀手。

太叔疾娶了宋国子朝的两个女儿,姐姐是妻,妹妹算妾,可是太叔疾就喜欢妹妹。

当时卫国掌权的是上卿孔圉,孔圉特别喜欢太叔疾,看着自己的女儿长到了出嫁的年龄,常常叹息找不到太叔疾这样的女婿。

机会很快到了,太叔疾的老丈人子朝在宋国的权力斗争中落败,逃亡到了国外。孔圉决定趁火打劫,派人去找太叔疾,说是你老丈人现在是宋国的敌人,而宋国和卫国关系很好,所以宋国的敌人就是卫国的敌人。为了两国关系的世代友好,我们要跟子朝划清界限。因此,为了国家的利益,你必须把你的老婆休了。为了表彰你为国家做出的牺牲,决定把我的女儿嫁给你。

趁火打劫,绝对的趁火打劫。别人是抢财抢物,孔圉是抢女婿。

太叔疾不敢违抗孔圉的命令,只好跟子朝的两个女儿离婚,做了孔圉的女婿。不过,太叔疾是个重感情的人,舍不得那个妹妹,于是偷偷在宋卫边境的地方修了房子,把那个妹妹安置在那里,自己则是初一十五这么轮着走。

孔圉的女儿如果深明大义,睁只眼闭只眼,这事情也就这样了。可是孔圉的女儿受不了,告诉了父亲。结果孔圉大怒,准备攻打太叔疾。

在下定决心攻打太叔疾之前,孔圉去向孔子请教这个问题。

"祭祀的事情,我略知一二;兴兵动武,我一无所知。"孔子这样回答,意思很明白,就是反对动武。

之后,孔子感觉到孔圉很让他失望,这样下去卫国恐怕内乱,孔子于是决定不顾一切回鲁国。不过在收拾行李的时候被孔圉知道了,于是上门挽留,并且承诺决不出兵攻打太叔疾,孔子这才算留了下来。

这就是上一次孔子差点回鲁国的过程。

配乐歌曲:《故乡的云》。

后来,孔圉没有攻打太叔疾,但是把女儿给抢了回来。再后来,太叔疾跟

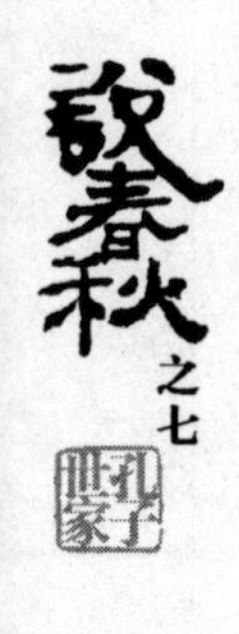

一个有夫之妇偷情，结果几乎被捉个现行，光屁股逃走，连车也被人家扣住。这家丈夫也不是俗人，把车献给了国君。太叔疾因为这两件事情羞愧难当，逃亡到了宋国。于是，太叔家族交由太叔疾的弟弟太叔遗掌管，孔圉把女儿改嫁给了太叔遗，小叔子变老公，嫂子变老婆了。当然，这都是后话。

鲁哀公十一年冬，鲁哀公的特使终于来到了卫国。

“孔子先生，国君请您回国，一切待遇按照当年司寇的规格。”特使代表鲁哀公发出邀请，承诺了待遇，同时还带来了大量的礼品。

“啊，那什么，太好了。”孔子喜出望外，这是他盼望了许多年的一天啊。

这样回去，太有面子了。

孔子盛情招待了鲁哀公的特使，当天就让弟子们收拾行囊，准备尽快出发。

第二天，孔子一边忙着收拾，一边派人去向该道别的人道别。于是，很多老朋友都来上门道别，也有挽留的，譬如孔圉。

可是这个时候，谁还能挽留住孔子呢？他已经归心似箭了。

孔子终于上路了，带着一群弟子们。孔子的弟子有人留在了卫国，但是大部分随他前往鲁国。子路、高柴等人就留在卫国做官，今天也都前来送行。

送行的队伍还有卫国的朋友们，上卿孔圉为首，蘧伯玉等人都来了。当时的场景十分动人，孔子对自己在卫国期间受到的关照表示感谢，并且表示，卫国是他的第二故乡，他会永远想念卫国，会永远牵挂卫国的老朋友们。

“只要我在，我就一定致力于发展鲁卫两国的友好和平关系。”孔子动情地说。

孔子的车队渐渐远去，回望送行的人们，孔子的眼角湿润了。

“老师，你喜欢卫国吗？”驾车的子夏转头问老师。子夏的眼角也是眼泪，老师归乡，自己则是离乡了。

“孩子，我怀疑如果不是在卫国，我是无法修《诗经》的。”孔子说。打心眼里，孔子喜欢子夏，喜欢子贡，喜欢这两个卫国人，喜欢卫国。

卫国，一个人杰地灵的国家。孔子大概想不到的是，他的学说将会由一个卫国人来发扬光大，而这个人就是眼前的这个孩子。孔子更想不到的是，中国历史将会由一个卫国人来改写，而这个人是他的徒孙——商鞅。

再回首，看一看卫国，孔子已经是老泪纵横。

第二七四章　认清形势

孔子回到了鲁国,这一年,孔子六十八岁。

从鲁定公十三年(前497年)孔子离开鲁国到卫国,到鲁哀公十一年(前484年)孔子离开卫国回到鲁国,将近十四年的时间过去了。这十四年被称为孔子周游列国的十四年,实际上大部分时间孔子在卫国。

孔子回到鲁国,引起整个国家的轰动,毕竟孔子的声望非常的高。

鲁哀公亲自设宴招待,之后三桓轮流宴请。

"多谢多谢。"历尽沧桑的孔子再也不是那么锋芒毕露了,再也不提君君臣臣。因为他知道,没有人愿意听这个。

回到自己的家,孔子感到一切都很亲切。

"孩子,你辛苦了。"孔子对儿子孔鲤说。他知道儿子撑持这个家也不容易,他看到儿子的面容非常憔悴,免不得有些心痛。

"你们都好吧。"冉有子贡等一帮学生们前来看望老师,孔子非常高兴。

一切,都很好。

还是家乡好,还是自己的家好。

(配乐歌曲伴奏:《再回首》。)

鲁哀公

孔子的学校重新开张了,报名的学生非常的多,其中就有樊迟。因为有冉有的推荐,樊迟从一开始就受到重视。

绝大多数的课程还是交给老学员们去教授,孔子只是偶尔亲自讲课。多数的时间,孔子还是在研究鲁国的政治。

除了孔子的家人和子贡冉有等学生之外，对孔子回国感到最高兴的就是鲁哀公了。自从继位以来，鲁哀公就是个彻头彻尾的摆设，他觉得被忽视和很失落，他知道孔子的理论，因此，对孔子充满期待。

孔子回国之后，就成了鲁哀公的常客，有事没事，鲁哀公会派人请孔子聊天请教。

关于孔子和鲁哀公的谈话，《孔子家语》中有很多，《论语》中也有。

这一天，鲁哀公又请孔子来做客，两人聊得高兴，聊着聊着，说到了世界上的君主。

"当今世界上的各国国君，谁最贤能？"鲁哀公问。

"当今世界就不太清楚了，不过，我见过的君主，卫灵公是最贤能的了。"孔子说。他没有拍鲁哀公的马屁，他也知道鲁哀公不需要自己拍马屁。

鲁哀公愣了一下，显然对这个回答有些意外。

"我听说他连自己的家庭的事情都处理不好，怎么称得上贤能呢？"鲁哀公问。他觉得卫灵公恐怕还不如自己。

"我说的是管理朝廷，不是管理家庭。"

"那，夫子说说他怎么管理朝廷。"鲁哀公实在也不觉得卫灵公管理朝廷有什么先进事迹。

"卫灵公有个弟弟叫公子渠牟，为人忠诚而且能干，卫灵公对他委以重任；有一个叫做林国的士人，发现有才能的人就必然推荐他做官，因此卫国没有放纵游荡的士人，卫灵公非常尊重林国并且任用他；还有一个叫庆足的士人，一旦国家有大事，就必定会被推荐出来处理国家事务，事情过去之后就又回家归隐，卫灵公也很尊重他；还有一个叫做史鱼的大夫，因为自己的主张没有被采纳而负气出走，卫灵公就住到郊外三天，三天没有歌舞娱乐，直到请回了史鱼，他才回宫。卫灵公对贤能的士人这样尊重，所以我说他是个贤能的君主。"孔子举了几个例子来说明问题，然后看看鲁哀公。

鲁哀公点点头，然后笑了，苦笑。他是个聪明人，他知道孔子的言下之意：如果你要做个贤能的君主，重用我吧。

"那，怎样才能把国家治理好？"鲁哀公换了个话题。

"让老百姓富裕长寿，这个国家就算治理好了。"孔子想了想说。对于鲁哀公切换话题，孔子有点微微的失望。

"那，怎么才能实现这个目标呢？"

"很简单啊，少收税老百姓就能富裕，少征用百姓就能减少犯罪，减少了犯罪老百姓就能长寿。"很简单，确实很简单，孔子的回答很简单。

"那样，国家不是就会穷？"

"怎么会?《诗经》里写:'凯悌君子,民之父母。'你听说过儿女富有而父母贫穷的吗?"孔子反问。

鲁哀公点点头,然后笑了,苦笑。

"那么,怎样才能让老百姓信服呢?"鲁哀公又换了一个话题。

"提拔正直的人居于邪恶的人之上,老百姓就会信服。让邪恶小人居于正直的人之上,老百姓就会不信服。"孔子想了想,这样回答。

鲁哀公点点头,然后笑了,苦笑。

按《论语》。**哀公问曰:"何为则民服?"孔子对曰:"举直错诸枉,则民服;举枉错诸直,则民不服。"**

聊天聊得很愉快,不过孔子还是有些失望,路上狠狠地叹了几口气。他不知道鲁哀公究竟是领会不了自己的话,还是根本就不认同自己。

但是很快,孔子就知道答案了。

冉有挨骂

年底的时候,季康子准备改丘赋为田赋。什么是丘赋?什么是田赋?这一点历史上从来没有说清楚过。不过可以肯定的是,这是两种老百姓税赋的方式。至于哪一种更合理,恐怕很难说清楚。

在决定之前,季康子派冉有去向孔子请教。

"我不知道。"孔子一口回绝了。

冉有看老师不高兴,没办法只好回去复命。

"再去一趟吧。"季康子又派冉又走了一趟。

"我还是不知道。"孔子又是一口回绝。

冉有没办法,又回去复命。

"我自己去。"季康子有点恼火,干脆自己去走一趟。

"夫子啊,您是国家的元老啊,等着您的意见下决定呢,您怎么不给个意见呢?"季康子的态度总体还是比较谦恭的。

"哎哟,真是不好意思,这方面我真没研究。"孔子找了个理由,还是拒绝回答。

季康子很失望地走了。

冉有走在后面,被孔子叫住了。

"君子处理政事,要以礼法为依据:给老百姓的福利要尽量丰厚,办事尽量公平,赋税越少越好。如果这样的话,丘赋也就够了。如果不按照礼法行事,贪得无厌,就算是田赋也不够。再说了,如果你季孙想办事而又合乎法度,那

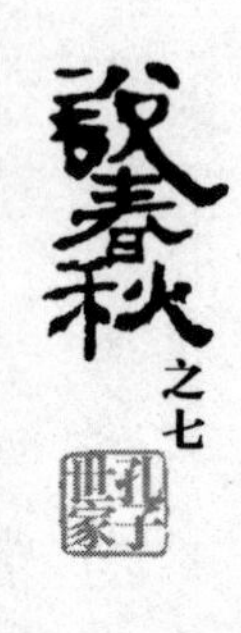

么自有周公的典章可供参照。假如想任意胡为,又何必征求别人的意见呢?”孔子气呼呼地对冉有说。冉有无话,只能点头,表示会把老师的意思转达给季康子。

孔子,基本上反对一切旧制度的变革。

终于,季康子还是没有听从孔子的劝告,在第二年春天宣布实行田赋。季孙家实行田赋,叔孙孟孙两家随后跟进,就连鲁哀公也在自己家不大的自留地上实行田赋了。

冉有作为季孙家的管家,在推行田赋这件事上非常卖力,这让孔子对冉有非常不满。

这一天,冉有上门来看望老师,于是师徒之间发生了争论,而这样激烈的争论在孔子与学生之间是从来没有过的。

“求啊,我听说季孙准备去祭泰山,有这事吗?”孔子问。

“是,是准备去。”

“求啊,泰山不是人人都能祭的啊,只有天子才有资格啊。当年齐桓公称霸想要祭泰山,都被管仲阻止了,季孙何德何能,怎么能去呢?啊,这违背礼法啊。我问你,你为什么不阻止他?”孔子说到礼法,非常激动。

“老师,我也劝了,可是他不听,我也没办法啊。”冉有早就感觉到老师对自己越来越不满,可是也没想到一来就被呵斥。

“哼,求啊,在礼法这个问题上,你真是还不如林放啊。”孔子更加的生气,说话也更加的不客气。

按《论语》。季氏旅于泰山。子谓冉有曰:“汝弗能救与?”对曰:“不能。”子曰:“呜呼!曾谓泰山,不若林放乎!”

林放是谁?历史没有记载,此人有可能是孔子的学生,也有可能不是,不过,林放曾经向孔子请教礼法。

“老师,我想请教礼仪的本质是什么。”有一次,林放来问。

“哇噻,这个问题很大啊。简单说吧,一般的礼仪,与其奢侈,不如节俭;对于丧礼来说,与其仪式齐备,不如内心悲哀。”孔子回答。实际上到了这个时候,孔子的观念已经有了很大的转变,从前,他是很讲究礼仪的形式和场面的。

按《论语》)林放问礼之本。子曰:“大哉问!礼,与其奢也,宁俭,与其易也,宁戚。”

冉有被老师训斥一顿,心头非常不爽,心说我现在怎么说也是鲁国的实权派人物,国君见了我也客客气气,老师您怎么这么不给面子,把我训得跟孙子一样。

心头这样想,冉有就准备再搭讪两句,找个理由离开的。可是,他没有想到的是，刚才那一顿仅仅是热身，狂风暴雨还在后面。

“求啊，季孙推行田赋，据说都是你在具体操作，干得不错啊，挺卖命啊，人人都说你才是鲁国改革开放的总设计师啊。”孔子把话题转到了田赋上，语气里带着讽刺。

“老师，食人之禄，忠人之事啊。我吃着季孙家的俸禄，当然要尽力干活了。再者说了，屁股决定脑袋，老师觉得不对的事情，在人家季孙那里可能就是对的啊。”冉有有点压不住火了，跟老师针锋相对起来。

“什么？我看你不过是贪图富贵而已。我告诉你，升官发财，这是人人都想的事情。可是，如果用不正当的方式升官发财，君子是不会去做的。贫穷和卑贱，是每个人都不愿意的，但是如果不能以合乎道义的方式改变，君子也不会改变的。君子如果抛弃了仁，又怎么可以叫君子呢？君子没有哪怕一顿饭的时间背离仁，不管是匆忙之间还是颠沛流离的时候，都不会背弃仁的。”孔子又搬出了“仁”来驳斥冉有。

按《论语》。子曰：“富与贵，是人之所欲也，不以其道得之，不处也。贫与贱，是人之所恶也，不以其道得之，不去也。君子去仁，恶乎成名？君子无终食之间违仁，造次必于是，颠沛必于是。”

冉有是在官场混的人，讲概念的时候少，讲方法的时候多，听到老师在这里喋喋不休地说大道理，有些不耐烦了。

“老师，您说的道理我懂，可是，我的能力无法实行。”冉有也没好气，顶撞老师。

“能力不够，至少也要走到一半实在走不动了才停止啊。你现在是什么？你现在是给自己画了一条线就不走了。”孔子气得拍了桌子，他还从来没有对一个学生发这么大的火。

按《论语》。冉求曰：“非不说子之道，力不足也。”子曰：“力不足者，中道而废。今汝画。”

看见老师发火，冉有不再说话，不过脸上也很不好看，强自压住自己的火。

“我就没见过喜爱仁的人，也没见过讨厌不仁的人。喜爱仁的人找不到了，所以讨厌不仁的人就成了仁了，也不过就是不让别人的不仁强加到自己身上罢了。不要跟我说你的能力不够，你有一天能致力于仁吗？说不定有，不过我没见到。”

按《论语》。子曰：“我未见好仁者，恶不仁者。好仁者无以尚之，恶不仁者其为仁矣，不使不仁者加乎其身。有能一日用力于仁矣乎，我未见力不足者。盖有之矣，我未之见也。”

（关于这一段的翻译，自古以来都很混乱，语焉不详。放在这里，就一目了

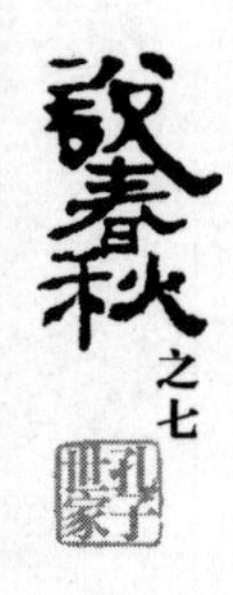

然了。)

冉有的脸色憋得通红,他怀疑自己再开口就会跟老师反唇相讥,弄不好师徒反目。好在,冉有足够冷静足够忍耐,他站起身来,向老师行了个礼,一言不发,匆匆离去。

冉有的离去看上去很无礼,这彻底惹恼了孔子。

"神马东西?以为自己当了季孙家的管家就可以牛了?"孔子气不打一处来,对身边的弟子们大声嚷嚷起来。"冉有不是我的学生,大家可以去砍他。"

几个小弟子从来没有见老师这样愤怒过,都低着头不敢说话。

按《论语》。季氏富于周公,而求也为之聚敛而附益之。子曰:"非吾徒也。小子鸣鼓而攻之可也。"

子贡开导老师

几天之后,子贡来了。最近这段时间,他就在鲁国和卫国之间跑生意,刚赚了一笔钱,特地来看望老师。

"老弟,最近老师怎么样?"进到孔家,子贡迎头看见子夏,于是问他。

"师兄,正想找你呢。"子夏看见子贡,一把拉住他,到了一处僻静的地方,把前几天老师怎样痛骂冉有,冉有又怎样一怒而去等等说了一遍。

"你怎么看?"子贡听完了,摇摇头,问子夏。

"师兄,我觉得这件事情是老师太固执了,冉有师兄没有错。"子夏说。也就是跟子贡,他敢批评老师。

"行,我知道了。"子贡说,叮嘱子夏不要对外人提起这件事情。

子贡的到来让孔子的心情好了很多,现在他最喜欢的学生就是子贡了。子贡这人懂得关心人,而且有实力,这一点是别的学生无法相提并论的。

子贡给老师带来了好酒和野味,师徒二人就一边喝一边聊。

子贡绝口不提田赋和冉有的事情,专门给老师讲自己在外面见到的奇闻趣事,听得孔子时不时开怀大笑,十分高兴。

聊得高兴的时候,子贡突然提出一个问题来:"老师,要做到怎样才算是一个真正的士人?"

"有羞耻之心,出使四方,能够不辱使命的人,这样的人就算是合格的士人了。"孔子回答,基本上就是在套子贡的条件。

"那,其次呢?"子贡忍不住笑了,老师就是这样,喜欢谁就说谁好。

"宗族里的人称赞他的孝敬,乡亲们称赞他友爱。"孔子说,指的是宓子贱、曾参这些人。

“那,再次呢?”子贡还问,希望孔子能把冉有说进来。

“再次,说话算数,做事果断。看上去是固执的小人,实际上也算是士吧。”孔子说,指的是高柴、樊迟这些人。

子贡心里在笑,心说看来老师对冉有的意见太大了,死活不肯说冉有的好话。想了想,子贡决定再试探一下孔子。

“老师,那如今的当权者怎样呢?”子贡问,所谓的当权者,除了三桓,当然还有冉有这样手握大权的人。

“噫!斗筲之人,何足算也。”孔子不屑一顾地说。斗筲都是容器,一斗为十升,一筲为两升,孔子的意思是:当权的都是些见识浅短、心胸狭隘的小人,就别提他们了。

按《论语》。子贡问曰:“何如斯可谓之士矣?”子曰:“行己有耻,使于四方,不辱君命,可谓士矣。”曰:“敢问其次。”曰:“宗族称孝焉,乡党称悌焉。”曰:“敢问其次。”曰:“言必信,行必果,硁硁然小人哉,抑亦可以为次矣。”曰:“今之从政者何如?”子曰:“噫!斗筲之人,何足算也。”

孔子,整个就是个老愤青。所以,愤青的祖师爷就是孔子了。

子贡看出来了,老师还在气头上呢,今天绝对不能提冉有。不过,如果老师总是用这样的态度去看三桓,弄不好什么时候还要离开鲁国。所以,无论如何要开导他一下。

于是,子贡就借着国外以及民间流传的故事和歌谣,隐讳地告诉孔子一个事实:鲁国就是三桓的了,连鲁国国君也都认命了。再者说了,对于老百姓来说,鲁国是谁的不重要,重要的是当权者能不能让百姓过上好日子。

孔子听得很明白,其实他也一直在思考这个问题,现在他总算彻底明白了。明白了什么?

首先,鲁哀公为什么不重用自己?一来,他就那么块自留地,就算给孔子封个什么官,有什么用?二来,用谁不用谁,鲁哀公说了能算吗?

说来说去,说去说来,在鲁国要想混得好,或者往高尚点说要想为百姓做点事,站队就必须站在三桓这一边,具体说,是季孙这一边。

当孔子想明白了这些,原先的愤怒就少了许多,对冉有的不满也就少了很多。

“老师,我明天去看看冉有师兄,老师有什么话带给他?”子贡问的时机非常好。

“也没什么,让他注意身体别太辛苦,有时间多来看看我。”孔子说,其实他也知道冉有对自己好,现在挺后悔前几天那样训斥他。

子贡笑了,他觉得,老爷子有的时候跟小孩一样,要哄才行。

第二七五章　子贡出马

田赋事件实际上让孔子清醒过来，他终于明白自己与鲁哀公的所有谈话实际上都是聊天而已，因为说得再好，也无法实行。鲁哀公再尊重自己，也不能给自己大展宏图的舞台。

从那之后，孔子与鲁哀公谈话的兴趣小了很多，一般而言，只要鲁哀公邀请，孔子还是尽量会去，不过话题就都离治理国家很远了。

“我听说君子不下围棋。”有一天，鲁哀公提出这样一个问题。

“没错啊。”孔子说。

“为啥？”

“因为围棋有黑白两道啊，这样就不恭敬，所以君子不玩这个。”孔子说。可是他没有想想，黄帝发明了围棋，难道黄帝就不是君子？

不管怎样，都是这一类的问题。

热脸贴上冷屁股

从前，孔子出行喜欢带的人是子路、冉有、子贡，子路勇猛忠诚，可以起到卫士的作用；冉有沉稳内敛，做事令人放心；子贡能言善辩，出门带着他不仅不寂寞，跟人打交道都可以交给他去做。

如今，这三个人都当官的当官，经商的经商了，那么，出门带谁呢？孔子带的通常是樊迟和宰我。樊迟的性格像子路，简直就是子路二号，而宰我的口才不逊于子贡，只不过没有子贡那样对老师无微不至。

有一天鲁哀公请孔子去做客，恰好孔子身体不太舒服，于是趁机推掉了，派宰我去回复鲁哀公。宰我的口才好，鲁哀公就留他聊了一阵。

“我想问问啊，这个历朝的社木都是什么？”鲁哀公突然问这样一个问题，社木就是社庙里的神主。

“我知道，老师讲过。”宰我恰好知道，卖弄起来。“夏朝的时候用的是松，商朝用的是柏，周朝用的是栗。为什么用栗呢？就是要让老百姓战栗的意思。”

宰我回来之后，跟老师讲了这件事情，颇有些得意，觉得给老师长了脸。

“已经成功的事情，就不要去说了；已经做过的错事，也就不要再提了。过去的事情，就不要再追究了。周朝用栗本身不是什么好事，你非要跟他说那么明白干什么呢？”孔子不仅没有表扬宰我，还批评他说得太清楚，损毁了鲁哀公眼中老祖宗周公的形象。

宰我没话说，暗叹晦气，心说老师就喜欢子贡，看自己什么都不顺眼。

按《论语》。哀公问社于宰我。宰我对曰：“夏后氏以松，殷人以柏，周人以栗。曰：‘使民战栗。’”子闻之曰：“成事不说，遂事不谏，既往不咎。”

既往不咎，这个成语出自这里。

对鲁哀公不抱期望之后，孔子治理国家的雄心还没有消灭。

“也许，该跟季孙多谈谈。”孔子暗中下了决定，为了实现自己的理想，他宁愿放弃自己的原则，把希望寄托在三桓的身上。

鲁哀公十二年春天，鲁昭公夫人孟子去世。其实，孟子应该叫孟姬，因为她是吴王的女儿。为了掩盖同姓结婚这个事实，鲁国人称她为孟子。因为是同姓结婚，再加上鲁昭公死在国外，因此孟子的丧礼降格，不能在公室吊丧，因此就安排在季孙家里。

孔子看到了机会，一个与季孙家修补关系的机会。

于是，孔子带着宰我和樊迟去了季孙家中吊唁。冉有见老师来了，大致也猜到了实际的来意，为他安排了和季康子的会面。冉有上一次虽然很恼火，但是有子贡的劝解，早已经谅解了老师。

出于礼节，季康子会见了孔子，不过态度不咸不淡，对孔子的不满明显能够看得出来。

孔子尽管有些尴尬，可是该套近乎还是要套近乎。两人有一搭没一搭地聊了一阵。

“夫子在卫国这么多年，卫灵公这个人怎么样？”季康子也是没话找话，提了一个问题。

“这人不咋地。”孔子贬低卫灵公，而在鲁哀公面前他称赞卫灵公，为什么有这么大的变化？大致这才是他对卫灵公的真正看法。总之，孔子说了一堆卫灵公的坏话。

"那就怪了,既然你把卫灵公说得这么糟糕,怎么他并没有丧失自己的国家呢?"季康子问,明显地不给面子。

孔子愣了一下,没想到季康子当面责难。不过,这样的问题难不倒孔子。

"虽然他很无道,可是大臣们很强啊。仲叔圉负责外交,祝砣主管祭祀,王孙贾管理军队,这么强的阵容,怎么能丧失国家呢?"孔子也算反应机警,带着几分强词夺理,算是勉强把这个问题扛了过去。

两人又聊了几句,季康子借口有事,让冉有送客了。

按《论语》。子言卫灵公之无道也,康子曰:"夫如是,奚而不丧?"孔子曰:"仲叔圉治宾客,祝砣治宗庙,王孙贾治军旅,夫如是,奚其丧?"

过了几天,孔子又要去拜会季康子。这一回,宰我有想法了。

"老师,您经常教育我们说'王公不聘不动',王公不上门来请都不去,怎么反而一而再地登门拜会季康子呢?"宰我的问题比季康子的问题还要直逼要害。

孔子瞪了宰我一眼,心说你这小子就是比不上子贡。

"我告诉你吧,鲁国现在的状况是礼法漫灭,以强凌弱,整个国家好像没有人管。在这样的情况下,我觉得没有什么比让我来治理这个国家更重要的事情了。"孔子这样回答,意思就是为了鲁国的社会和谐,我宁愿丢这个人。

宰我就觉得老师这是在强词夺理,可是看见老师不高兴,也不敢再说什么。

就这样,宰我和樊迟又随同孔子去了季孙家,结果也还是一样,季康子的态度相当冷漠,让孔子很尴尬。

从那之后,孔子也不好意思再上门拜会季康子了。

子贡的口才

夏天的时候,吴国太宰伯嚭前来,要求重温两国当年在曾地的盟约,鲁哀公不同意,恰好子贡在鲁国,于是派子贡前去推辞。

"哎哟,子贡啊,最近还好吧?"伯嚭别的人看不上,就是对子贡特别欣赏,看见子贡就高兴。

"再好也不如太宰好啊,哈哈哈哈。"子贡上来就是一通笑声,像是看望老朋友,而不是来见世界第一强国的执政官。

"哈哈哈哈,有什么事?"伯嚭也笑了,主动问子贡。

"有件事情你们做得不地道,所以我来说说。"子贡没客气,上来就是批评。

换了别人,谁敢这么跟伯嚭说话?

"哎,什么不地道?"伯嚭并不生气,倒好像有些紧张。

"知道盟誓是用来干什么的吗?是巩固信用的,所以盟誓都很庄重。如今你们要求重新盟誓,那算什么?如果盟约可以修改的话,那也就可以毁弃了。所以,没事不要重温什么盟誓了。"子贡一番话,说得十分有道理。

"好,听你的。哎,吃过了没有?"伯嚭听从了子贡的话,还要请他吃饭。

转眼又到了秋天,吴国人又来了,吴王夫差和太宰伯嚭在宋国郧地召集鲁国、卫国和宋国三国国君开会,说是要结盟。鲁哀公、卫出公和宋国的皇瑗来参加会议。这一次,鲁哀公又特地请了子贡同行。

对于吴国人的专横跋扈,三国领导人都很反感,于是暗中结盟,最终都拒绝了吴国人结盟的要求。

伯嚭非常恼火,可是又不好三个国家一并对付,于是决定专门对付卫出公,因为卫国曾经杀过吴国的使者,而且,这一次卫出公是最后来的。

吴国军队包围了卫出公的住处,随时准备抓人。

子服景伯也随鲁哀公前来,见现在的情况有些紧张,于是急忙来找子贡,他知道,只有子贡能救卫出公了。子贡也没有推辞,带了五张锦去见伯嚭了。

看见子贡,伯嚭高兴;再看见那五张锦,伯嚭更高兴。

两人拍肩搭背,好像他乡遇故知一样高兴地攀谈起来。说着说着,子贡就把话题引到了卫出公的身上。

"其实呢,我家大王很想跟卫出公交个朋友,可惜卫出公迟到了,我家大王有点担心,于是才这样挽留他。"伯嚭说,明明是扣押人家,硬说成挽留人家。

换了别人,大致就只能顺着伯嚭的话,说些什么人家老婆生病孩子上学等着他回家刷马桶之类的话,请伯嚭放人。可是子贡不一样,他知道越是对强横的,就越要直截了当。

"太宰,我不这么看。我听说人家卫出公在来之前征求过大臣们的意见,结果有人主张来,有人主张不来,因此才来晚了。主张来的,都是您的朋友;主张不来的,都是您的敌人。您如果抓了卫出公,就等于害了您的朋友而成全了您的仇人,那些企图反对贵国的人就会更高兴。再者说了,会合诸侯的时候却把诸侯给抓了,谁还敢再相信你们?下次谁还敢再来?损害朋友,成全仇人,并且失去诸侯的信任,贵国要称霸?嘿嘿。"子贡说完,冷笑起来。

"说得对啊。那什么,今天别走了,咱哥俩喝两盅。"伯嚭高兴,当场命令撤去对卫出公的包围,然后留子贡喝酒。

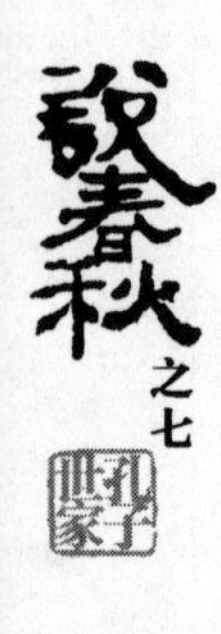

子贡的忽悠

从盟会回到鲁国，子贡的第一件事自然是去看望老师。孔子对子贡的表现非常高兴，师徒两个也谈得尽兴。不过，子贡隐隐感觉到老师似乎有些心事重重。

喝酒的当口，子贡借口方便，顺便把子夏叫了出来。

“子夏，好像老师的情绪有些不太好，怎么回事？”子贡问，子夏一定知道。

“师兄，主要呢，是老师想修复跟季孙的关系，可是季孙那边有点不太尿老师；还有一点呢，国君前两天派人说，公室的粮食也很紧张，所以老师的俸禄减少了一半。这样一来，家里的口粮就有点吃紧了。”子夏是个观察细微的人，老师的任何情绪变化都在他的眼里。

“嗯。”子贡点点头，他知道这两个问题必须要解决了。

第二个问题其实很容易解决，子贡有的是钱，随便拿一点出来都能让老师衣食无忧。可是子贡有些犹豫，因为这样一来，就等于自己对老师有恩，从此之后，老师对自己就不会像从前那样如同一个学生对待了，老师会对自己客气很多，自己的不足老师也不会那样毫不留情地指出来了。

再者说了，老师是个爱面子的人，自己平时的小孝敬没有问题，如果一下子给一大笔钱或者固定下来年年给，老师未必肯接受。

“如果那样，就等于我失去了老师。”子贡这样想，他决定换一种方式来帮助老师。

什么方式呢？

子贡一定能够想到办法，因为他是子贡。

第二天，子贡来到了季孙家里，他来找冉有。冉有见子贡来到，十分高兴。

“子贡，又立新功了，哈哈。”冉有说。

“嗨，那不算什么。”子贡笑了，然后说：“师兄，我想见见你家主公，看什么时间帮我安排下。”

“这样，择日不如撞日，主公今天恰好在家，你等等，我去问下。”冉有说完，匆匆出去。

不多时，冉有回来了。

“走吧，等你呢。”冉有招呼子贡，于是两人同去见季康子。

季康子对子贡景仰已久，听说子贡来，当即就决定见面。看见子贡，非常客气。于是，分宾主落座，冉有作陪。

“子贡先生,看来吴国人就听你的啊,真是厉害。不知有何见教?”季康子说话很客气。

“见教不敢,不过还真有急事要说。”子贡说,很严肃的样子。

“什么急事?”

“事关季家和鲁国的存亡,所以,不敢不说。”子贡说,面带忧虑。

“啊,什么? 快说。”季康子的脸色一下子变了,这可是大事。

子贡思考了一下,又喝了一口水,见季康子一脸焦急的样子,又顿了顿,才开始说话。

“我跟吴国太宰喝酒的时候,太宰委托我回来请我老师去吴国,所以我说,您和鲁国都很危险了。”

“为什么这么说?”

“想想啊,我老师弟子三千,像冉师兄这样的弟子就有七八十个,我这样的四五百人。你想想看,如果吴国用我老师,而我们这些弟子一定都会去帮老师。那时候,吴国看谁不顺眼就灭谁,鲁国挨着吴国,难道不是首当其冲?”

“冉有,你会去帮你老师对付鲁国吗?”季康子听得有点紧张了,转头问冉有。

“那倒不一定,可是如果在战场上遇上老师,我是绝对不会跟老师战斗的。”

“你这么说,还真是了。那么,我还有什么办法吗?”

“有一个办法,杀了我老师,吴国人就得不到他了。”

“杀了你老师,他的学生不是都会怨恨我? 再者说了,无缘无故,我凭什么杀你老师呢?”

“那就第二种办法,吴国人吸引我老师的,无非就是封地而已。如果您能表现出对我老师的尊重来,我老师还是很爱国的啊。”

“好,你说怎么办吧?”季康子上套了。

“我听说老师的俸禄最近被削减了一半,您如果每年能够给老师一千钟粮食,老师就会很感激了。”子贡开始提条件,一钟相当于六斛四斗。

“一千太少,两千。”季康子加了一倍。

祸福同来

秋收之后。

“唉,粮食不够吃了。”孔子有点发愁,粮食本来足够,多出来的还能周济那些贫穷的学生和街坊四邻。可是如今,粮食不够吃了。

正在叹息，突然有人来报。

“老师，季孙家的车队到了。”一个学生进来报告。

“车队？什么车队？”

“运粮食的车队，说是季孙赠送老师两千钟粮食，并且，今后年年这个时候都有。”

“啊，真的？”孔子喜出望外，迎了出去。

粮食入库了，孔子家没有足够的仓库来装，临时腾了些房子出来。

“季孙真是个好人哪。”孔子感慨，身边的子夏偷偷地笑，他知道谁才是真的好人，那就是子贡。

对于孔子来说，得到了粮食只是高兴的一个理由，由粮食看出季孙对自己态度的转变，这更加令他高兴。而从另一个角度说，有了充足的粮食，就有更多的人愿意来学习，也就能结交更多的朋友，自己的学说也就能被更多的人所接受。

对于季康子，孔子是真的非常感激。

按《说苑》。孔子曰：“自季孙之赐我千钟而友益亲，自南宫敬叔之乘我车也，而道加行。故道有时而后重，有势而后行，微夫二子之赐，丘之道几于废也。”

祸福总是相伴而来，快乐和悲哀总是交替出现。

冬天的时候，孔鲤病重，医治无效，去世了，享年四十九岁。

儿子的死让孔子骤然之间感觉到人世无常，感觉到生命的短促。

按照周礼的规定，士下葬有棺无椁，孔鲤一生没有做过官，自然只能属于士，至此只用棺下葬。

对于儿子的死，孔子只是伤心而没有到悲恸的地步。孔子父子之间的关系一向就不是特别亲密，史书中关于孔鲤的记载少之又少，孔子对他的教导似乎都是片言只语，父子二人并没有什么沟通可言，孔鲤对父亲的话只能唯唯诺诺。

父子关系一般，原因是多方面的。从小失去了母亲，孔鲤对父亲多少会有些怀恨；而孔子的心思都在自己的教学和宏大志向上，对儿子也有些忽视。

在孔子的心目中，那些优秀学生远比儿子要亲近得多，譬如子路子贡颜回等等，孔子和他们的关系远远超出了父子关系。

孔子直接或者间接推荐了很多学生做官，可是自己的儿子始终在家里。按照“学而优则仕”的说法，孔子一定是认为儿子学业不精，或者认为他的性格不适合做官。

而孔鲤比子贡颜回等人的岁数都要大，协助父亲管理孔家的任务比较重。

在孔子周游列国的十四年时间里，孔家都是孔鲤在撑持，因此而耽误学业也属正常。

孔鲤的独生儿子叫孔伋，字子思。

第二七六章　好学生

季康子尽管对孔子的某些说法还是不赞同，不过在子贡和冉有的影响下，还是觉得老头有学问，人品也不错，还是值得交往。

从那之后，季康子开始主动请孔子上门，请教一些问题。

当年的冬天，鲁国发生了蝗灾，季康子请来孔子请教这件事情。

“据我所知，一旦火星消失，昆虫就应该全部蛰伏起来了。但现在火星仍然高悬在西方天空上，这是主管历法的官员应该闰月而没有闰月的缘故。”孔子回答。这个答案正确吗？

季康子

《论语》中有不少孔子和季康子的对话，主要都是发生在这个时期。

“要使百姓恭敬忠诚和勤勉，该怎么办？”季康子问。

“对他们尊重，他们就会恭敬；孝敬老人，慈爱孩子，他们就会忠诚；提拔好人，教育能力差的人，他们就会勤勉。”孔子回答。

按《论语》。**季康子问：“使民敬忠以劝，如之何？”子曰：“临之以庄则敬，孝慈则忠，举善而教不能则劝。”**

“夫子，告诉我怎样为政。”季康子又讨教。

“政就是正，您身为国家执政，您要是行得正，谁敢不正？”孔子回答。

“那么，杀掉那些犯法的人，儆戒人们守法，怎么样？”

“您执政，怎么用得着杀戮呢？只要您真心向善，老百姓就会向善。君子的德行就像风一样，老百姓的德行就像草一样。风吹在草上，草一定随风而倒啊。”

“那，鲁国强盗那么多，怎么办？”

“只要你不想他们当强盗，就算悬赏也没有人会当强盗啊。”孔子说。

按《论语》。季康子问政于孔子。孔子对曰：“政者正也，子帅以正，孰敢不正。”

按《论语》。季康子问政于孔子曰：“如杀无道，以就有道，何如？”孔子对曰：“子为政，焉用杀。子欲善，而民善矣。君子之德风，小人之德草，草上之风，必偃。”

按《论语》。季康子患盗，问于孔子。孔子对曰：“苟子之不欲，虽赏之不窃。”

从孔子与季康子的对话中其实可看出孔子对季康子的看法：只要你真的想治理好国家，你就该以身作则，你做好了，国家就治理好了。相反，如果你自己都做不好，怎么治理国家？

季康子当然能听出孔子的话中话，所以后来与孔子的谈话越来越少。

以身作则，这是孔子德政的核心。

所以，所谓以德治国，最根本的就是以身作则。如果自身就没有德或者缺少德，怎么以德治国呢？

尽管季康子和孔子之间的关系始终不是太融洽，季康子还是认为孔子的学生中有很多人才。

“子路的能力怎么样？能够从政吗？”季康子问。

“子路这人很果断啊，当然可以从政了。”孔子说。他指出了子路的优点。

“那，子贡呢？”

“子贡？子贡非常通达啊，一点问题也没有啊。”

“冉有呢？”

“冉有的才能这么多，从政有什么困难的？”

按《论语》。季康子问：“仲由可使从政也与？”子曰：“由也果，于从政乎何有！”曰：“赐也可使从政也与？”曰：“赐也达，于从政乎何有！”曰：“求也可使从政也与？”曰：“求也艺，于从政乎何有！”

其实，季康子跟这三个人都很熟，对子路，季康子的评价并不太高；对冉有，那不用说，非常欣赏；对子贡，更不用说，异常喜欢。季康子曾经让冉有出面邀请子贡来做自己的家臣，被子贡拒绝了。后来季康子亲自出马邀请，子贡也拒绝了。子贡的理由很简单：我这人闲散惯了，不想受约束。不过，即便我不来给你打工，您有什么事或者鲁国有什么事需要我的，我一定全力去办。

所以，季康子跟子贡的关系非同一般，接待子贡都是按照最高规格。

在冉有的推荐下,季康子打算聘用闵子骞为费邑宰,于是派人去请。谁知道闵子骞对于出仕毫无兴趣,对来者说:“谢谢你家主公,不过我实在没有兴趣。如果再来的话,我就只好移民到齐国了。”

按《论语》。季氏使闵子骞为费宰。闵子骞曰:“善为我辞焉。如有复我者,则吾必在汶上矣。”

闵子骞不肯去,孔子准备让冉有推荐漆雕开,可是在征询漆雕开意见的时候,漆雕开拒绝了:“老师,我现在的知识能力,还不能胜任啊。”

对于漆雕开的回答,孔子很高兴。

按《论语》。子使漆雕开仕。对曰:“吾斯之未能信。”子说。

闵子骞不肯去,漆雕开也不肯去,冉有推荐了冉雍。于是,冉雍成为费邑宰。临上任之前,冉雍照例也来向老师告别以及请教。

“首先呢,要依法行事;其次,小的过错不要太追究;再次,选拔贤人。”孔子给冉雍的忠告就是这些,他说的是法,而不是礼。

“怎样知道谁是贤人呢?”

“你知道的,你就选拔。你不知道的,自然有人会来向你推荐的。”孔子说。其实,这个问题还真不好回答。

按《论语》。仲弓为季氏宰,问政。子曰:“先有司,赦小过,举贤才。”曰:“焉知贤才而举之?”曰:“举尔所知,尔所不知,人其舍诸?”

除了冉雍,宓子贱受聘为单父宰,言偃(子游)就受聘为武城宰,公西华等人也都进入了季孙家当家臣。孔子对于学生们纷纷成为家臣保持沉默,这不是他的初衷,可是,人总是要吃饭的,而且,成为季孙家的家臣也算是学有所用了。

宓子贱和子游

宓子贱前往单父履新之前,来向老师辞行并请教。

“处理政事,不要轻易拒绝,否则就会闭目塞听;也不要轻易允许,否则就会失去立场。你要做到像高山深渊,使人看不到顶也看不到底。”这是孔子对宓子贱的忠告,针对宓子贱的性格特点。

“多谢老师指点。”宓子贱非常高兴,上任去了。

告辞了老师,宓子贱碰上了老朋友阳昼,于是也向他请教。

“老阳,有什么忠告给我吗?”宓子贱问,他一向是个很谦虚的人。

“我没什么学问,恐怕没什么忠告。不过我知道两个钓鱼的方法,不妨告诉你。”阳昼想了想说。

“好啊。”

“如果刚放下鱼钩，就迎着鱼钩吃饵的鱼，这是阳桥，这种鱼肉薄，味道也不好；如果那种鱼若隐若现，又像要吃又像不吃，这是鲂鱼，这种鱼个头大，肉厚，味道也好。”阳昼的方法就是这个了。

“好，我明白了。”宓子贱会意地笑了，他知道阳昼想说的是什么。

到了单父，还没有进城，当地的头头脑脑就都在路边迎候了。

“快走快走，阳桥来了。”宓子贱让驾车的直接进了城，把迎候的人们撇在了身后。

随后，宓子贱四处寻访，寻访出十九个贤人，与他们成为朋友，凡事向他们请教。具体的事务，也都分派给恰当的人去办。

有智囊团出谋划策，有手下具体操办，宓子贱在单父的生活潇洒得可以，平时就在衙门里谈天说地，弹琴唱歌。可就是这样，单父治理得不错。

后来孔子听说宓子贱干得不错，特地前去看望弟子。去单父的路上，路过一个城邑，治理这个城邑的是孔子的侄子和学生孔蔑，也是经过冉有的推荐坐到了这个位置。既然到了这里，孔子决定去看看侄子干得怎样。

“自从当官以来，有什么得失啊？”孔子问侄子。他对侄子其实一直不太看好。

“叔啊，要说得到了什么，还真不知道。不过要说失去了什么，那至少有三样。”孔蔑开始诉苦，一边说话一边掰指头。“第一呢，公务繁忙，没时间学习了；第二呢，工资太少，喝粥都不够，不能照顾亲戚们，因此亲戚们都疏远我了；第三呢，还是公务繁忙，没时间参加朋友们的婚礼葬礼之类，朋友们也疏远我了。唉，当官真不是人干的活。”

孔子斜了他一眼，没说话，走了。孔子非常不高兴，自己辛辛苦苦托冉有给他弄了这么个差事，还一大堆不满。看来，今后这种狗屁事少管，就算是亲戚，自己不上进有什么用？

继续赶路，到了单父。只看见单父到处都井井有条，老百姓的情绪也都很好，孔子就知道，宓子贱的治理确实不错。

见到宓子贱的时候，宓子贱正在弹琴呢。

“子贱，治理得不错啊，怎么治理的？”孔子非常高兴，笑着问。

于是宓子贱将自己的治理方法说了一遍，孔子更加高兴。

“当年尧舜治理天下就是这样的啊，子贱啊，你的能力治理天下也没有问题啊。”孔子夸奖宓子贱，之后又问了一个问题：“我问你，自从治理单父以来，得到了什么？失去了什么？”

“这个，失去的嘛，好像没有，得到的挺多，至少有三样。”宓子贱想了想说，话说出来就让人喜欢。

“说说看。”

“第一呢，当初读的书呢，现在都可以实践了，所以学问更明白了；第二呢，工资虽然不多，可是能够让亲戚们有口粥喝了，所以亲戚们更亲近了；第三呢，公事虽然繁忙，还是能抽出时间参加朋友们的活动，看望生病的人，所以朋友们更亲近了。”

同样的三件事，宓子贱和孔蔑的回答截然相反。孔子听得笑开了花，心说这样的人谁不愿意帮助呢？这才是我的好学生啊。

“子贱，你真是个君子啊。鲁国要是没有君子的话，怎么能出你这样的人呢?”孔子当面赞扬。

按《论语》。**子谓子贱：“君子哉若人。鲁无君子者，斯焉取斯。”**

后来，宓子贱不做单父宰，孔子的另一个学生巫马期接任。巫马期治理单父的方法与宓子贱截然不同，任何事情都亲力亲为，早上天不亮就出门，晚上天黑了才回家，结果单父也治理得很好。不过，巫马期的身体有些受不了了，于是前去请教宓子贱。

“师弟啊，怎么我治理单父这么费劲，可是你就那么轻松呢？是不是老师有什么诀窍告诉你了?”巫马期好不容易抽了个时间出来，直截了当地问。

“我呢，比较注重用人；你呢，比较喜欢亲力亲为。亲力亲为，当然辛苦；善于用人，自然轻松了。”宓子贱说。

子游做武城宰做得不错，孔子决定也去看看子游，带着几个学生就去了。

来到武城，果然发现老百姓安居乐业，显然治理得不错。来到子游官邸的时候，就听到里面的音乐声和歌唱声。当然，都是孔子喜欢的乐，换今天的话说，奏的是红乐唱的是红歌。

看见老师来到，子游急忙停止了歌乐。

“子游啊，上班时间卡拉 OK 啊。”孔子假装生气地问。

“老师，你说过君子治理一个地方要用礼乐啊。”子游急忙说，他以为老师是真生气了。

“哈哈哈哈，我当然说过了。不过呢，小小武城哪里用得着这些啊，你的歌声乐声再好，他们也听不懂啊，杀鸡焉用牛刀啊?”孔子笑了，他一直很喜欢子游。

“老师从前说过啊，君子懂得礼乐则爱人，老百姓懂得礼乐就比较容易领导啊。”子游回答，用老师的话反驳老师。

孔子又笑了，子游真是个好学生啊。

“你们听好了，子游的话是对的，我跟他开玩笑的。”孔子对随行的学生们说，免得大家误会。

按《论语》。子之武城，闻弦歌之声，夫子莞尔而笑曰：“割鸡焉用宰牛刀。”子游对曰：“昔者偃也闻诸夫子曰：‘君子学道则爱人，小人学道则易使也。’”子曰：“二三子，偃之言是也。前言戏之耳。”

杀鸡焉用牛刀，这个成语出于这里。

孔子的心情非常好，子游陪他四处转转，一边转，一边聊天。

“对了，有没有发现什么可造之材啊？”孔子问，他想再招几个学生。

“有一个人不错，此人叫做澹台灭明，很好学也常常给我提出好的建议。这人走路不走小路，如果没有公事的话，从来不进我的屋子。”

“嗯，这么好的人，你问问他愿不愿意来跟我学习啊。”孔子主动说，好学生们纷纷离开了，他也想再招几个有潜质的。

“好啊。”子游很高兴，他也正想把澹台灭明推荐给孔子呢。

澹台灭明，字子羽，比孔子小三十九岁。

第二天，子游带着澹台灭明来见孔子了。

“老师好。”澹台灭明见到孔子，非常恭敬。可是，孔子看见澹台灭明，却有些失望。为什么？因为澹台灭明长得实在太难看了，用《史记》的话说，是“状貌甚恶”。

孔子没有见过这么难看的人，打心眼里不喜欢他。可是又不好反悔，没办法，收了这个学生，带回了曲阜。

按《论语》。子游为武城宰。子曰：“汝得人焉尔乎？”曰：“有澹台明灭者，行不由径，非公事，未尝至于偃之室也。”

后来澹台灭明在孔子那里一直不受重视，学了不到两年就离开了。之后去到了吴国，也像孔子一样开设学校，弟子三百人，后来学生中也出了不少人才。

孔子听说澹台灭明的成就之后，曾经感慨自己以貌取人看错了人。

师徒之争

公西华本身就是季孙家的疏族，在季孙家担任主持祭祀的官员，一些正式的场合，仪式都由他来主持。一次，季孙派他去齐国出差，要在齐国待上一段时间。恰好冉有来看望老师，就把这件事情对老师说了。

“老师，季孙家里出差都有出差补贴。子华这次去齐国，也是有补贴的，但是从前没有过这样的出差,我想问问老师,你觉得该补多少?"冉有问。一来是问问,二来要显示自己对师弟们很关照。

那时候的补贴,就是给粮食。公西华出差了,粮食就给到他老娘。

"给他一釜吧。"孔子建议,一釜约合当时的六斗四升。

"老师,太少了,多给点吧,怪辛苦的。"冉有提出来,在他眼里,这确实拿不出手。

"那,再多给一庾吧。"孔子同意了,一庾约等于当时的十六斗。

冉有没有再问了,他知道老师一向不宽裕,出手肯定不会太高。

最终,冉有给了五秉,也就是八百斗。

对此,孔子很不高兴。

"公西华去齐国是用的自家的车马,非常豪华,穿的也都是上等的衣服,他们家里还缺这点粮食?我听说,君子要给穷人雪中送炭,而不是给富人锦上添花的。"孔子对学生们说,他对冉有这样的做法很不满意。

按《论语》。子华使于齐,冉子为其母请粟。子曰:"与之釜。"请益。曰:"与之庾。"冉子于其粟五秉,子曰:"赤之适齐也,乘肥马,衣轻裘。吾闻之也,君子周急不继富。"

公西华出趟差就得到八百斗粮食补贴这件事情在孔子的学生中引发了强烈反响。弟子们的反应主要是两个方面,第一,还是当官好;第二,冉有和公西华的关系好。

一时间,孔子的学校有些人心浮动,特别是担任教师和管理的弟子们,他们暗地里都在议论要去走冉有这个门路,也去弄个官当当,比在这里挣得多多了。

眼看着一石激起千层浪,孔子感觉事情有些麻烦了。

怎么办?孔子想了想,想到一个办法。

"宪啊,自从求走了之后,就是你做管家,这么多年来做得很好,也很辛苦了,老师决定给你加薪。"孔子找来了管家原宪。原宪字子思,宋国人,比孔子小三十七岁,冉有之后,就是他接任管家。

"这,不用了吧,我的薪水已经用不完了。"原宪推辞,他是一个很知足的人。

"不行,我打算给你九百斗的年薪。"孔子说。

"那怎么行?我用不了啊,放都没地方放啊。"原宪吓了一跳,这薪水确实太高了,超出他的想象能力。

"多怕什么?多了可以分给乡亲四邻一些啊。"孔子说,坚持要给,心说公西华出趟差都挣八百斗,我的管家辛苦一年,怎么说也不能比他少啊。

既然孔子坚持给，原宪也就只能接受了。因为老家在宋国，原宪在鲁国没有什么亲戚朋友，实际上也就把粮食多半给了同事们了。

至于其他的教职员工，也都获得了加薪。

按《论语》。原思为之宰，与之粟九百，辞。子曰："毋以与尔邻里乡党乎？"

关于原宪，历史记载不多。基本上，他的个性有些像颜回，对孔子的礼乐学说非常笃信。

有一次，原宪向孔子请教什么是耻。

"国家政治清明的时候，当官拿俸禄。国家政治混乱的时候，也当官拿俸禄，这就是可耻了。"孔子回答，隐隐然，觉得某些人很可耻。

"那，争强好胜，自我夸耀，嫉妒别人，贪图私利，如果能够避免这四种行为，可以算是有仁德的人吗？"原宪接着问。

"嗯，能够避免这四种行为，那就是难能可贵了。不过，这样算不算仁德，我也不知道。"孔子回答。

按《论语》。子思问耻。孔子曰："国有道，谷。国无道，谷，耻也。"子思曰："克伐怨欲不行焉，可以为仁乎？"孔子曰："可以为难矣，仁则吾弗知也。"

根据《史记》的记载，在孔子去世之后，因为看不惯师兄弟们的钩心斗角，原宪离开了孔家，去了卫国自耕自种，生活非常艰难，住在贫民区。后来子贡去看他，见他破衣烂衫面带菜色，于是问他是不是病了。

"我听说啊，没有财产叫做贫，学会了道理却不能去施行，那才是病呢。像我，就是贫而已，不是病。"原宪说。换了今天，就会说这是知识分子的气节了。

第二七七章　坏学生

俗话说:林子大了,什么鸟都有。

俗话还说:鸟大了,什么林子都有。

所以,孔子有好学生,自然也有坏学生。

所以,孔子认为的好学生,未必就是好学生;孔子认为的坏学生,也未必就是坏学生。

宰我

在孔子所有的学生中,最郁闷的一个大概就是宰我了。

宰我跟子贡的关系一直比较僵,两人互相不服。而子贡和冉有的关系好,因此,尽管孔子也对冉有说过给宰我找个活,冉有一直哼哼唧唧,就是不肯帮忙。

眼看着能力不如自己的师兄师弟们都当官挣钱去了,自己还在这里跟老师混,宰我就觉得越来越没劲,看什么都不顺眼。再看老师整天子贡长冉有短的,宰我对老师更是满肚子怨气了。

孔子对宰我的印象其实一向也就一般,因为宰我总是拿些话题来为难自己,像是故意跟自己作对。

宰我越来越感觉自己在这里是多余的人,他有一种强烈的冲动:走。

走去哪里?这是宰我认真考虑的问题了。在鲁国,自己肯定没戏,那么,去鲁国的敌人齐国那里是最靠谱的选择。可是,如果去了齐国,也就意味着再也不能回到这里了。

走,还是不走?宰我一时有些犹豫。

既然没有心思再待下去，宰我就表现出懈怠来了。讲课的时候心不在焉，不讲课的时候总是躲在房间里睡觉。

这一天，宰我大白天呼呼大睡，被孔子知道了。

“唉，朽木不可雕也，肮脏的土墙再刷也没有用，这个人，我还有什么好说的呢？”孔子叹口气，对宰我非常失望。“从前呢，我听谁说什么都相信。从今以后，我听谁说什么之后，还要看他做什么。这个教训，就是宰我给我的。”

按《论语》。宰予昼寝，子曰：“朽木，不可雕也，粪土之墙，不可圬也。于予与何诛？”子曰：“始吾于人也，听其言而信其行；今吾于人也，听其言而观其行。于予与改是。”

朽木不可雕也，这句成语来自这里。

听其言而观其行，这个成语也来自这里。

“整天吃饱了撑的什么都不干，这样的人有什么用？不是有人下棋混日子吗？这也比他整天无所事事睡大觉好啊。”孔子又说，觉得宰我真是无可救药，可以考虑炒掉他了。

按《论语》。子曰：“饱食终日，无所用心，焉矣哉！不有博弈者乎，为之犹贤乎已。”

宰我听说了老师对自己的这两番评价，他彻底绝望了，也最后下定了决心。

在临走之前，宰我还有一个问题要问孔子。

“老师，我有一个问题要请教您。”宰我又来请教，孔子知道不会是什么好问题。

“说吧。”孔子不耐烦地说。

“有一个仁者，如果告诉他有人掉到井里去了，他是不是也要跟着下到井里去救人？”宰我问，他总是能整出这些稀奇古怪的问题来为难孔子。

“当然不会。”孔子虽然岁数大了，可是思维还很敏捷。“君子可以过去井边看看，但是绝不会跟着下去。你可以骗他过去，但是无法陷害他。”

孔子的语气，就好像宰我是个欺骗君子的骗子，而自己就是这个君子。

宰我笑了笑，走了。

对于宰我来说，他觉得鲁国就是那口陷阱，自己必须离开了。

“哼，都四十岁了还这么让人讨厌，这辈子还有什么用？”孔子摇摇头，他现在对宰我讨厌至极。

按《论语》。宰我问曰：“仁者虽告之曰，井有仁焉，其从之也。”子曰：“何为其然也。君子可逝也，不可陷也，可欺也，不可罔也。”

按《论语》。子曰：“年四十而见恶焉，其终也已。”

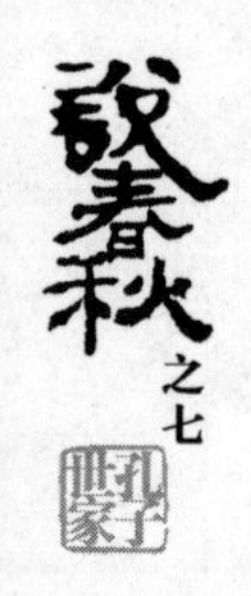

当天，宰我悄悄地离开了孔家，没有向任何人告别。

离开孔家，离开鲁国，宰我去了齐国，经过朋友的介绍，他做了田家的家臣。

对于宰我的离去，孔子的感觉是非常矛盾的。首先，他很不喜欢宰我，既然大家都觉得尴尬，宰我的离开自然是一件好事；其次呢，宰我毕竟跟随自己这么多年，尤其在自己最困难的时期都在自己身边，从这个角度说，又有些感伤，进而觉得有些对不住宰我；再次，宰我去投靠了田家，这让孔子又很恼火，一来齐国是鲁国的敌人，二来田家是齐国国君的最大威胁，是著名的不守礼。

后来，孔子经常拿澹台灭明和宰我作对比，说明看一个人不能仅仅看他的外表，也不能仅仅看他怎么说。

按《史记》。子曰："吾以言取人，失之宰予，以貌取人，失之子羽。"

后世为了贬低宰我，编造了宰我在齐国出任临淄大夫，跟随田常作乱杀害齐简公，结果因罪诛三族。这样的说法完全是胡说八道，很低劣的谎言。

首先，《左传》和《史记》都没有记载宰我被杀。田常杀齐简公发生在鲁哀公十四年(前481年)，孔子这一年七十一岁。当时田家的实力远超齐简公，那么为什么投靠了田常的宰我反而会被杀呢？

如果宰我被杀，孔子一定有话要说，可是史书中并没有记载。

所以，宰我根本没有被杀。所谓的宰我被杀，与伯嚭被杀一样，都是出于某种政治需要而制造的谎言。

据《左传》，鲁哀公十四年，田常杀害齐简公之前与齐简公的宠臣阚止相争，结果杀了阚止并且赶走了他全家，阚止的字也是子我。按合理推测，后世某些人就是依据这个浑水摸鱼以讹传讹，说成了宰我被杀并且诛三族。

对于宰我的评价，从现代开始有了很大的变化。通过宰我的问题我们能够发现，宰我这个人很直率，决不拍马屁。同时，宰我的逻辑能力非常强，他的逻辑推理常常让孔子感到为难。宰我不信邪，同时也不喜欢形式化的东西。这样的人如果在现代，就是一个非常值得尊重的人。

所以，尽管孔子很不喜欢他，喜欢他的人却越来越多。因为他敢于质疑权威，敢于说真话。

樊迟 

樊迟就是子路第二，每个人都这样说，孔子也这样看。

樊迟的性格比子路还要憨直，喜欢问问题而且喜欢打破沙锅问到底，孔子喜欢他这点，但是也因此认为他不够聪明。不管怎样，自从樊迟来了，孔子去哪里都一定带着他。

一次，孔子去孟懿子家，樊迟做御者。孟懿子问孔子怎样才能做到孝，孔子回答"无违"。回家的路上孔子把这个问答告诉了樊迟，等于教给他知识。

"那，老师，什么是无违啊？"樊迟没听懂，没听懂就问。

"就是说父母在的时候，要按照礼制奉养他们；父母死了之后，要按照礼制埋葬他们，按照礼制祭祀他们。"孔子说，心说这小子的悟性也太差了。

按《论语》。孟懿子问孝。子曰："无违。"樊迟御，子告之曰："孟孙问孝于我，我对曰无违。"樊迟曰："何谓也？"子曰："生，事之以礼，死，葬之以礼，祭之以礼。"

其实，这还算好的。有的时候，关于一个问题，樊迟会反反复复地问，问得孔子都有点烦他。

孔子总是讲知讲仁，讲得樊迟云里雾里，怎么想怎么不得要领，于是就要提问。

"老师，什么是知？"樊迟问。

"执政为民，敬鬼神而远之，这就是知了。"孔子回答。樊迟眨眨眼，还是不太明白，似乎这跟自己没什么关系。

"那，什么是仁？"樊迟又问下一个问题。

"遇到困难走在前面，看见好处走在后面，这就是仁了。"孔子回答。这个境界，与后来的先天下之忧而忧后天下之乐而乐差不多。

樊迟弄不明白，眨着眼睛下去了。

按《论语》。樊迟问知。子曰："务民之义，敬鬼神而远之，可谓知矣。"问仁。子曰："先难而后获，可谓仁矣。"

弄不明白的事情，樊迟还要问。所以，没多久，樊迟又来问问题，恰好孔子要出去。

"老师，上次我没弄明白，什么是仁啊？"樊迟也不管老师忙不忙，上来就问。

"平时端庄，办事认真，跟人交往守信用。即便到了洋鬼子那里，也不改变自己做人的原则。"孔子回答，回答完，匆匆走了。

按《论语》。樊迟问仁。子曰："居处恭，执事敬，与人忠，虽之夷狄，不可弃也。"

樊迟还是没弄明白什么是知什么是仁，换了别人，问过两次了，不懂也要

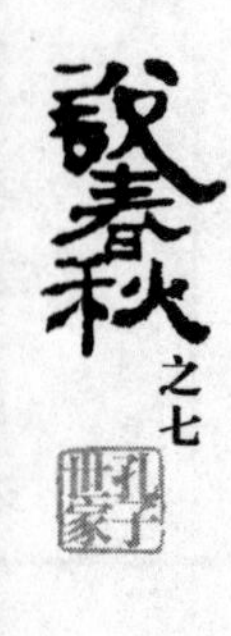

装懂了，顶多考试的时候背正确答案就行。

可是，樊迟不是别人，他是樊迟。

过了两天，樊迟又找到一个机会，于是又来问同样的问题。

“老师，我还是没弄明白什么是仁。”樊迟又来了。

“爱人。”孔子真是有些不耐烦了，简单回答他。

“那，知呢？”

“知人。”孔子就觉得这小子是个榆木脑袋，不知道什么时候能开窍。

“那，那什么，老师，我还是不明白。”樊迟还是没弄明白。

“任用正直的人取代不正直的人，能让不正直的人变成正直的人。”孔子说，说完盯着樊迟，看这小子是不是还不明白。

樊迟虽然憨厚，但是并不傻，他看出来老师不高兴了。所以，这一次，樊迟没敢再问下去。问题是，老师的答案太过简单了，不问老师，问谁呢？

“对了，问问子夏吧。”樊迟心想，除了老师，不就是子夏最有学问了吗？

于是，樊迟去找子夏。

“师兄，我刚才问老师什么是知，老师说任用正直的人取代不正直的人，能让不正直的人变成正直的人，到底啥意思啊？”樊迟问子夏。

“嗯，这话含意丰富啊。想想看，当初舜拥有天下，从众人中选拔了皋陶，于是不仁的人就都离开了；后来商汤拥有天下，从众人中选拔了伊尹，于是不仁的人都离开了。”子夏确实很有学问，拿出例证来印证老师的话。

“噢。”樊迟似懂非懂，舜和汤他是知道的，可是他们跟自己有什么关系呢？老师说的是舜和汤的知，不是自己的知啊。就算自己明白了，有什么用呢？

按《论语》。樊迟问仁。子曰：“爱人。”问知。子曰：“知人。”樊迟不达，子曰：“举直错诸枉，能使枉者直。”樊迟退，见子夏曰：“向也吾见于夫子而问知，子曰：举直错诸枉，能使枉者直。何谓也？”子夏曰：“富哉言乎！舜有天下，选于众，举皋陶，不仁者远矣。汤有天下，选于众，举伊尹，不仁者远矣。”

樊迟越学习越觉得自己笨，别人能听懂的自己听不懂，问了老师还是不懂，这不是自己笨是什么？所以，樊迟对自己的前途渐渐地失去了信心。

“我这样的人还能干什么？”夜深人静的时候，樊迟总是这样问自己。

想来想去，樊迟觉得自己不是干大事的人，自己可能只能当个农民伯伯了。终于有一天，樊迟忍不住对孔子说了。

“老师，我想学种粮食了。”樊迟说。

“种粮食？那我可不会，那要向老农请教。”孔子以为樊迟向自己请教种粮食，因此很恼火。

“我，我还想学种菜。”

"种菜？那我可不如老园丁啊。"孔子气得脸都发白了，这个学生太没有出息了，跟自己学习这么久，竟然要去当农民伯伯。

看见老师不高兴，樊迟没有再说什么，退了出去。

"樊迟真是个小人啊。执政的人喜爱礼仪，百姓就会很恭敬；执政的人喜欢道义，老百姓就会服从管理；执政的人重视信用，百姓就会真诚相待。做到这些的话，老百姓就会携儿带女来投奔你，还用得着你自己去种庄稼？"孔子说，他说的很对，不过，跟樊迟没什么关系。

按《论语》。樊迟请学稼，子曰："吾不如老农。"请学为圃，曰："吾不如老圃。"樊迟出，子曰："小人哉，樊须也。上好礼，则民莫敢不敬；上好义，则民莫敢不服；上好信，则民莫敢不用情。夫如是，则四方之民，襁负其子而至矣。焉用稼？"

小人，这是孔子对樊迟的评价。

不过，孔子所说的小人不是后世所说的小人，而是指没志向没觉悟没知识的小老百姓，类似今天说的小市民。

尽管很瞧不起樊迟，孔子也并不是一味贬低他，有的时候，孔子也及时表扬他。

有一次，孔子带着樊迟去雩台下游览，樊迟突然又来了问题。

"老师，请问怎样才能提高德行，消除罪恶，排除不理智的行为呢？"樊迟终于不再问智和仁了，那些离自己太远了，就算弄明白了也没用。

"好啊，很好的问题啊。"孔子赞扬了樊迟一句，这种比较初级的问题比较适合他。"先工作后收获，这不是提高德行吗？自我批评，不要批评别人，这不是消除罪恶吗？为了一时的愤怒，就不顾自己的身家性命，这就是不理智啊。"

孔子的话其实也是针对樊迟的，因为樊迟性格比较火爆，常常因为一时的愤怒而要跟人拼命。

按《论语》。樊迟从游于舞雩之下，曰："敢问崇德修慝辨惑？"子曰："善哉问。先事后得，非崇德与？攻其恶，无攻人之恶，非修慝与？一朝之忿，忘其身以及其亲，非惑与？"

仁智勇

樊迟为什么拼命地问仁问知呢？因为这是孔子一直在重点讲解的。在孔子的思想体系中，治国要靠礼法，做人则是要讲仁智勇的。

所以，不只是樊迟在问这个问题，冉雍、颜回、子张等人也都问过这个问

题。与其他问题一样,孔子给每个人的答案都是不同的。

颜回问仁,孔子的回答是“克己复礼”;樊迟问仁,孔子的回答是“仁者爱人”。

不过,冉雍和子张问这个问题的时候,孔子的回答就具体了很多。

“出门之前要修整自己的衣饰,就像要出去见贵宾;使用百姓就像祭祀一样恭敬和小心。自己不愿意遭受的事情,不要施加到别人身上。为国做事不要抱怨,在家里也不要抱怨。”孔子这样对冉雍解说仁。

“我虽然不聪明,请让我按老师说的去做。”冉雍说。

按《论语》。仲弓问仁。子曰:“出门如见大宾,使民如承大祭,己所不欲,勿施于人,在邦无怨,在家无怨。”仲弓曰:“雍虽不敏,请事斯语矣。”

“能够做到以下五点的,就是仁了。”子张问仁的时候,孔子这样回答。

“哪五点?”子张问。

“恭敬、宽厚、诚信、勤勉、关爱。恭敬就不会受侮辱,宽厚就能得到别人的拥护,诚信就能得到别人的信任,勤勉就能取得成就,关爱就能领导别人。”孔子这样解说。

按《论语》。子张问仁于孔子,孔子曰:“能行五者于天下,为仁矣。”请问之。曰:“恭宽信敏惠。恭则不侮,宽则得众,信则人任焉,敏则有功,惠则足以使人。”

关于仁,孔子讲得非常多。以下几条都见于《论语》,其中有的话成为成语。

子曰:“仁远乎哉?我欲仁,斯仁至矣。”

子曰:“刚毅木讷,近仁。”

子曰:“君子道者三,我无能焉。仁者不忧,知者不惑,勇者不惧。”

子曰:“志士仁人,无求生以害仁,有杀身以成仁。”

子曰:“当仁不让于师。”

杀身成仁,当仁不让,这两个成语出于这里。

孔子说仁,似乎并没有统一的标准,每个人得到的答案都不一样。但是总括起来,似乎可以用八个字来概括:己所不欲,勿施于人。

第二七八章　三好学生之死

七十岁的时候,对自己的政治前途基本绝望的孔子反而平静了下来。其实每个人都是如此,过高的目标令人痛苦,而一旦放弃这个目标,人就会过得更踏实更快乐。

所以,孔子这时候已经不再刻意追求什么了,说话也不再锋芒毕露,跟每个人打交道都更像朋友。

按《论语》。子曰:吾七十而从心所欲,不逾矩。

有人问孔子怎么不再想参与治理国家,孔子就会说:"《书》中写道:孝啊,孝敬父母,友爱兄弟,这些都会影响到政治啊。我用孝来教育弟子们,就是在参与治理国家啊,不一定非要当官啊。"

孔子换了一个角度来看待当官这件事情,超然了很多。

按《论语》。或谓孔子曰:"子奚不为政?"子曰:"书云:孝乎!惟孝友于兄弟,施于有政。是亦为政。奚其为为政!"

既然已经超然了很多,孔子在平时与鲁哀公和三桓的交道中就放松了很多,更像是朋友交往,而不是君臣或者上下级的关系,因此在礼仪上也就不是那么严格了。

于是,有弟子就提出了这个问题。

"老师,在国君面前您好像有点随便啊。"有学生问,这个学生还是樊迟。

"嗨,在国君面前太尽礼了吧,人家说我拍马屁。"孔子笑笑,心态放正之后,他也觉得樊迟可爱多了。

按《论语》。子曰:"事君尽礼,人以为谄也。"

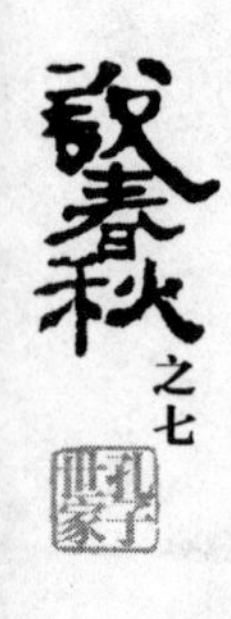

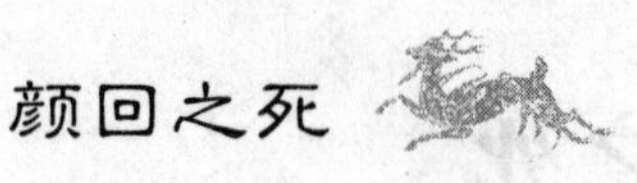

原本,孔子应该在轻松的生活中老死。如果这样的话,我们今天就不会知道春秋的历史了。所以,一定有一件什么事情让他改变目前的生活方式。

鲁哀公十三年夏天的时候,传来了一个噩耗:颜回死了。

"噫!天丧予!天丧予!"孔子听闻噩耗,忍不住掩面而哭,一边哭,一边说:老天啊,你抛弃了我啊;老天啊,你抛弃了我啊。

孔子哭得十分伤心,就是孔鲤死的时候,孔子也没有这么伤心过。或者说,从来没有人见过孔子这样伤心。

"老师,您太悲伤了吧?节哀顺变吧。"身边的学生说,意思是您老人家要注意身体,别哭坏了。

可是,孔子并没有理会学生们的提醒,他的伤心是学生们所无法理解的。

"我太悲痛了吗?我的悲痛如果不留给他,给谁呢?呜呜呜呜。"孔子哭得更加伤心,全然不管学生们诧异的眼光。

按《论语》。颜渊死,子曰:"噫!天丧予!天丧予!"

按《论语》。颜渊死,子哭之恸。从者曰:"子恸矣。"曰:"有恸乎?非夫人之为恸而谁为?"

孔子的悲痛是有道理的,这种悲痛既是为了颜回,也是为了自己。

为什么是为了颜回呢?颜回是孔子最得意的学生,他甚至认为颜回比自己还要强,自己所强调的一切颜回都是模范执行的,而且,颜回非常聪明。可是,这样一个超级三好学生,却在碌碌无为贫病交加中死去,这不是很悲哀的事情吗?

不错,孔子说过颜回穷并快乐着,可是事实上谁愿意受穷呢?世界上最痛苦的事情大概就是穷并强颜欢笑了。颜回始终没有进入仕途,他为此暗中忧愁,早早地愁白了头发。就在几年前,他还前往西边去游历,希望找到自己的前途。在处处碰壁之后,颜回几乎是绝望地回到了鲁国,从此一蹶不振,卧病在床,直到忧郁而终。

最近这些年,颜回很少来看老师,因为每当他看到冉有子贡们混得春风得意的时候,他就会感到惭愧。就像如今的同学会,如果从前学习最好的同学却混得最差,他是不会有任何兴趣参加同学会的。

那么,孔子为自己的悲痛在哪里呢?他同样惭愧,甚至比颜回还要惭愧,自己口中最好的学生这样死去,这难道不是自己害了他吗?

孔子心怀惭愧,可以想见颜回的父亲颜路是多么的心怀不满甚至怨恨。

"我可怜的儿子,临死还在说什么克己复礼,克个狗屁,克己复礼能当饭吃?克己复礼是我们屁民能做的事情吗?"颜路喃喃自语,悲痛欲绝。

颜路的家里很穷,因为儿子始终是个啃老族,满腹学问但是志向太离谱,除了啃老没有别的选择。虽然儿子活着的时候没有过过好日子,颜路还是想能够让他葬得体面一点,问题是,家里没钱,怎么办?

"有困难,找老师。"颜路带着一肚子的怨气来找孔子了,心说:"他不是总说颜回怎么怎么好吗,既然这么好,出点血总可以吧?"

颜路来到孔家的时候,孔子正在悲伤。

"老师,我儿子死了。"颜路对孔子说,语气就有点不对。

"唉,可怜的孩子啊。"孔子说,他准备说自己会承担丧葬费用,可是没等他说,颜路抢过了话头。

"老师,凭我家颜回的德行,我觉得要厚葬他。"颜路说话就带着火,似乎在命令孔子。

"怎么厚葬?"孔子觉察到了颜路的情绪。

"怎么厚葬?不能只用一层棺木,要用椁。"

"用椁?"孔子忍不住看了颜路一眼,心说你穷得叮当响,还要用椁?"嘿嘿,我觉得不妥,颜回顶多算个士,怎么能用椁?"

"不,就要用。"颜路赌气一样说。

"那你就用吧。"孔子有些生气了,不愿意搭理他。

"可是我没钱,我想老师能不能把您的车给我,我卖了车给我儿子买椁。"颜路瞪着孔子说,好像要来抢车。

孔子的火腾地上来了,反过来盯着颜路看,盯得颜路有点害怕了。

"颜路,我告诉你。德行不德行另说,我们说说各自的儿子吧。我儿子死了,也是有棺无椁的,凭什么你儿子死了就要用椁?再者说了,我虽然现在不是大夫了,可是我还享受大夫的级别和待遇,没有车,你让我出门走路吗?你听说过哪个大夫出门走路的?啊,我看你是脑子被驴踢了吧?"孔子发起火来,一顿痛斥,让颜路无话可说。

按《论语》。*颜渊死,颜路请子之车以为之椁。子曰:"才不才,亦各言其子也。鲤也死,有棺而无椁。吾不徒行以为之椁。以吾从大夫之后,不可徒行也。"*

孔子见颜路被训得老实了,这才把语气平缓下来。

"你以为什么?你以为颜回死了我不伤心?我比任何人都伤心。你回去吧,颜回的葬礼我来操办,你不用操心了。"末了,孔子还是要为自己的弟子出钱出力。

颜路回家了，挨了一顿骂并得到一个承诺，他的怨恨少了很多。

颜回的死讯迅速传开了，同学们都很悲伤，毕竟颜回的人品是那样高尚，学问是那样优良，即便大家未必就喜欢他，可是大家从内心尊重他。何况，他是老师最得意的学生。

于是，不等孔子来说，子贡和冉有牵头，决定大家集资厚葬颜回。

“子贡啊，葬礼恰当就行了，不要厚葬了。”孔子劝子贡，不希望大家破费太多。

“老师，您就别管了。”子贡把事情都揽了下来，不想让老师为这个事情太操劳。

结果，子贡还是厚葬了颜回，包括用了椁。

“唉，颜回就像我的儿子一样，可是却不能像我儿子一样下葬。这个事情不怪我，都是他的兄弟们操办的啊。”孔子无奈地接受了这个结果，他还是觉得这样的葬礼不够恰当。

按《论语》。颜渊死，门人欲厚葬之。子曰：“不可。”门人厚葬之。子曰：“回也视予犹父也，予不得视犹子也。非我也，夫二三子也。”

圣人还是腐儒？

颜回，后来的历史认为他是孔子最欣赏也是最喜欢的学生，事实上可能也是。

在颜回死后，鲁哀公和季康子曾经问过孔子同样的问题：“您的学生中谁是最好学的？”

“当然是颜回了，不会迁怒于别人，也不会为自己的错误推诿，不幸的是夭折了。现在呢，再也找不到颜回这么好学的了。”

按《论语》。哀公问：“弟子孰为好学？”孔子对曰：“有颜回者好学，不迁怒，不贰过，不幸短命死矣！今也则亡，未闻好学者也。”

按《论语》。季康子问：“弟子孰为好学？”孔子对曰：“有颜回者好学，不幸短命死矣。今也则亡。”

孔子对颜回的赞扬超过对任何人的赞扬，且看看《论语》中怎样说。

孔子说：“颜回的心中能够长久地保持仁德，别的人只不过偶尔想一想而已。”

按《论语》。子曰：“回也其心三月不违仁，其余则日月至焉而已矣。”

孔子说:“上课听讲从来不懈怠的,大概只有颜回吧。”

按《论语》。子曰:“语之而不惰者,其回也。”

孔子说:“真是死得可惜啊,我只看见他进步,没有见他停留过啊。”

按《论语》。子谓颜渊曰:“惜乎!吾见其进也,未见其止也。”

孔子认为自己不如颜回,前面已经有过引述,这里不妨再引述一遍。

按《论语》。子谓子贡曰:“汝与回也孰愈?”对曰:“赐也何敢望回。回也闻一以知十,赐也闻一以知二。”子曰:“弗如也。吾与汝弗如也。”

孔子真的认为自己不如颜回吗?应该是真的,而且,颜回确实比孔子更纯粹更不功利。来看看《荀子》中的一段记载。

有一天,孔子问子路:“知者怎样?仁者怎样?”

子路的回答是:“知者让别人了解自己,仁者让别人爱自己。”

“嗯,你就算个士了。”孔子说,尽管子路品位不高,可是至少还算有想法。

同样的问题,问子贡。

子贡的回答是:“知者洞察别人,仁者爱别人。”

“嗯,你就算是士里的君子了。”孔子说,子贡显然比子路要高明了。

同样的问题,问颜回。

颜回的回答是:“知者了解自己,仁者爱自己。”

“嗯,你就是高明的君子了。”孔子说,颜回的回答超出了孔子的最佳答案。

按《荀子》。子路入,子曰:“知者若何?仁者若何?”子路对曰:“知者使人知己,仁者使人爱己。”子曰:“可谓士矣。”子贡入,子同问,子贡对曰:“知者知人,仁者爱人。”子曰:“可谓士君子矣。”颜渊入,子又问,颜渊对曰:“知者自知,仁者自爱。”子曰:“可谓明君子矣。”

下面来分析几个人的答案。

子路的回答说明他希望得到别人的赏识,他的目的自然是做官。

子贡的回答说明他希望了解这个世界,从中找出规律去适应和利用,自然,他的目标是经商,了解别人了解市场,在商战中获胜。

颜回的回答说明他并不关注外部世界,而只关心自己的想法。因此,颜回是个理想主义者,他只管这个世界应该是怎样,却不关心这个世界现在是怎样,以及怎样改变这个世界。

从理想来说,当然是颜回最高子路最低:子路不追求自由,子贡追求身体的自由,而颜回追求思想的自由。

另一个角度说,子路是俗人,子贡是贤人,颜回是圣人。

那么,孔子自己怎样回答同样的问题呢?

孔子在回答樊迟的问题时曾经说过:“知者知人,仁者爱人。”此外,孔子还

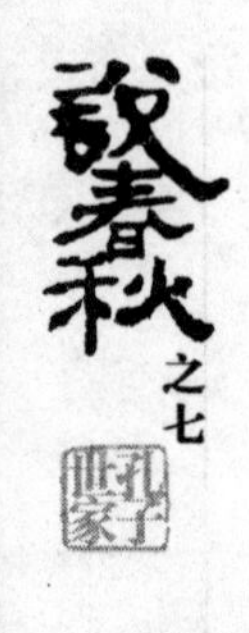

说过“不用担心别人不了解自己，只怕自己不了解别人。”

按《论语》。子曰：不患人之不己知，患不知人也。

从这个角度说，孔子的境界基本上与子贡相当。也就是说，确实达不到颜回的境界。

可是，就是颜回这个比孔子境界还要高的人，对孔子的学说却没有多少贡献。说起来似乎不可思议，实际上却有足够证据说明这一点。

“颜回对我没有什么帮助啊，只要我说的话他都喜欢，从来没有过疑问和反驳啊。”孔子这么说，觉得颜回对自己没有什么启发。

按《论语》。子曰：“回也，非助我者也。于吾言无所不说。”

事实上，整部论语，提到颜回的仅仅二十一条，这与他在孔子心目中的地位相去甚远。相比较，子贡有三十八条，子路有三十九条。就是这二十一条，颜回提问的仅仅两条，没有一条与孔子有不同意见的。与子路的直言不讳和子贡的拐着弯质疑相比，颜回真是没有什么贡献。

基本上，颜回就是一个三好学生，永远听老师话的三好学生。或者说，就是个书呆子，或者说是腐儒。贤是贤了，可是也确实没有什么用途。他永远在精神层面上说话，永远活在自己的梦想中。

颜回对孔子无限崇拜，比孔子本人更坚信孔子的话。

颜回曾经这样说过：“对于老师，仰望他看不到顶，钻研他深不可测。看着他在前面，突然他又到了后面。老师总是循循善诱，引导我们前进。用知识来陶冶我们，用礼法来约束我们，真是让人学习起来欲罢不能。我已经竭尽了全力，大道似乎就在前面，我虽然想要追随它，却不知道从何入手。”

按《论语》。颜渊喟然叹曰：“仰之弥高，钻之弥坚，瞻之在前，忽焉在后。夫子循循然善诱人，博我以文，约我以礼。欲罢不能，既竭吾才，如有所立卓尔。虽欲从之，末由也已。”

循循善诱，这个成语出于这里。

欲罢不能，这个成语也出于这里。

虽然这段话说明了颜回对孔子的崇拜，可是也确实说明他在理想与现实之间有些找不到方向。

其实，对于颜回的弱点，孔子非常清楚。

有一次，孔子和子夏聊天，说起了子夏的师兄弟们。

“老师，颜回师兄的为人怎么样？”子夏问。

“他这人坚持原则，这点比我强。”孔子说。

“那子贡师兄呢？”

“他的敏锐比我强。”

“那，子路师兄呢？”

“他比我勇敢。”

“那，子张呢？”

“他比我庄重。”

“那，既然他们各自都比老师强，为什么他们都要向老师学习呢？”子夏问。

“我告诉你，颜回坚持原则但是不懂得变通，子贡虽然敏锐但是太好强，子路勇敢但是不知退让，子张很庄重但是不懂得妥协。他们四个人的优点放在一起，我是绝对不会去做的。真正的聪明人，要懂得进退屈伸。”孔子这样回答。

孔子的决定

颜回的死对孔子打击很大，让他感触到生命的短暂，突然明白自己已经不是老之将至，而是不知道哪一天就会撒手人寰了。

从前，孔子为了避免被人说自己篡改古人的思想，因此公开宣称自己只陈述古人的思想，而不会有自己的创作。

按《论语》。子曰：“述而不作，信而好古。”

可是，如今孔子却有了创作的冲动。如果学习教育几十年，学生三千人，如果只述不作，那么几十年之后还有谁能记得自己？自己的学说很快就会淹没在历史的长河中。

这一天，子贡来看望老师了。

“子贡，我今后不想说话了。”孔子突然对子贡说。

子贡吓了一跳，怎么无缘无故老师说这样的话？人老了容易犯糊涂，容易五迷三道，莫非老师开始老年痴呆了？

“老师，别啊，老师要是不说话了，我们学什么啊？”子贡连忙说，想探看下老师到底想干什么。

“我不说话怕什么？老天说话了吗？不是四季同样转换，不是万物同样生长？老天说什么了？”孔子回答，又好像自言自语。

按《论语》。子曰：“予欲无言。”子贡曰：“子如不言，则小子何述焉？”子曰：“天何言哉。四时行焉，百物生焉。天何言哉！”

子贡的感觉，是老师有点糊涂了，看来颜回的死击垮了老师。

可是，子贡错了，子贡完全错了。颜回的死并没有击垮孔子，反而促使孔子作出了一个伟大的决定。

第二七九章　子夏和商瞿

孔子要做一件什么事？孔子要修编《春秋》。

什么是春秋？古人记录历史，按每年春夏秋冬记录，因此，春秋就是各国的历史记录，或者说，是历史大事记。孔子要修编的，自然是鲁国的春秋。

为什么要修《春秋》？孔子说了：夏道不亡，商德不作；商德不亡，周德不作；周德不亡，《春秋》不作。《春秋》作，而后君子知周道亡也。（《说苑》）

简单说，孔子要用历史来告诉后人周朝是怎样完蛋的。

孔子修春秋

要完成这项工作，需要两个方面的准备：资料和人力。

资料并不复杂，孔子与鲁哀公的关系很好，与鲁国太史的关系也很好，很容易就把鲁国的史料借了出来。

人力呢？其实人力也很简单。

孔子决定由自己来做主编，找几个学习成绩好的学生来做助手。自然，排第一名的是子夏。

鲁国史料非常丰富，大致从鲁国建国的时候就开始了。史料的内容无非是鲁国的大事、世界的大事以及各种天文地理的变化。大致翻阅了一番，孔子觉得没有必要全部记载下来，因此决定从鲁隐公元年（前 722 年）开始，一直记录到鲁哀公十四年（前 481 年）。

孔子作《春秋》，实际上是对鲁国春秋进行一个大规模的删减，绝大多数史料被放弃，只录下一些孔子认为重要的史实。并且，文字非常简练，事件的记载也很简略，但 242 年间诸侯攻伐、盟会、篡弑及祭祀、灾异礼俗等，都有记载。

《春秋》是世界人类最早的有系统的编年史。

《春秋》最初原文一万八千多字，现存版本则只有一万六千多字。

孔子修《春秋》，前后只用了九个月的时间。

关于孔子修《春秋》，《史记》中记载最多。

子曰："弗乎弗乎，君子病没世而名不称焉。吾道不行矣，吾何以自见于后世哉？"乃因史记作《春秋》，上至隐公，下迄哀公十四年，十二公。据鲁，亲周，故殷，运之三代。约其文辞而指博。故吴楚之君自称王，而春秋贬之曰"子"；践土之会实召周天子，而春秋讳之曰"天王狩于河阳"：推此类以绳当世。贬损之义，后有王者举而开之。春秋之义行，则天下乱臣贼子惧焉。

孔子在位听讼，文辞有可与人共者，弗独有也。至于为春秋，笔则笔，削则削，子夏之徒不能赞一辞。弟子受春秋，孔子曰："后世知丘者以春秋，而罪丘者亦以春秋。"(以上见于《史记》)

大致的意思就是孔子怕自己死后留不下什么东西给后人，所以用鲁国的史料修《春秋》。在《春秋》中，孔子借历史来弘扬正义，宣传周礼，譬如吴国楚国都是自称王，《春秋》里则称吴王楚王为吴子楚子；践土之盟分明是晋国召周王参加，可是《春秋》记为周王巡狩于河阳。凡此种种，都是要重申礼法。所以，《春秋》一出，"天下乱臣贼子惧焉"。

其实，所谓"天下乱臣贼子惧焉"不过是自欺欺人，《春秋》之后，天下还不是该篡位篡位，该瓜分瓜分，谁怕过？

按照《史记》的说法，整个修《春秋》的过程就是孔子一个人进行，子夏等人一句话也插不上。《春秋》修完之后，孔子说了："后代的人们如果知道我，肯定是因为《春秋》这本书了；如果有人骂我，恐怕也是因为《春秋》这本书了。"

对于春秋这段历史和历史人物，孔子的看法确实非常独到，有时候令人叹为观止。譬如，孔子对于管子、晏子和子产的评价。孔子对这三个人都很敬重乃至崇拜，但是，对于这三个人的缺点，孔子也看得非常透彻。

有一次子游问孔子："老师您极力赞扬子产的仁惠，可以说来听听吗？"

"子产的仁惠不过是爱民而已。"孔子想了想，回答。

"爱民不就是德治了吗？不仅仅是仁惠吧？"

"子产，对于百姓来说就像一个母亲，能养活他们，却不能教化他们。举个简单的例子，到了冬天，子产用自己的车帮助百姓过河，这就是只有爱民而没有教化。"孔子说。

又有一次，子贡来请教问题。

"老师，管仲过度奢侈，晏子过度节俭，与其一起否定，不如区分一下谁更贤德，老师怎么看？"子贡的问题历来如此，他喜欢给老师出选择题。

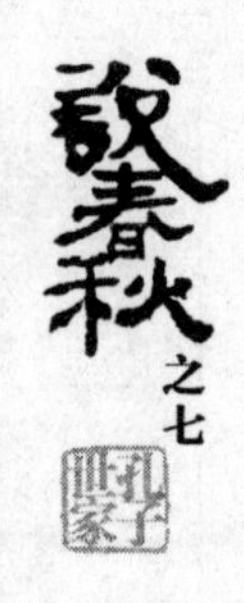

“管仲太奢侈了，比国君还要奢侈，这让国君很难受；而晏子太节俭了，让手下很为难。真正有才德的君子，应该既不让上级难堪，又不上下级为难。”孔子的回答是各打五十大板，但是都非常有道理。

“夫《春秋》，上明三王之道，下辨人事之纪，别嫌疑，明是非，定犹豫，善善恶恶，贤贤贱不肖，存亡国，继绝世，补弊起废，王道之大者也。故有国者不可以不知《春秋》，前有谗而弗见，后有贼而不知。为人臣者不可以不知《春秋》，守经事而不知其宜，遭变事而不知其权。为人君父而不通于《春秋》之义者，必蒙首恶之名。为人臣子而不通于《春秋》之义者，必陷篡弑之诛，死罪之名。其实皆以为善，为之不知其义，被之空言而不敢辞。夫不通礼义之旨，至于君不君，臣不臣，父不父，子不子。夫君不君则犯，臣不臣则诛，父不父则无道，子不子则不孝。此四行者，天下之大过也。以天下之大过予之，则受而弗敢辞。故《春秋》者，礼义之大宗也。夫礼禁未然之前，法施已然之后；法之所为用者易见，而礼之所为禁者难知。”(《史记》)

以上这一段，太史公司马迁狂赞春秋，认为所有人都要读《春秋》。

事实上，历代以来，《春秋》都是一本官场红宝书。

《春秋》与《左传》

因为子夏是孔子修《春秋》的头号助手，孔子因此让子夏主攻《春秋》。等到孔子去世之后，《春秋》就传给了子夏。

后来，子夏受魏文侯的邀请，前往魏国西河收徒教学，《春秋》是最主要的内容。

《春秋》之后，又有了三部专门讲述春秋历史的书，就是《左氏春秋》、《春秋公羊传》和《春秋穀梁传》。这三部书，都是在孔子《春秋》的基础上写成的，不过，后两种主要是“释义”，也就是解释孔子的《春秋》为什么要这样写，为什么这样措辞等等，注释的含义更大。而《左氏春秋》不同，这本书主要是补充历史细节，使这段历史更详尽更饱满。因此，历史上，《左氏春秋》的地位远高于另外两部，阅读者也更多，对后代的影响也更大。

《左氏春秋》也就是俗称的《左传》。

后来所说的四书五经，《春秋》属于五经。而《左氏春秋》分为经传两个部分，即每一年的开头是“经”，也就是孔子《春秋》的内容；后面更加详尽的历史记述则是“传”，所以整部书称为《左传》。

《左传》的作者是谁？这历来是一个悬案。不过，本书给出的答案是：《左传》的作者就是子夏。

很长一段时间，甚至到现代，《左传》的作者一直被认为是左丘明。左丘明是谁？古人臆断是鲁国太史，而唯一一段有关左丘明的历史记载在《论语》中：“子曰：‘巧言令色，足恭，左丘明耻之，丘亦耻之。匿怨而友其人，左丘明耻之，丘亦耻之。’”

这段话的意思是这样的：甜言蜜语、和颜悦色、毕恭毕敬地去讨好别人，左丘明认为这很可耻，我也这样认为；心中藏着怨恨，表面上却与别人很友好，左丘明认为很可耻，我也这样认为。

左丘明是谁？孔安国的说法是鲁国太史。其实，也有可能是子夏。不过这不重要，左丘明是不是子夏并不重要。

下面，我们来看看子夏是《左氏春秋》的作者的论证。

首先我们从“左氏”说起。

春秋时，卫国有地名为“左邑”，又叫“左丘”以及“左氏”，子夏的弟子吴起就是“卫左氏中人”，子夏很可能也是左氏或者左丘人。子夏晚年失明，司马迁写道“左丘失明，厥行《国语》”，说的应该就是子夏。

所以，左丘明就是子夏的可能性非常大，因为失明，所以自称为左丘明。古人以地为名的情况非常多，譬如展禽，死后就被称为柳下惠。因此子夏可能在死后被弟子们称为左丘明，祝福他在另一个世界能够看到光明。

至于《论语》上的左丘明，可能是鲁国太史，更可能是子夏。

《论语》原本就是弟子们在孔子死后若干年整理的孔子师徒的言论，因此，子夏被以左丘明的名字记载是有可能的。而关于左丘明的那两段话，恰恰是子夏的性格，这恐怕不是一种巧合。再想想看，孔子如果与鲁国太史谈论这样的问题，似乎有些不大恰当。

下面，再来看更有说服力的证据。

要写出《左氏春秋》，需要很多必要的条件，而这些条件，只有子夏一个人具备。

第一，此人手中要有大量的第一手材料。《左传》中运用最多的史料来自鲁国和晋国，《春秋》的史料主要来自鲁国，作为孔子的第一助手，这些史料子夏是具备的；而晋国史料从哪里来？魏文侯以师礼待子夏，并且邀请他到魏国讲学，魏国占有原晋国首都，因此拥有晋国史料。即便魏国不拥有这些史料，当时三晋的关系非同一般的好，子夏要从韩国或者赵国借阅这些史料也是轻而易举。相反，如果是鲁国太史左丘明，他如何能拿到晋国的史料？

第二,此人的《诗经》一定非常好——是《诗经》,而不是《诗》。因为孔子修订《诗经》,所以,如果不是孔子的弟子,不可能了解《诗经》。《左传》中大量运用《诗经》里的诗,都非常恰当,而内容又没有超出《诗经》。作者不仅《诗经》娴熟,而且一定是孔门弟子。而子夏恰恰是孔子学生中《诗经》方面的第一高手。如果是鲁国太师左丘明,即便他精通《诗》,他也不能在《左传》中把诗的使用控制在《诗经》的范围之内。

第三,此人与孔子的关系非同一般,而且不仅仅是一般弟子那么简单。《左传》中大量引用孔子的评语,证明作者曾经跟随孔子修《春秋》。而子夏恰恰是孔子修《春秋》的头号助手,如果是鲁国太师左丘明,他如何知道孔子怎样评价各个历史事件的呢?

第四,《左传》的才华四溢,显示作者的才华非常出众。事实上,子夏的才华是孔子弟子中最出色的一个。

第五,子夏的思想与孔子并不完全相同,更倾向于法家和权术的应用,而子夏的徒子徒孙恰好是一群法家,李克、商鞅等人是著名的法家,田子方、段干木等人则是一时的大贤。《左传》中,我们可以明显地看到子夏的思想贯穿全文。而鲁国太师左丘明的思想恐怕要保守得多。

譬如,孔子认为晋文公狡猾而不正直,齐桓公正直而不狡猾。在《左传》中,并没有这么写。

按《论语》。子曰:"晋文公谲而不正,齐桓公正而不谲。"

第六,《左传》中有大量关于孔子以及孔子弟子的记述,不仅大量记载子贡,甚至包括樊迟和有若这样并不出色的弟子。恰恰子夏和他们关系不错,而如果是鲁国太史左丘明,他会记载孔子那些不知名的弟子吗?

第七,《左传》迅速流传开来,说明作者是个大师级人物,子夏在西河讲学,是当时最大的大师,再加上有许多弟子,因此作品被迅速流传开来。而如果作者是鲁国太师左丘明,他的作品首先在流传上就有问题,因为他没有任何渠道。

第八,《春秋公羊传》和《春秋穀梁传》的作者公羊高和穀梁赤都是子夏的学生。

以上的种种证据和迹象都指向一个结论:子夏就是《左传》的作者。

《左传》对中国历史的影响其实远远大于《春秋》,也大于《论语》。《左传》不仅记述了历史,更记述了政治、军事和文化。春秋这段中国历史上最精彩的历史,如果没有《左传》,将黯然无色。

所以,某种程度上,子夏对于中国文化的贡献,并不逊色于孔子。也可以说,孔子最出色的弟子,就是子夏。

孔子研究周易

鲁哀公十四年春天，鲁哀公约三桓去打猎，结果叔孙家的御者射死了一头怪兽，因为是怪兽，感觉有点不祥，于是就送给了主管狩猎场的场长。

孔子听说射死了怪兽，觉得好奇，于是前去看是什么怪兽，到了一看，别人不认识，孔子认识，是什么？麒麟。

“给我吧。”孔子索要。

场长正不想要，于是赠送给了孔子。

回到家，孔子把麒麟庄重地埋葬了。

“吾道穷矣。”孔子慨叹，于是停止修《春秋》。

为什么孔子发出这样的感慨？因为麒麟是祥瑞之兽，在这样的乱世来到人间，结果还被不幸地杀死了，这说明什么？说明这个世界没救了。

就这样，修《春秋》九个月之后，孔子恰好修完，再也没有心情去润色了。

“天命啊，天命难违啊。”孔子回首自己的一生，自己很努力了，可是还是失败，为什么？因为一切都是命中注定。

那么，什么是命中注定？人能不能知道自己的命？

孔子眼前一亮，他现在不关心人事了，他要探究天命了。

探究天命，靠什么？靠《周易》。

《易》原本是用来卜筮的，也就是算卦用的。最早的易由伏羲发明，也就是伏羲作八卦。后来周文王演化为六十四卦并且作了卦辞，之后周公作了爻辞。因此，后来的易就称为《周易》。

孔子很早就对周易有研究，不过研究得并不深。直到七十一岁对天命感兴趣，才开始下大工夫研究周易。

因为周易的卦辞和爻辞都很简单，不容易理解，孔子就按照自己的理解和理念对周易的卦辞和爻辞进行进一步的解释，而这些解释就是彖、系、象、说卦、文言。

在《周易》，卦象、卦辞和爻辞被称为易经，彖、系、象、说卦、文言被称为易传。如今的《周易》，是包含了经、传的。

孔子研究《周易》非常刻苦，走到哪里都带着，随时拿出来学习，因此穿竹片的绳子都断了三次，叫做“韦编三绝”。后来孔子慨叹：“再给我数年时间，我就能精通周易了。”

按《史记》。孔子晚而喜易，序彖、系、象、说卦、文言。读易，韦编三绝。

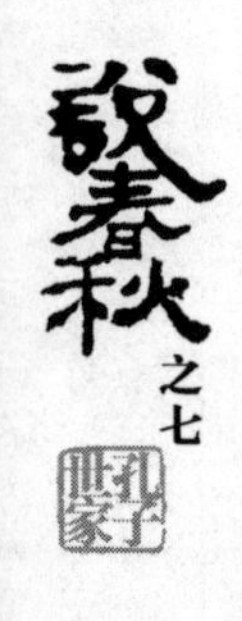

曰："假我数年，若是，我于易则彬彬矣。"

孔子对周易的研究极有心得，应用起来似乎也很准确。于是孔子再次感慨："要是再早一点，五十岁的时候就研究周易，那我后来就不会犯什么大过错了。"

《论语》。子曰："加我数年，五十以学易，可以无大过矣。"

孔子对易到了痴迷的程度，同时也有很多自己的理解。孔子认为，任何人都能在易中找到自己想要的东西。所以孔子说："仁者见之为仁，智者见之为智，随仁智也。"（见于《周易乾凿度》）

仁者见仁，智者见智。这个成语出于这里。

孔子把易和自己的道德观结合起来，把易和周礼结合起来了，因此孔子版的《周易》不再仅仅是一个算卦的工具，同时也是劝善的教材，也是一个维护周礼的教材。

但是不管怎样，《周易》总归是一个用来预测未来的卜筮工具书，所以只要研究《周易》，必然地要相信鬼神的存在。孔子从前从来不说鬼神，到了这个时候，这个规矩也就破坏掉了。

按《论语》。子不语怪、力、乱、神。

可是这个时候，孔子就要讲一讲神了。孔子就在《易·系辞》中多次提到神，譬如"阴阳不测之谓神"，"蓍之德圆而神"，"神以知来"，"是兴神物以前民用"，"圣人以此斋戒，以神明其德夫"，"鼓之舞之以尽神"，等等。

其实到了这个时候，孔子的思想已经滑向了老子的道家思想。

按《易·系辞》。子曰：易有太极，是生两仪，两仪生四象，四象生八卦，八卦定吉凶，吉凶生大业。

按《易·系辞》。子曰：神无方而易无体，一阴一阳之谓道。

上面的两句话是孔子对于易的理解或者说概括，如果不告诉你是孔子说的，你会以为这是老子说的。事实上，老子的学说，也是脱胎于易经。

所以，自从研究了易，孔子就常常说"道"了。

按《论语》。子曰："朝闻道，夕死可矣。"

按《论语》。子贡曰："夫子之文章，可得而闻也，夫子之言性与天道，不可得而闻也。"

按《论语》。子曰："志于道，据于德，依于仁，游于艺。"

按《论语》。子曰："道之将行也与，命也；道之将废也与，命也。

按《论语》。子曰："人能弘道，非道弘人。"

按《论语》。子曰："君子谋道不谋食。耕者，馁在其中矣；学也，禄在其中矣。君子忧道不忧贫。"

按《论语》。子曰："道不同，不相为谋。"

《周易》被认为是中华文化的渊源，代表了中华文化。不论在道家还是在儒家，《周易》都是经典中的经典。对于《周易》，孔子的贡献可以说无与伦比。

首先，孔子为《周易》作传，并且将《周易》列入"六经"（诗、书、礼、易、乐、春秋），并且是众经之首，传授给学生们，对《周易》的保存和传播起到了重大作用。

其次，孔子作《易传》，从此把《易经》由一部占筮之书变为一部哲学、社会科学巨著。

商瞿传易

删《诗经》和修《春秋》，孔子都是让子夏协助自己，因为子夏不仅聪明好学，而且有自己的观点，对孔子的帮助很大。

原本，研究《易经》的时候，孔子也希望子夏来帮助自己。可是遗憾的是，子夏这个时候已经不在自己的身边了。

原来，受冉有的推荐，子夏被任命为莒父宰。子夏的意思是不想去，可是孔子出于对子夏的前途考虑，极力说服他去，最终子夏很不情愿地去了。

去之前，按着惯例，子夏也向老师告别兼请教。

"不要总想着快，太快了就达不到目的；不要只看见小利，贪小利做不成大事。"孔子说，又是一针见血。子夏聪明果断，但是也往往急于求成。此外，子夏性格比较吝啬，对小利看得比较重，所以孔子提醒他。

"老师的话，学生牢记在心。"子夏是个聪明人，知道老师话中的含义，也知道自己要改正。

按《论语》。子夏为莒父宰，问政。子曰："无欲速，无见小利，欲速则不达，见小利则大事不成。"

欲速则不达，这个成语来自这里。

既然是自己极力鼓励子夏去当莒父宰，怎么好这么快就叫他回来帮自己呢？

孔子有个弟子名叫商瞿，当初孔子刚从卫国回来的时候，商瞿也去了季孙家做家臣。那时候商瞿眼看奔四了，还没有孩子，因此到处求医问药，准备为孩子奋斗一把。

恰好这个时候，季康子派他去齐国出差，要几个月工夫。商瞿不太愿意去，生怕把生孩子给耽误了。

为了这件事情，商瞿来找老师请教。孔子那时候给商瞿卜筮了一回，结果是商瞿命中应该有五个儿子。

“去吧，你命中有五个儿子，不用担心。”孔子安慰商瞿，其实他也没把握。

不管怎样，商瞿就去了齐国，回来的时候，老婆肚子已经大了。之后，商瞿老婆的肚子越来越争气，一个劲地生。这下，商瞿算是对卜筮奉若神明了。

孔子作《易传》，商瞿非常感兴趣，整天跟着孔子学习，竟然成了孔子弟子中最精通《周易》的学生。到孔子死后，就把自己的《易传》传给了商瞿，之后商瞿再传给自己的弟子。

就这样，商瞿成了孔子《周易》的第一代正宗传人，并且，为《周易》的流传作出了巨大贡献，商瞿也因此被人们记住。

第二八〇章　子路之死

得意门生们一个个离开自己，孔子既为他们高兴，也常常感到孤独。

孔子常常对身边的学生们说起他们的师兄们，最常说的就是这样一段话："从我于陈蔡者，皆不及门也。德行：颜渊、闵子骞、冉伯牛、仲弓；言语：宰我、子贡；政事：冉有、季路；文学：子游、子夏。"（《论语》）

让孔子略感安慰的是，这些他当年最赏识的学生们有时还能来看望他，那就是孔子心情最好的时候。即便本人不来，这些学生们也会派人来问候老师。即便是不辞而别的宰我，也会派人来问候老师，这又让孔子对宰我怀有一些愧疚。

总之，现在的孔子，完全陶醉在《周易》的研究以及美好过去的回忆中，至于政治，那不再是他关心的事情了。

只有一个学生像鼻涕一样黏着孔子，赶也赶不走，这就是不成材的胡乱。这一天，胡乱陪着孔子聊天。

"老师，能不能说说你的偶像是谁啊？"胡乱突然问，他想知道孔子是谁的粉丝。

"哦——"孔子看了胡乱一眼，闭上眼睛想了想，这个问题他还真没有想过，想了一阵，想明白了。"不同阶段，我的偶像是不一样的。"

"第一个是谁？"

"周公。周公的才智天下无双。不过呢，即便有周公的才能，如果骄傲并且吝啬的话，也不怎么样。"孔子说，他的第一个偶像是周公。"年轻的时候，我常常能够梦到周公，可是现在老了，基本上梦不到他了。"

按《论语》。子曰："如有周公之才之美，使骄且吝，其余不足观也已。"

按《论语》。子曰："甚矣，吾衰也久矣！吾不复梦见周公。"

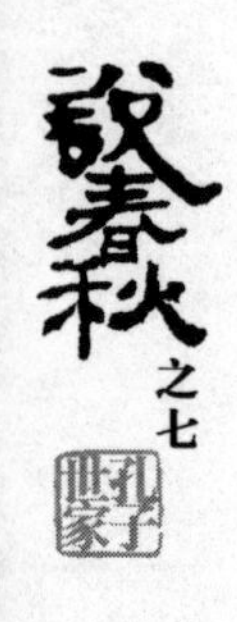

“那，周公之后呢？”

“管仲啊，虽然他这个人不知礼，可是他辅佐齐桓公称霸天下都是靠的仁义和信用，没有他，我们现在恐怕都是洋鬼子的奴隶了。”孔子说，不禁向北方望去。

按《论语》。子曰：“管仲九合诸侯，不以兵车，管仲之力也。如其仁，如其仁！”

按《论语》。子曰：“管仲相桓公，霸诸侯，一匡天下，民到于今受其赐。微管仲，吾其披发左衽矣。

“那，后来呢？”

“现在，我已经看透了世界。生命在于折腾，但是折腾之后，都将归于平静，天命不可违啊。所以，这个时候，我崇拜老子，常常拿自己跟老子和彭祖相比啊。”

按《论语》。子曰：“窃比我于老彭。”

“这么说，老师一开始是儒家，后来变成了法家，现在又变成了道家？”胡乱有点惊讶地说，又像是喃喃自语。

齐国政变

孔子开始研究《周易》的当年，三个国家发生了大事，而这三个国家都间接和孔子有联系。哪三个国家？齐国、宋国和卫国。

齐国国君齐简公宠信阚止，可是实力最强的还是田常。田常很担心阚止会找机会除掉自己，因此时刻防备着。

终于有一天，田常的弟弟田逆杀了人，被阚止抓了起来，田家想办法把田逆救了回去，之后田家出兵攻打阚止，两家交兵，阚止不是对手，被田家杀掉。之后，田常把齐简公也抓起来并且杀掉了。

这一天冉有来看望老师，因为早就说好了，所以孔子一直在等，结果等到很晚冉有才来。

“怎么来这么晚？”孔子问，他并没有生气，因为他知道冉有一向是很守时的，如果不是遇上了什么事，一定准时来的。

“朝廷上有大事，所以来晚了。”冉有说。果然是有事。

“我就说嘛。什么事啊？虽然我现在退居二线了，还是应该知道啊。”孔子很感兴趣。

按《论语》。冉子退朝，子曰：“何晏也？”对曰：“有政。”子曰：“其事也如有政，虽不吾以，吾其与闻之。”

冉有就把齐国的事情说了一遍，说到齐简公被杀，而季康子的妹妹就是齐简公的夫人，不知道怎样了。

听说田常杀了国君，孔子一下子来了精神。

“竟然杀国君，这是大逆不道啊。”孔子很久没有这么激动过了，不知道为什么突然这么愤怒。

眼看老爷子要上劲，冉有急忙找个借口走掉了。

当天晚上，孔子没睡好，他觉得这个世道真是太糟糕了。

孔子斋戒了三天，第四天去见鲁哀公。

“主公，田常杀害了国君，大逆不道，人神共愤，是可忍而孰不可忍，我想请主公出兵攻打田常。”孔子请求，斋戒三天就是为了这个。

“夫子，齐国可是比我们强啊，怎么打啊？”鲁哀公心说这不是拿鸡蛋碰石头吗？齐国不打我们就谢天谢地了，我们还去打人家？

“怕他们什么？田常杀害了国君，齐国百姓只有不到一半人服他。我们用鲁国的兵力，再加上齐国一半的老百姓，难道打不过他？”孔子说得慷慨激昂，鲁哀公听得一阵苦笑。

“那，你去跟季孙说吧。”鲁哀公说。他那几个宫廷卫队，给齐国人塞牙缝都不够。

孔子想想，觉得也是，这事情鲁哀公真做不了主。于是，孔子又去找三桓，请求他们出兵讨伐田常。结果都是一样，大家都客气地拒绝了他，都在想这个老头是不是老年痴呆了。

孔子终于也明白过来，觉得自己有点傻。自己的事都管不过来，还管别人的事？自己国家的事还管不过来，还管外国人的事？

“唉，其实吧，因为我也做过大夫，所以才来说这些的。”孔子低声说，像在对别人解释，又像在自言自语。

人老了，往往容易犯糊涂。孔子自己说过：不当官就不管那些鸟事。

按《论语》。子曰：不在其位，不谋其政。

按《论语》。陈成子弑简公，孔子沐浴而朝，告于哀公曰：“陈恒弑其君，请讨之。”公曰：“告夫三子。”孔子曰：“以吾从大夫之后，不敢不告也。”君曰：“告夫三子者。”之三子告，不可。孔子曰：“以吾从大夫之后，不敢不告也。”

宋国政变

宋国的桓魋受宋景公宠信，担任司马，在宋国权倾朝野。桓魋这人傲慢自

大，当初孔子在宋国的时候还曾经被桓魋派人包围。

桓魋和宋景公之间的关系变得越来越差，最终到了摊牌的时候。桓魋占据曹邑叛乱，结果被宋国军队攻打，桓魋逃到了卫国，之后又逃到了齐国，投靠了田常。

桓魋有一个弟弟叫向耕，字子牛，因为哥哥是司马，因此向耕又叫司马耕或者司马牛。司马牛这个人很诚实也很本分，哥哥被赶跑之后，他就把自己的封邑都交了出来，逃到了齐国，田常对他很好，给房子给地。后来桓魋也到了齐国，司马牛觉得跟哥哥在一起就等于是哥哥的同党，就等于叛国，于是把齐国的房子和地都交还给了田常，自己又逃到了吴国。可是在吴国待不下去，又逃到了鲁国。

在鲁国，司马牛进了孔子的学校，从此也算是孔子的学生。

司马牛总是很忧郁很烦躁，常常自言自语，对于国家和家庭的巨变总是想不通，怎么原来还是全家忠良，突然一个晚上就都变成了逆臣叛贼了呢？

忧郁症，典型的忧郁症。

孔子发现了司马牛的问题，就决定适当地开导他。

有一次，司马牛来向孔子请教。

"老师，什么是仁啊？"司马牛问。

"仁善的人，说话比较缓慢。"孔子说，因为他知道司马牛说话总是很快，很不耐烦的样子。

"那，说话缓慢就是仁？是这样吗？"司马牛觉得有些奇怪。

"对啊，做事很难，思考当然要很慎重，所以说话不能太快。"孔子说，就是要劝司马牛不要那么急躁。

按《论语》。司马牛问仁。子曰："仁者其言也讱。"曰："其言也讱，斯谓之仁已乎？"子曰："为之难，言之，得无讱乎？"

"那，什么是君子？"司马牛又问一个问题。

"君子不忧虑不恐惧。"孔子说，又是在说司马牛。

"不忧虑不畏惧，这就是君子吗？"

"只要反省自己，没有什么愧疚的，又有什么忧虑畏惧的呢？"

按《论语》。司马牛问君子。子曰："君子不忧不惧。"曰："不忧不惧，斯谓之君子已乎？"子曰："内省不疚，夫何忧何惧？"

一天子夏回来看望老师，司马牛又向子夏请教。

"怎么别人都有兄弟，我就没有呢？"司马牛问子夏。他的兄弟们死的死，散的散，所以他说自己没有兄弟。

"我听老师说，一切都是天注定。如果一个君子恭敬有礼，不犯过错，那么到处都是他的兄弟啊。所以，君子何必忧虑自己没有兄弟呢？"子夏开导他。

按《论语》。**司马牛忧曰:“人皆有兄弟,吾独亡。”子夏曰:“商闻之矣,死生有命,富贵在天。君子敬而无失,与人恭而有礼,四海之内,皆兄弟也。君子何患乎无兄弟也。”**

死生有命,富贵在天。四海之内皆兄弟也。这几个成语,都来自这里。

可是,最终孔子和子夏也没有能够挽救司马牛。在投师孔子两个月后,一个没有月亮的晚上,司马牛带着满腔的疑惑和失望,在曲阜城外的一棵大树下结束了自己的生命。

“唉。”孔子叹了口气,感慨生命的脆弱。

卫国政变

到了年底,卫国发生了政变。这次政变,彻底击垮了孔子。为什么卫国的政变影响到了孔子呢?

卫国的废太子蒯聩占据了戚地,儿子卫出公当国君。卫国的国政在孔圉手中,孔圉的老婆孔伯姬是蒯聩的姐姐,同时也是卫出公的姑姑。孔圉和老婆生了个儿子,名叫孔悝(音亏)。孔圉死后,卫国就由孔悝说了算。

孔圉有个贴身仆人叫浑良夫,高大英俊,孔伯姬早就对他垂涎三尺,后来老公死了,于是顺手牵羊,成其好事。

孔伯姬跟弟弟的感情一向不错,暗地里派浑良夫去看望弟弟。蒯聩早就知道浑良夫是姐姐的面首,因此直接把浑良夫当姐夫接待了。

“二姐夫,帮我把小兔崽子赶走,让我回去当国君,保证让你当上大夫,并且,免你三次死罪,怎么样?”两人喝得高兴,蒯聩就开始利诱浑良夫。

这个条件对于浑良夫来说是无法拒绝的,于是两人就达成协议,结了盟。

浑良夫回到孔家,在床头上把这件事情对孔伯姬说了一遍,孔伯姬当即同意。

十二月的时候,蒯聩在浑良夫的帮助下,潜入了孔家,之后在孔伯姬的帮助下,胁迫孔悝结盟,要赶走卫出公,迎蒯聩回来做国君。

孔家的管家栾宁知道这件事情后,急忙带着卫出公出逃鲁国,同时派人通知子路,让子路前来救孔悝。

高柴这个时候已经从孔家家臣转为卫国司寇,很受卫出公赏识,听说孔悝被挟持,国君逃命,感觉大事不妙。怎么办?蜂刺入怀,解衣去赶。大难临头,逃命要紧。

既然决定逃命,高柴不敢停留,换了一身衣服,匆忙起身。走在路上,就感

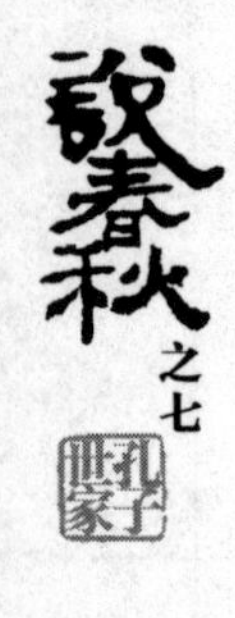

觉好像有人在追自己一样。来到城门，看见城外有军士，以为是蒯聩派来捉自己的人，不敢出去。

守门人是一个因为犯罪被砍掉了脚的人，看见高柴犹犹豫豫躲躲闪闪，知道他不敢走大门出去。

“喂，往那边走，有一块城墙塌了，可以从缺口出去。”守门人主动指点高柴。

“不行，君子不能翻墙的。”高柴拒绝了。

“那，另外一边有一个洞，可以钻出去。”

“不行，君子怎么能钻洞呢？”高柴又拒绝了。

“那，去我屋子里躲一躲吧。”

这一次，高柴没有拒绝，到守门人的小屋子里躲了起来。

过了一阵，高柴出来看看，发现城门内外都没有人了，这才确认自己是安全的。

“你为什么要帮我？你知道我是谁吗？”高柴问。

“你以为你换件衣服我就不认识你了？看见我这脚没有，我的脚被砍了，当初就是你下的命令啊，你不是高柴吗？”守门人轻轻地说，还带着一脸神秘的笑，让高柴浑身发毛。

“那，那你为什么还要帮我？”高柴紧张地问，他怀疑这是不是守门人的圈套。

“因为我被砍脚是罪有应得啊。我记得当初你反复审理我的案子，翻看了许多法令，想要找出为我免罪的办法，可是还是没找到。宣判的时候，我看见你的脸色很难看，很可怜我。所以，虽然你砍了我的脚，我知道你内心很仁慈，行事又很公道，所以我不恨你，我敬佩你。这，就是我帮助你的原因了。”守门人说得很坦然，之后催高柴赶紧离开。

高柴逃出了楚丘，在城外恰好遇上了子路。子路听说发生了政变，孔悝被挟持，于是驾着战车赶来了。

“师兄，别去了，去了也没用。”高柴劝子路回去，他知道子路改变不了什么，却有可能搭上自己的老命。

“不行，拿人家的工资，怎么能见死不救呢？”子路坚持要去。

“可是，城门已经关上了，进不了城，不如观望一下再说吧。”高柴撒了个谎，还要阻止子路去。

“兄弟，我知道你是好意，可是我还是要去。你走吧，别拦着我。”子路还是坚持，驾着战车进了楚丘。

一路疾驰，子路来到了孔家，孔家的门是真的关上了。孔家的家臣公孙敢从门缝里看见子路，对他喊："你不要进来了，进来也没有用。"

"公孙敢，你拿人家的工资不给人卖命，还好意思拦住我吗？"子路大声喝问，他不知道，其实孔悝早已经和蒯聩达成了协议，根本不用他去救命。

正在这个时候，门里有人出来，于是子路跳下战车，提着大戟，闯进门去。

孔家建了一座高楼，就是准备万一有什么事好躲避的，各国的权臣都有这么个高楼。蒯聩和孔悝都在楼里，也是防着有人来攻打。

"太子赶紧放了孔悝，劫持他也没用，我们不会让你得逞的。"子路到了楼下，大声喊着。

蒯聩不知道外面是什么人，也不敢轻举妄动，但是绝不开门，更不会把孔悝放下去。

"太子，你是个胆小鬼，再不放人，我就放火烧楼了。"子路又大声喊，开始从旁边捡柴禾准备放火。

楼上的蒯聩一看，这要真的放起火来，那就不知道会发生什么了。你不就是一个人吗？以为老子真怕你？于是，蒯聩派了手下两个勇士下来迎战子路。

算算年龄，这年子路已经六十二岁了，撒尿都尿不出三尺去了，也就是仗着一股气势在这里喊叫，真正遇上两个精壮勇士，哪里能是对手？

两三个回合下来，子路就呼哧带喘了，帽子带也被对方的大戟砍断了。子路一看，知道自己今天注定要挂了。

"君子死，冠不免。"子路说了人生的最后一句话，意思是君子就算是死，帽子也不能掉了。说完，子路很从容地放下大戟，将帽子带系好。可是，没等他系好，两条大戟就已经刺到，两道血光，子路倒在地上，帽子跌落一旁。

子路，就这样死于非命。

而这个时候，孔悝正愉快地和自己的舅舅饮着酒。

此后，孔悝立蒯聩为卫国国君，就是卫庄公。

卫国政变的消息传到了孔子这里，孔子的脸色立即变得十分难看。

"高柴会逃命，子路一定要死了。"孔子说，他太了解自己的学生了。

随后的消息证实了孔子的推测，子路战死了。

"子路死了？子路死了。"孔子黯然地说，尽管他料到了结果，却依然无法接受。

就在这个时候，高柴来到。

"子路死了，高柴为什么不死呢？"孔子问自己，他本来就瞧不起高柴，现在更瞧不起。

高柴把自己逃跑的过程完完整整说了一遍，看着高柴一脸的疲惫，孔子突然明白一个道理：每个人的性格决定每个人的行为，子路战死是对的，高柴逃

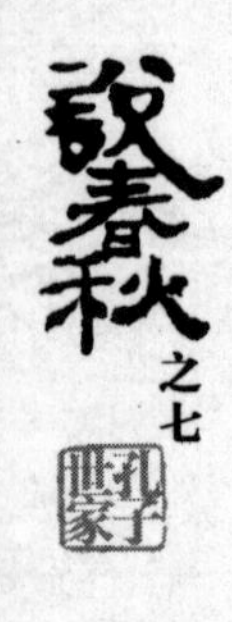

跑也是对的。否则,子路就不是子路,高柴也就不是高柴。

“每个人都有每个人的优点啊,就像高柴,他的公正难道不是他的优点吗?守门人不怨恨他反而帮助他,不就说明了高柴的高尚人格吗?善于执法的人树立德行,不善于执法的人制造怨恨,为什么?就因为执法公正与否啊,而高柴不就是执法公正的典范吗?”孔子这样说,再看高柴,他觉得高柴一下子可爱多了。

按《说苑》。孔子闻之,曰:“善为吏者树德,不善为吏者树怨。公行之也,其子羔之谓欤?”

第二八一章 别了，孔子

子路的死，对孔子的打击甚至超过了颜回的死。

如果说颜回就像孔子的儿子，那么子路就是孔子的兄弟、朋友和战友，是互相关心的兄弟，是直言相告的朋友，还是生死与共的战友。孔子与子路的感情是任何人都无法相提并论的，甚至孔子对子路有一种强烈的依赖感。几十年来，子路就守卫在孔子的身边，为孔子鞍前马后、赴汤蹈火，即便是在外地做官，子路也常常亲自或者派人来探望孔子。

就在一年前，孔子生病了，子路知道之后专门来看望老师。

"老师，让我为你祈祷吧。"那一次，子路这样说。

"有用吗？"孔子问。

"有用啊，《诔》文上说：为你祈祷神明。"子路说，他是认真的。

"哈哈，我早已经祈祷很久了。"孔子说。他并不相信祈祷有用，只是觉得子路很天真，所以开起了玩笑。

按《论语》。子疾病，子路请祷。子曰："有诸？"子路对曰："有之。诔曰：祷尔于上下神祇。"子曰："丘之祷久矣。"

如今，想起了子路的天真和鲁莽，想起了子路的真诚和热情，孔子潸然泪下。

孔子陷于一种从来没有过的伤心，在痛哭之后，他感到孤独，感到空虚，感到害怕。

"你，怎么还不来啊？"孔子眺望着远方，子路死了，这个世界上只有一个人能够安抚他的心了。

这个人是谁？

风尘仆仆,子贡来了。

得知子路死的消息的时候,子贡正在齐国做生意。

“回来再谈。”子贡没有一秒钟的犹豫,他知道他该去哪里,他知道老师这个时候最需要什么。

日夜兼程,子贡赶到了孔家。他的头发已经粘连到了一起,眼睛也因为熬夜赶路而布满了血丝。

大致是感应到了子贡的到来,孔子拄着拐杖来到了大门口。这个时候的孔子已经重病在身,只能拄着拐杖行走了。

“老师。”子贡远远地跳下车,叫了起来。

“赐啊,你怎么来这么晚啊?”孔子摇着头大声问。他时刻盼望着子贡的到来,到了这个时候,他最亲的人就是子贡了。

“老师,您怎么了?您怎么衰弱成这样?”子贡跑上前,要来搀扶孔子。

孔子推开了子贡的手,他不需要别人的搀扶。

“泰山坏乎!梁柱摧乎!哲人萎乎!”(《史记》)孔子唱了起来,十分悲摧。唱完,老泪长流。

子贡也忍不住自己的泪水,他从来没有见过老师像这样悲伤,这样颓丧和绝望,即便当年在宋国和陈蔡遇到那样的危险,老师也从来没有惊慌过。而今天老师变成这样,看来,上天真的要夺走老师了。

子贡搀扶着孔子坐了下来,然后自己跪坐在老师的面前。

“赐啊,天下无道,无法改变了,我这把老骨头看来也蹦跶不了几天了。夏朝人出殡,殡在东阶;周朝人出殡,殡在西阶;商朝人出殡,殡在两柱之间。我昨天做梦,梦见我殡在两柱之间了,看来我还是要按照商朝的规矩啊。赐啊,我的后事就拜托你了。”孔子把后事交代给了子贡,算是了结了最后一桩心事。

对于这个世界,孔子已经不再有任何留连了。

鲁哀公十六年(前479年)四月十一日,孔子永远地离开了人世,享年七十三岁。

伟大的教育家、思想家、文学家、历史学家和哲学家孔仲尼逝世了,他的逝世,是整个中华民族的巨大损失,是爱好和平的世界人民的巨大损失。

孔老夫子永垂不朽。

在孔子的葬礼上,鲁国国家领导人鲁哀公、季孙、孟孙、叔孙都亲自参加,鲁哀公并致悼词。悼词是这样的:“旻天不吊,不慭遗一老,俾屏余一人以在

位，茕茕余在疚。呜呼哀哉！尼父，毋自律！”（见《左传》）

悼词大意是这样的：老天没有保佑这样一位德高望重的老人长留人间，以使他保护我做好国君，丢下我一个人孤单无依，内心失落。呜呼哀哉，孔大爷啊孔大爷，我再也没有为政的法度了。

有若

葬礼等一应后事都是子贡和冉有牵头进行。葬礼之后，孔子被安葬在曲阜城北的泗上，占地一顷。至于为什么没有安葬在祖墓，不详。或许，是国家领导人特批的一块风水宝地。

子贡带头，在孔子冢旁边搭建房屋，住下来为孔子守墓服丧。除了已经毕业的学生之外，其余的学生也都搬了过去，这就是《史记》上所说的“弟子皆服三年”。三年之后，弟子们搬离这里，不过有弟子就在附近安家，再加上其他一些鲁国人在此安家，此处俨然成为一个居民小区，被命名为“孔里”。后来，这里建了孔子庙。到现在，就是孔庙或者孔府了。

《史记》记载，子贡服丧六年才离去。以子贡的性格，服丧六年是可能的，但是绝不可能一直待在这里，而只是暂时定居这里，有需要的时候出门做生意。此外，老师病故，孔子的学校需要有人来撑持，子贡留在这里的一个重要目的就是帮助子夏、曾参等人管理学校，等到六年后一切走上正轨，子贡才离开。

离开后的子贡去了齐国定居，之后一直做生意，生意做得非常大。

《史记》中有“子贡一出，存鲁、乱齐、破吴、强晋而霸越”的说法，近乎传奇，于《左传》中无根据，因此本书不采用。

孔子去世，一时群龙无首，好在有子贡坐镇，渐渐恢复了秩序。

学校暂时由子贡担任校长，子夏辞去了莒父宰，回到学校与子张、曾参等人主要负责教学。此外，冉雍、子游等人时常回来关照。因此，学校依然红火。

需要提到的一个人是有若，有若在师兄弟们中学习成绩一般，这时候担任助教。学生们都很思念孔子那种讲课的气派，总觉得应该找一个人来假冒老师，好让大家感觉老师还活着。恰好有若长得很像孔子，大家一商量，说是干脆让有若冒充孔子，整天坐在孔子的位置上，给大家一个安慰。

子贡一听，觉得这也是个好主意。于是，有若每天吃晚饭之后就坐在孔子当年的座位上，学着孔子的作派，接受弟子们的顶礼和瞻仰。

渐渐地，弟子们觉得有若的气质不够，学问也不够，所以不太应该继续扮

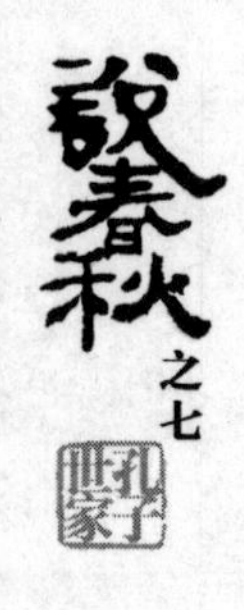

演孔子了。

有一天,学生们准备了两个刁钻的问题来问有若。

"老师,我们有两个问题请教。"一群弟子说。

"说吧。"有若扮着孔子的声音和腔调。

"说是有一天孔子出门,让弟子带着雨具,结果路上真的下雨了;还有一次,孔子预测到了商瞿有五个儿子。请问老师,孔子是怎样做到这两点的?"刁钻的问题,太刁钻的问题。

"这个,这个……"有若哪里能回答这样的问题,一时张口结舌。

"切。"大家一起起哄了,然后异口同声说道:"下去吧,这个位置不是你能坐的。"

就这样,有若又被赶了下来。

尽管扮演孔子的时间不长,有若还是因此提升了自己的地位,因此被称为有子,并且在《论语》中留名。

以下,就是有若在扮演孔子的时候发表的言论,因为被认为比较有水平而被收录进了《论语》。

按《论语》。有子曰:"其为人也孝悌而好犯上者,鲜矣。不好犯上而好作乱者,未之有也。君子务本,本立而道生。孝悌也者,其为仁之本与?"

按《论语》。有子曰:"礼之用,和为贵。先王之道斯为美。小大由之,有所不行。知和而和,不以礼节之,亦不可行也。"

按《论语》。有子曰:"信近于义,言可复也。恭近于礼,远耻辱也。因不失其亲,亦可宗也。"

和为贵,这就是有子先生贡献给大家的。

其实,并不仅仅是孔子的弟子们把有若当做孔子,鲁哀公看见有若也感觉亲切,有时也请有若去去做客。

有一年收成不好,鲁哀公非常担心。

"收成不好,粮食不够用了,怎么办啊?"鲁哀公发愁,自己家那点自留地确实不够用了。

"减税啊,收百分之十的税。"有若回答。

"百分之十?现在百分之二十还不够呢。"

"百姓富足了,国君难道还不富足吗?百姓不富足,国君怎么会富有呢?"有若说。这段话,还真是很像孔子的话。

按《论语》。哀公问与有若曰:"年饥,用不足,如之何?"有若对曰:"合彻乎?"曰:"二,吾犹不足,如之何其彻也?"对曰:"百姓足,君孰与不足?百姓不足,君孰与足?"

反子夏联盟

子贡走后，学校表面上秩序井然，实际上暗流涌动。没有了子贡的坐镇，人事矛盾慢慢凸现出来。

这个时候，学校形成多个巨头共存的局面，子夏、子张、子游、曾参和孔子的孙子子思各有各的优势，基本上分庭抗礼。总的来说，子张和子游关系比较好，曾参和子思关系比较好，子夏则比较孤立。

子夏这个人，一向恃才傲物，与子张子游的关系向来都是明和暗不和。三人属于同一辈的佼佼者，一直都在暗中较劲。孔子在的时候，偶尔争论一下，还不敢互相讥笑。孔子去世之后，三人的对抗公开化，但是有子贡在，也不敢太过分。

如今子贡离去，于是三人之间的矛盾公开化，子游子张原本就对孔子把《诗经》和《春秋》都传给子夏心存不满，如今看子夏大受学生们的欢迎，更是极不舒服。

一次，子夏的学生遇上了子张。

"喂，今天子夏给你们讲什么了？"子张问。

"讲交友。"

"子夏怎么讲的？"子张又问。

"老师说：能交往的就交往，不能交往的就别搭理他。"

"哦。"子张一听，这真是子夏的性格，子夏现在就不跟自己交往。所以，这话倒好像是针对自己的。"我记得当年老师不是这样说的啊，君子尊敬贤人，包容众人。称赞善人而同情能力不足的人。如果我是好人，与谁不能相容呢？如果我是坏人，别人首先不搭理我了，我哪里能够拒绝别人呢？"

子张的话里带话，意思就是子夏不是个什么好人。

按《论语》。子夏之门人，问交于子张。子张曰："子夏云何？"对曰："子夏曰：可者与之，其不可者拒之。"子张曰："异乎吾所闻。君子尊贤而容众，嘉善而矜不能。我之大贤与，于人何所不容；我之不贤与，人将拒我，如之何其拒人也？"

还有一次，子游也在背后说子夏的坏话。

"子夏的学生嘛，洒水扫地陪客迎送等等还马马虎虎，不过这些都是些学问的细枝末节，根本的东西都没有学到，今后他们怎么办呢？"子游这样贬低子夏。

话很快就传到了子夏那里，子夏非常不满。

“嘿嘿，言游有什么资格对我的学生指手画脚？君子之道，哪些先传授，哪些后传授，就如同草木一样，每个人的情况是不一样的。君子之道，不明白就别乱说。从头到尾都能做得恰当的，就只有圣人了。”

按《论语》。子游曰：“子夏之门人小子，当洒扫应对进退，则可矣。抑末也，本之则无，如之何？”子夏闻之曰：“噫，言游过矣！君子之道，孰先传焉，孰后倦焉。譬诸草木，区以别矣。君子之道，焉可诬也。有始有卒者，其惟圣人乎？”

不过，在这个反子夏联盟中，其实内部也互相不服。

“子张是我的好朋友，很难能可贵啊，不过呢，也算不上仁德吧。”子游这么评价子张，先褒后贬。

按《论语》。子游曰：“吾友张也，为难能也，然而未仁。”

“子张看上去仪表堂堂，不过跟他一起很难做到仁德。”曾参也这么说。

按《论语》。曾子曰：“堂堂乎张也，难与并为仁矣。”

子夏的为人，锋芒毕露直截了当，再加上才华四溢，因此成为众矢之的倒也并不意外。

譬如，子夏说：“只要大的方面不出格，小的方面有点过错也无所谓。”

显然，子夏是个提倡不拘小节的人。这样的话，子游子张等人是绝对不会说的。

按《论语》。子夏曰：“大德不逾闲，小德出入，可也。”

譬如子夏又说：“学好了知识就该去当官，当官当好了就该去学习。”

按《论语》。子夏曰：“仕而优则学，学而优则仕。”

子夏喜欢跟比自己强的人交往，因为他觉得只有跟这样的人交往才能提高自己。为此，孔子在生前就断言：“我死之后，子夏会越来越长进，子贡的学问则会还给我。为什么呢？因为子夏喜欢跟比自己强的人交往，而子贡喜欢跟不如自己的人交往。”

伟大的孔子

孔子是个伟大的思想家，是个伟大的文学家，是个伟大的哲学家，是个伟大的历史学家，同时，也是一个伟大的教育家。

关于教育和学习，孔子留下了很多名言警句，让子孙后代们受益匪浅。譬如以下来自《论语》中的话，我们耳熟能详。

子曰:"温故而知新,可以为师矣。"

子曰:"学而不思则罔,思而不学则殆。"

子曰:"攻乎异端,斯害也已。"

子曰:"默而识之,学而不厌,诲人不倦,何有于我哉!"

子曰:"不愤不启,不悱不发,举一隅,不以三隅反,则不复也。"

子曰:"我非生而知之者,好古,敏以求之者也。"

子曰:"三人行,必有我师焉,择其善者而从之,其不善者而改之。"

子以四教:文、行、忠、信。

子曰:"三年学,不至于谷,不易得也。"

子曰:"学如不及,犹恐失之。"

子曰:"知之者不如好之者,好之者不如乐之者。"

作为一个教育家,孔子有一个明显的特点就是因人施教,因材施教。《论语》中,孔子的学生们在问到同样的问题的时候,孔子给出的答案并不相同,都是根据每个人的性格和能力量身定做,譬如问为政,问仁,问孝等等。

有这样一段典型的记载,生动地体现了孔子因材施教的特点。

"老师,为什么叶公问政,您说安抚本地的,招徕远处的;鲁哀公问政,您说要任用贤臣;齐景公问政,您说要节俭。同样的问题,为什么有不同的答案?"一次,子贡问。

"这是因为各国的情况不同啊。"孔子说,"楚国国土大但是都城小,百姓缺乏归属感,因此需要增强凝聚力;而鲁国三桓专政,鲁哀公需要强有力的大夫;齐景公非常奢侈浪费,齐国人民怨声载道,因此他需要节俭。各国的情况不同,治理的方法自然不能一样。"

"原来如此。"子贡恍然大悟。

孔子也是一个音乐发烧友,他非常爱好音乐并且投师学习。但是,他在音乐上的成就没有记载,因此不能将他归类进音乐家,他只能算是音乐发烧友。

根据记载,孔子曾经向苌弘问乐,不过可信度并不高。之后,孔子在卫国曾经向师襄子学琴,进步较大。

回到鲁国,孔子又向鲁国太师乐学习音乐,达到了新的境界。所以,《论语》中有这样的两条记载。

按《论语》。子语鲁太师乐,曰:"乐其可知也。始作,翕如也。从之,纯如也,皦如也,绎如也。以成。"

按《论语》。子曰:"吾自卫反鲁,然后乐正,雅颂各得其所。"

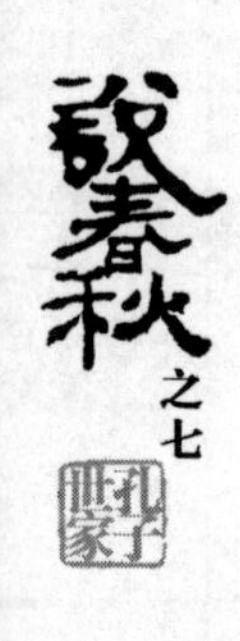

孔子的性格

孔子的性格似乎偏于内向，善于观察学习，却不善于言谈；讲课条理分明，随机应变见机行事却有些力不从心。所以，孔子是一个好老师，却不能成为一个出色的政客，总是不能说服各国的君主重用自己。

所以，孔子说“刚毅木讷，近仁”以及“君子欲讷于言而敏于行”，同时又说“巧言乱德，小不忍则乱大谋”和“巧言令色，鲜矣仁”。(《论语》)

平时在乡里，孔子看上去不太能说，到了朝廷面对三桓和鲁哀公的时候，说话也很小心谨慎，只有在面对学生、朋友以及与自己级别相近的官员的时候，谈起周礼和学问，才会滔滔不绝。

按《论语》。**孔子于乡党，恂恂如也，似不能言者。其在宗庙朝廷，便便言。唯谨尔。朝，与下大夫言，侃侃如也，与上大夫言，訚訚如也。君子，椒错如也，与与如也。**

孔子宣扬周礼，自己处处以周礼来要求自己，非常严格，各种礼仪随处遵守，即便是没有人看见的地方，譬如睡觉的姿势。

也正因为如此，学生们不会觉得孔子所讲的周礼都是没有用的东西，或者都是骗人的东西，尽管学生们实际上很难做到。而孔子的这份执著和毅力，成为他人格魅力的一个重要组成部分，让学生们景仰。

《论语·乡党第十》就都是在讲孔子的性格以及怎样以周礼来严格要求自己。

孔子以君子自诩，孔子说：“君子喻于义，小人喻于利。”(《论语》)孔子是个好面子的人，很少会谈到利(据《论语》，“子罕言利，与命与仁”。)。

“仁者爱人”，孔子这样教导弟子们，因此孔子也这样去做。

一次，家里的马厩失火了，孔子回来之后，只问“有人受伤没有?”根本没有问马。

如果有朋友死了却葬不起，孔子就在自己家里给朋友出殡。

所以孔子很受尊重和敬爱。

见义勇为，当仁不让，这两个成语都是孔子发明的，见于《论语》。

对于学生们来说，老师让人敬重，但是大家并不惧怕老师。按照《论语》上的说法：“子温而厉，威而不猛，恭而安。”也就是说，孔子温和但是严格，高大但是不凶狠，有礼貌而且不会喋喋不休。

总的来说，孔子就是一个慈祥的长者。

同时，孔子还是一个坚定的人。(子曰：“三军可夺帅也，匹夫不可夺志

也。”《论语》）

同时，孔子还是一个善良的人。（子曰：“君子成人之美，不成人之恶。小人反是。”《论语》）

同时，孔子还是一个有些傲气的人。（子曰：“道不同，不相为谋。”《论语》）

同时，孔子还是一个谦虚的人。（子曰：“三人行，必有我师焉，择其善者而从之，其不善者而改之。”《论语》）

孔子，确实是一个了不起的，让人肃然起敬的人。

但是，孔子是人，不是神。

第二八二章 《胡乱论语》

孔子的一生,所提倡的可以归结为三个字:仁、德、义。

什么是仁?归结起来其实就是八个字:己所不欲,勿施于人。

什么是德?归结起来其实也是八个字:欲人为者,以身作则。

什么是义?归结起来其实也是八个字:我有余力,可以助人。

孔子门下,所谓三千弟子七十二贤人,最终可以归结为三杰:子夏、子贡、冉有。

学术和教育第一人:子夏

从商第一人:子贡

从政第一人:冉有

三杰对于孔子本人以及孔子学说的宣扬都起到至关重要的作用。

谁是最爱孔子的人

孔子的学生中,最爱孔子的是子路、子贡和冉有,对孔子帮助最大的也是这三个人。不过,性格不同,他们爱老师和帮老师的方式也不同。

子路如何爱老师帮老师已经讲得太多,不再赘述了。子贡也讲得很多了,也不再赘述。这里,单独说说冉有。

冉有的能力强地位高,能够帮助老师的机会比较多。跟随孔子期间,冉有当孔子的管家,多数情况下老师出行都是他驾车;后来冉有做了季孙家的管家,帮助老师回到鲁国,又帮助老师获得季孙家的补贴,而师兄弟们的前程也多数靠冉有提携。

但是,冉有与子贡不一样,子贡爱老师帮老师非常有技巧,既帮助了老师,又照顾了老师的面子,可是说件件事情都抓在老师的痒痒肉上,所以孔子非常喜爱他。而冉有就比较武断,不讲究技巧,只要他认为对老师好的事情,他就去做,忽略了老师的感受。结果,好人好事做了一大堆,往往老师一点也不感激,有的时候还要生气。当然,孔子心里也明白冉有对自己是真好。

在给公西华补贴的事情上,冉有就做了好事受批评,类似的事情还有很多。《礼记》中就记载了这样一件事情。

卫国人伯高是孔子的朋友,伯高死后,他的家人去向孔子报丧。

“我该去哪里哭他呢?”孔子有点犯难,他很讲究这类问题。“本家兄弟死了,我到宗庙去哭他;父亲的朋友死了,我到庙门外去哭他;老师死了,我在内寝里哭他;朋友死了,我在寝门外哭他;一般认识的人死了,我到野外去哭他。以我跟伯高的关系,在野外哭他就显得太疏远,在内寝哭他又显得太重。怎么办呢?我是通过子贡认识他的,我就到子贡家去哭他吧。”

整来整去,老头把事情整到了子贡家里。

哭完之后,孔子派子张到伯高家去吊唁,结果在路上遇上了冉有。

“老弟,别去了,我前两天恰好在卫国,于是准备了一束帛、四匹马,以老师的名义去吊唁过了。”冉有让子张回去,他已经主动帮老师吊唁过了,并且礼送得很重,很有面子。

这件事情,孔子应该很高兴甚至很感动吧?应该会表扬冉有吧?

“嘿,冉有这件事情办得不地道啊,这样做不是让我失礼于伯高吗?”孔子不仅不高兴,反而责怪冉有猫捉耗子多管闲事。

孔子的理想和追求

任何思想都有来源,都不可能是平白无故在大脑中浮现。孔子的思想也是一样,来自他的生活环境。

人世间的真理一定是这样的:缺什么就追求什么,懂什么就鼓吹什么。

孔子也不例外。

孔子出身低微,同时却有着贵族的血统。从小他没有地位,忍受贫穷。所以,他对名利的追求顺理成章。对于地位,对于富贵,他心向往之。

孔子从小跟随亲戚邻居从事丧葬祭祀,正是因为如此,他对周礼产生了极大的兴趣,特别是丧葬之礼,进而是对周礼的全部。因此,孔子在自己的努力之下成了周礼专家。在礼崩乐坏的春秋末期,他发现自己在周礼上的造诣竟然出类拔萃。需要特别提出的是,孔子提倡孝道,是他重视祭祀和丧葬之礼的必然和必要结果。

于是，在这样的情况下，孔子决定运用周礼或者说通过鼓吹周礼来实现自己追求名利的目标。

然而，鼓吹周礼最终也并没有为孔子带来富贵，只为他带来了有限的地位。为什么会这样呢？

很简单，因为礼崩乐坏有礼崩乐坏的理由。就像二十几年前算盘，被淘汰自然有被淘汰的理由，并不能因为那是中国传统文化就无条件地存在下去。

所有国家中，鲁国是最遵守周礼的，结果怎么样呢？结果鲁国越来越弱。说明什么？说明周礼已经不适合于这个时代了。即便是鲁国，对于周礼也越来越不尊重了。

以一个在鲁国都过时的东西去游说更加强大和先进的国家，怎么行得通呢？

那么，在政治主张处处碰壁之后，孔子还有什么办法来求得富贵呢？经商。

孔子为什么不经商？

首先，孔子缺乏经商的天分。

其次，孔子的处境决定了他很难去经商。鲁国是个农耕国家，历来轻视商业，孔子毕竟做过大夫，去经商就等于放弃了自己的社会地位。从另一个角度说，孔子教育弟子们不要去经商，如果自己反而去经商，就等于搬起石头砸自己的脚。

这样，孔子实际上就陷入一种尴尬境况。凭借自己的政治主张得不到富贵，可是放弃自己的政治主张同样得不到富贵。于是，不如坚持。

所以孔子说得很明白：我想富贵啊，要是给人家赶车也能富贵的话，我也愿意。可是，如果没有什么办法能得到富贵，我还是从事我喜爱的事业吧。

按《论语》。子曰："富而可求也，虽执鞭之士，吾亦为之。如不可求，从吾所好。"

在得不到富贵之后，孔子自我安慰，说是如果通过不道义的方法得到富贵，对于自己来说就是浮云，根本不去想。

按《论语》。子曰："饭疏食，饮水，曲肱而枕之，乐亦在其中矣。不义而富且贵，于我如浮云。"

从理想和追求来说，孔子的一生是很失败的。

从另一个角度来证明这种失败，那就是通过孔子弟子们的发展。最坚信孔子学说的颜回和原宪都混得很悲惨很穷困潦倒，而背离了孔子学说的冉有和子贡都混得很滋润很有成就。

按《论语》。孔子曰:“君子有三戒:少之时,血气未定,戒之在色;及其壮也,血气方刚,戒之在斗;及其老也,血气既衰,戒之在得。”

不同阶段,不同的年龄和不同的际遇,每个人的思想都是在变化中的,而绝不是一成不变的。

孔子也是这样。

所以,我们可以说孔子是儒家的圣人。但是,我们不能说孔子就是儒家,因为他也是法家和道家。后世所强调和放大的孔子的思想,实际上多数是他早期的思想。

早期,孔子笃信周礼,崇拜周公,这时候他的思想是纯正的儒家思想。所以,到了齐国他拿君君臣臣来说话。

但是,在齐国他感受到了另外一种文化,他一定思考过为什么齐国会比鲁国强大,所以他对于不遵守周礼的管仲有了新的认识,对不肯为国君献出生命的晏子有了新的看法。

回到鲁国之后,孔子的思想已经由儒家向法家转化。实际上,周礼本身就是礼法,就有法的元素。

在从鲁国前往卫国之后,卫国文化对他又产生了很大的影响。到周游列国碰壁之后,孔子实际上已经经过了多次的反思,他很少再提周礼,相反,他懂得了变通,明白自己是不可为而为之,对管仲则更加敬佩,而管仲是法家。

回到鲁国,孔子已经从儒家成为法家,一个故事可以印证这一点。

按照鲁国的法律,如果有人能够从外国赎回在那里做奴仆的鲁国人,可以从政府领取奖金。有一次,子贡从外国赎人回来,却退还了奖金。听说这件事情之后,孔子非常失望。

“子贡错了,圣人做事,是可以移风易俗的,是给大众做榜样,让老百姓都能按照他的做法去做的。如今鲁国富人少穷人多,子贡作了这样一个榜样,有几个人能做到他那样呢?从今以后,鲁国人不会再去想办法赎人了。”孔子说。这段话,贯穿了法的精神。

按《说苑》。鲁国之法,鲁人有赎臣妾于诸侯者,取金于府;子贡赎人于诸侯而还其金,孔子闻之曰:“赐失之矣,圣人之举事也,可以移风易俗,而教导可施于百姓,非独适其身之行也。今鲁国富者寡而贫者众,赎而受金则为不廉;不受则后莫复赎,自今以来,鲁人不复赎矣。”

实际上,在《论语》中,孔子所崇拜的人并不多,可是他崇拜管子和子产,而这两人是著名的法家人物。这说明什么?说明他的思想由儒到法了。

另一个非常具有说服力的证据来自子夏。

子夏是孔子在卫国以及回到鲁国期间最器重最赏识的弟子，孔子一定认为子夏是最理解自己的人，是自己学问最佳的继承者和阐发者。所以，孔子说子夏是“起予者也”。所以，孔子把《诗经》和《春秋》都传给了子夏，对他的偏爱无以复加。

孔子去世之后，子夏受魏文侯之邀前往西河讲学。子夏的学生中，有田子方、段干木等大儒，但是特别要提出的是，中国历史上最著名的法家李悝、商鞅都出于子夏门派。

李悝（即李克）著了中国历史上第一部法学专著《法经》，商鞅在秦国变法。

毫无疑问，子夏的法家思想来源于孔子，只不过子夏发扬光大了。

而另一位法家代表人物吴起出于曾参的门下。

孔子的晚年沉迷于《易经》，理想的破灭让一向不谈命不说神的孔子开始说命了，开始淡泊世间的得失了。这个时候，孔子俨然化身为道家了。这个时候，他才真正理解老子的思想。

按《论语》。子曰：“不知命，无以为君子；不知礼，无以立也；不知言，无以知人也。”

按《论语》。子曰：“圣人，吾不得而见之矣，得见君子者斯可矣。”子曰：“善人，吾不得而见之矣，得见有恒者，斯可矣。亡而为有，虚而为盈，约而为泰，难乎有恒矣。”

按《论语》。子曰：“莫我知也夫！”子贡曰：“何为其莫知子也？”子曰：“不怨天，不尤人，下学而上达，知我者其天乎！”

按《论语》。子曰：“人能弘道，非道弘人。”

以上这些，都是典型的道家的思想。

甚至，孔子还想学习老子，逃避现实，去蛮夷国家归于自然。

按《论语》。子欲居九夷。或曰：“陋，如之何？”子曰：“君子居之，何陋之有？”

一个显而易见的线索说明了一切，什么线索？孔子的研究路线。

最早，孔子研究周礼；

之后，研究诗经；

之后，研究春秋；

最后，研究周易。

这说明什么？说明孔子从理想主义走向现实主义，再走向神秘主义。

儒家，是理想主义；法家，是现实主义；道家，是神秘主义。

其实，绝大多数人都走同样的路线：从理想回到现实，从现实走向神秘。

孔学的自相矛盾

从儒到法到道，孔子的思想在变化，所以，前后出现矛盾是必然的。

譬如孔子对于各种周礼礼仪的态度，一开始，孔子非常讲究礼仪的形式，对礼仪的完备看得非常重要，这也是当初晏子对孔子最讨厌的地方。直到到了卫国，孔子还是这样，各国诸侯每月月初有一个告朔之祭，每次要杀一只活羊，子贡觉得很浪费，应该去掉，可是孔子反对子贡的看法，他对子贡说："你爱的是羊，我爱的是礼。"

按《论语》。子贡欲去告朔之饩羊。子曰："赐也，尔爱其羊，我爱其礼。"

可是后来，孔子的看法有了很多变化，对于礼仪不再那么坚持。

回到鲁国之后，有一次子游向孔子请教丧葬礼仪用具的问题。

"应该看自己的家底量力而行。"孔子说。

"老师说具体点啊。"

"就算家里有钱，也不要超过礼仪规定。如果家里没钱，那么只要装殓时衣物能够盖住死者就行了。丧事只要尽心尽力了，就没有什么好指责的了。所以办丧事时，与其缺少哀痛之情而使用过多的礼仪，不如礼仪不完备却充满哀痛之情。"孔子的意思是，礼仪形式并不重要，重要的是真情流露。

到了这个时候，孔子对形式上的东西就远远不如从前那么看重了。

问题在于，孔子被圣人化被神化之后，他的每句话都是真理了。既然这样，矛盾就被强行掩盖或者忽视，很多自相矛盾的东西就被熟视无睹，进而被认为原本就是和谐的一体。

后世统治者打着儒家的旗号，实际上干着半儒半法半道的事情，就是所谓的儒表法里。而这样的矛盾体之所以能够存在，在于有了孔子这个矛盾体的存在，也就是说，不论怎样做怎样说，都能从孔子那里找到依据。这样做的前提是否定孔子本身是矛盾的，所以，宰我这样的人是绝对不能让他存在的，所以要编造他被杀的假历史，提醒后人不得质疑孔子思想的自相矛盾。

正是因为这样，中国人能够很自然地生活在自相矛盾之中，譬如：急流勇退、急流勇进都是对的，好死不如赖活与士可杀不可辱同时运用着。堂皇的大道理和世俗的小道理之间的矛盾能够坦然共存，永远有道理，只要是领导，只要有权力，说什么都是对的。我们以为这是中华语言的特点，其实不是，这是

这个民族思维的问题，而这样的思维，就来自统治者对孔子思想的“创造性”利用。

有时人们会质疑孔子思想的虚伪，其实不然，孔子是真实的，他只是被历朝统治者们虚伪掉了。

《胡乱论语》

了解孔子，《论语》是最好的材料。不过，《论语》中没有记录胡乱与孔子的对话，是一大遗憾。在此，进行补充，补充部分称为《胡乱论语》

孔子说：“唯女子与小人为难养。”

胡乱问：“既然这样，为什么国君这么喜欢养女人和小人？”

孔子说：“乱啊，告诉你，因为国君是公款消费啊。”

胡乱问：“夫子常赞扬伯夷叔齐不食周粟，那夫子怎么吃了这么多家的粟？从前帮着国君灭三桓，现在吃着三桓的粟，怎么不说灭三桓了？”

孔子说：“一二三四五，上山打老虎。”

胡乱问：“后世程颐说‘饿死事小，失节事大’，老师怎样看？”

孔子说：“我猜他想说的应该是‘饿死别人事小’。”

孔子说：“齐一变，至于鲁，鲁一变，至于道。”

胡乱说：“老师，既然鲁国比齐国好，为什么全世界人都想去齐国，没人想来鲁国呢？”

孔子说：“乱啊，你不是来了吗？”

胡乱说：“老师，我们那个年代讲究做好人好事。譬如，坐火车的时候帮乘务员拖地。”

孔子说：“那，乘务员干什么？”

胡乱说：“乘务员帮带小孩的妈妈喂奶。”

孔子说：“那带小孩的妈妈干什么？”

胡乱说：“带小孩的妈妈帮司机开火车。”

孔子说：“那司机干什么？”

胡乱说：“司机？是啊，司机干什么？”

孔子说："乱啊，真乱。其实，自己干好自己的本职就行了，大同世界也不过如此。当乘客的不像乘客，当乘务员的不像乘务员，有什么好提倡的呢？"

胡乱整日闷闷不乐，夫子不以为怪，盖因大家都是闷闷不乐。一日，胡乱同子路来，孔子问什么事，胡乱不敢言，子路说："胡乱这些天很郁闷，因为他有问题但是不敢问。"孔子说："为什么不敢问？什么问题都可以问啊。"子路说："所以他找我帮忙，让我来问。是这样的，他想知道大便的礼是什么，先放屁还是先撒尿，还是屎尿屁泥沙俱下。"孔子皱眉头，说："这样的事情属于私事，讲什么礼？礼都是在人前的。"胡乱说："老师说要人前人后一个样啊。何况，有的时候大家同去大便，怎么能说不是在人前呢？"孔子："总归还是自己掌握吧，怎样方便怎样。"胡乱说："那么，大便时狂呼乱叫，念念有词，合于礼吗？"孔子："胡乱，真有此事？"胡乱说："大便，人生大事也。若是憋了一个时辰，突然喷薄而出，一泻千里，岂不快哉？既然快哉，为何不能叫出来？"孔子说："胡言乱语啊，大便本是私事，私下里进行就好，大喊大叫就不合乎礼了。"胡乱说："那么大便的礼就是闷声大便，是么？"孔子喟然叹道："你要这样认为，就算是吧。"

一日，孔子与胡乱聊天。胡乱问："老师，管仲三次打仗三次逃跑，因为怕自己死了老母无人奉养；孟公绰三次打仗三次逃跑，也是怕自己死了母亲无人奉养。我想问问，到底是行孝重要，还是忠君为国重要？"

孔子说："乱啊，这个问题很好啊。奉养父母，是为人的根本；忠君为国，是为臣的根本。如果不能忠君卫国，至少还能做一个人；如果不能奉养父母，连做人的资格都没有了。你说说，哪一个重要？"

胡乱说："老师，我明白了。"

一日，胡乱和孔子讲起《春秋》，说到董狐直笔，孔子为赵盾鸣冤一段，胡乱说："老师，赵盾先后杀了三个国君的儿子，杀了六个卿赶走了三个卿，又把霸权拱手让给了楚国，老师怎么说他是良臣？"

孔子无言以对，过了一阵，小声说："乱啊，君子识时务者为俊杰啊。当今天下，晋国最强，而赵家执掌晋国国政，得罪赵家就跟在鲁国得罪季孙家一样，何必呢，何必呢？不要因为写本书给自己带来麻烦啊。"

胡乱感慨："以老师这样正直的人在世俗面前有时也不得不低头，历史真是用刀枪写成的。"

孔子说："惭愧啊，我不如董狐远矣。"

胡乱说："老师也是不得已，不过春秋笔法，把事情真相都写得很清楚了，后人自会领会，重新作出结论。"

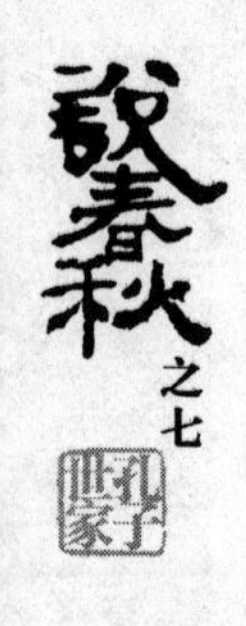

孔子说:“那就好了,但愿后人能够领会。”

胡乱说:“老师不知道,后世的史书,干脆就是瞎编乱造,黑白颠倒,完全没有廉耻,不像老师这样,事实保留,就算有违心的话,也不过是九牛一毛。”

孔子释然。

孔子死后,胡乱痛哭:“老师啊,您死之后,谁还会听我的胡言乱语啊?”

附录一：史记·孔子世家

孔子生鲁昌平乡陬邑。其先宋人也，曰孔防叔。防叔生伯夏，伯夏生叔梁纥。纥与颜氏女野合而生孔子，祷于尼丘得孔子。鲁襄公二十二年而孔子生。生而首上圩顶，故因名曰丘云。字仲尼，姓孔氏。

丘生而叔梁纥死，葬于防山。防山在鲁东，由是孔子疑其父墓处，母讳之也。孔子为儿嬉戏，常陈俎豆，设礼容。孔子母死，乃殡五父之衢，盖其慎也。郰人輓父之母诲孔子父墓，然后往合葬于防焉。

孔子要绖，季氏飨士，孔子与往。阳虎绌曰："季氏飨士，非敢飨子也。"孔子由是退。

孔子年十七，鲁大夫孟釐子病且死，诫其嗣懿子曰："孔丘，圣人之后，灭于宋。其祖弗父何始有宋而嗣让厉公。及正考父佐戴、武、宣公，三命兹益恭，故鼎铭云：'一命而偻，再命而伛，三命而俯，循墙而走，亦莫敢余侮。饘于是，粥于是，以糊余口。'其恭如是。吾闻圣人之后，虽不当世，必有达者。今孔丘年少好礼，其达者欤？吾即没，若必师之。"及釐子卒，懿子与鲁人南宫敬叔往学礼焉。是岁，季武子卒，平子代立。

孔子贫且贱。及长，尝为季氏史，料量平；尝为司职吏而畜蕃息。由是为司空。已而去鲁，斥乎齐，逐乎宋、卫，困于陈蔡之间，于是反鲁。孔子长九尺有六寸，人皆谓之"长人"而异之。鲁复善待，由是反鲁。

鲁南宫敬叔言鲁君曰："请与孔子适周。"鲁君与之一乘车，两马，一竖子俱，适周问礼，盖见老子云。辞去，而老子送之曰："吾闻富贵者送人以财，仁人者送人以言。吾不能富贵，窃仁人之号，送子以言，曰：'聪明深察而近于死者，好议人者也。博辩广大危其身者，发人之恶者也。为人子者毋以有己，为人臣者毋以有己。'"孔子自周反于鲁，弟子稍益进焉。

是时也，晋平公淫，六卿擅权，东伐诸侯；楚灵王兵强，陵轹中国；齐大而近于鲁。鲁小弱，附于楚则晋怒；附于晋则楚来伐；不备于齐，齐师侵鲁。鲁昭公之二十年，而孔子盖年三十矣。齐景公与晏婴来适鲁，景公问孔子曰："昔秦穆公国小处辟，其霸何也？"对曰："秦，国虽小，其志大；处虽辟，行中正。身举五羖，爵之大夫，起累绁之中，与语三日，授之以政。以此取之，虽王可也，其霸小矣。"景公说。

孔子年三十五，而季平子与郈昭伯以斗鸡故得罪鲁昭公，昭公率师击平子，平子与孟氏、叔孙氏三家共攻昭公，昭公师败，奔于齐，齐处昭公乾侯。其后顷之，鲁乱。孔子适齐，为高昭子家臣，欲以通乎景公。与齐太师语乐，闻韶音，学之，三月不知肉味，齐人称之。

景公问政孔子，孔子曰："君君，臣臣，父父，子子。"景公曰："善哉！信如君不君，臣不臣，父不父，子不子，虽有粟，吾岂得而食诸！"他日又复问政于孔子，孔子曰："政在节财。"景公说，将欲以尼谿田封孔子。晏婴进曰："夫儒者滑稽而不可轨法；倨傲自顺，不可以为下；崇丧遂哀，破产厚葬，不可以为俗；游说乞贷，不可以为国。自大贤之息，周室既衰，礼乐缺有间。今孔子盛容饰，繁登降之礼，趋详之节，累世不能殚其学，当年不能究其礼。君欲用之以移齐俗，非所以先细民也。"后景公敬见孔子，不问其礼。异日，景公止孔子曰："奉子以季氏，吾不能。"以季孟之间待之。齐大夫欲害孔子，孔子闻之。景公曰："吾老矣，弗能用也。"孔子遂行，反乎鲁。

孔子年四十二，鲁昭公卒于乾侯，定公立。定公立五年，夏，季平子卒，桓子嗣立。季桓子穿井得土缶，中若羊，问仲尼云"得狗"。仲尼曰："以丘所闻，羊也。丘闻之，木石之怪夔、罔阆，水之怪龙、罔象，土之怪坟羊。"

吴伐越，堕会稽，得骨节专车。吴使使问仲尼："骨何者最大？"仲尼曰："禹致群神于会稽山，防风氏后至，禹杀而戮之，其节专车，此为大矣。"吴客曰："谁为神？"仲尼曰："山川之神足以纲纪天下，其守为神，社稷为公侯，皆属于王者。"客曰："防风何守？"仲尼曰："汪罔氏之君守封、禺之山，为釐姓。在虞、夏、商为汪罔，于周为长翟，今谓之大人。"客曰："人长几何？"仲尼曰："僬侥氏三尺，短之至也。长者不过十之，数之极也。"于是吴客曰："善哉圣人！"

桓子嬖臣曰仲梁怀，与阳虎有隙。阳虎欲逐怀，公山不狃止之。其秋，怀益骄，阳虎执怀。桓子怒，阳虎因囚桓子，与盟而醳之。阳虎由此益轻季氏。季氏亦僭于公室，陪臣执国政，是以鲁自大夫以下皆僭离于正道。故孔子不仕，退而修诗书礼乐，弟子弥众，至自远方，莫不受业焉。

定公八年，公山不狃不得意于季氏，因阳虎为乱，欲废三桓之适，更立其庶孽阳虎素所善者，遂执季桓子。桓子诈之，得脱。定公九年，阳虎不胜，奔于齐。是时孔子年五十。公山不狃以费畔季氏，使人召孔子。孔子循道弥久，温温无所试，莫能己用，曰："盖周文武起丰镐而王，今费虽小，傥庶几乎！"欲往。子路不说，止孔子。孔子曰："夫召我者岂徒哉？如用我，其为东周乎！"然亦卒不行。其后定公以孔子为中都宰，一年，四方皆则之。由中都宰为司空，由司空为大司寇。

定公十年春，及齐平。夏，齐大夫黎鉏言于景公曰："鲁用孔丘，其势危齐。"乃使使告鲁为好会，会于夹谷。鲁定公且以乘车好往。孔子摄相事，曰："臣闻有文事者必有武备，有武事者必有文备。古者诸侯出疆，必具官以从。请具左右司马。"定公曰："诺。"具左右司马。会齐侯夹谷，为坛位，土阶三等，以会遇之礼相见，揖让而登。献酬之礼毕，齐有司趋而进曰："请奏四方之乐。"景公曰："诺。"于是旍旄羽袯矛戟剑拨鼓噪而至。孔子趋而进，历阶而登，不尽一等，举袂而言曰："吾两君为好会，夷狄之乐何为于此！请命有司！"有司卻之，不去，则左右视晏子与景公。景公心怍，麾而去之。有顷，齐有司趋而进曰："请奏宫中之乐。"景公曰："诺。"优倡侏儒为戏而前。孔子趋而进，历而登，不尽一等，曰："匹夫而营惑诸侯者罪当诛！请命有司！"有司加法焉，手足异处。景公惧而动，知义不若，归而大恐，告其群臣曰："鲁以君子之道辅其君，而子独以夷狄之道教寡人，使得罪于鲁君，为之奈何？"有司进对曰："君子有过则谢以质，小人有过则谢以文。君若悼之，则谢以质。"于是齐侯乃归所侵鲁之郓、汶阳、龟阴之田以谢过。

定公十三年夏，孔子言于定公曰："臣无藏甲，大夫毋百雉之城。"使仲由为季氏宰，将堕三都。于是叔孙氏先堕郈。季氏将堕费，公山不狃、叔孙辄率费人袭鲁。公与三子入于季氏之宫，登武子之台。费人攻之，弗克，入及公侧。孔子命申句须、乐颀下伐之，费人北。国人追之，败诸姑蔑。二子奔齐，遂堕费。将堕成，公敛处父谓孟孙曰："堕成，齐人必至于北门。且成，孟氏之保鄣，无成是无孟氏也。我将弗堕。"十二月，公围成，弗克。

定公十四年，孔子年五十六，由大司寇行摄相事，有喜色。门人曰："闻君子祸至不惧，福至不喜。"孔子曰："有是言也。不曰'乐其以贵下人'乎？"于是诛鲁大夫乱政者少正卯。与闻国政三月，粥羔豚者弗饰贾；男女行者别于涂；涂不拾遗；四方之客至乎邑者不求有司，皆予之以归。齐人闻而惧，曰："孔子为政必霸，霸则吾地近焉，我之为先并矣。盍致地焉？"黎鉏曰："请先尝沮之；沮之而不可则致地，庸迟乎！"于是选齐国中女子好者八十人，皆衣文衣而舞康乐，文马三十驷，遗鲁君。陈女乐文马于鲁城南高门外，季桓子微服往观再三，将受，乃语鲁君为周道游，往观终日，怠于政事。子路曰："夫子可以行矣。"孔子曰："鲁今且郊，如致膰乎大夫，则吾犹可以止。"桓子卒受齐女乐，三日不听政；郊，又不致膰俎于大夫。孔子遂行，宿乎屯。而师己送，曰："夫子则非罪。"孔子曰："吾歌可夫？"歌曰："彼妇之口，可以出走；彼妇之谒，可以死败。盖优哉游哉，维以卒岁！”师已反，桓子曰：“孔子亦何言？”师已以实告。桓子喟然叹曰：“夫子罪我以群婢故也夫！”孔子遂适卫，主于子路妻兄颜浊邹家。卫灵公问孔子：“居鲁得禄几何？”对曰：“奉粟六万。”卫人亦致粟六万。居顷之，或谮孔子于卫灵公。灵公使公孙余假一出一入。孔子恐获罪焉，居十月，去卫。

将适陈，过匡，颜刻为仆，以其策指之曰：“昔吾入此，由彼缺也。”匡人闻之，以为鲁之阳虎。阳虎尝暴匡人，匡人于是遂止孔子。孔子状类阳虎，拘焉五日，颜渊后，子曰：“吾以汝为死矣。”颜渊曰：“子在，回何敢死！”匡人拘孔子益急，弟子惧。孔子曰：“文王既没，文不在兹乎？天之将丧斯文也，后死者不得与于斯文也。天之未丧斯文也，匡人其如予何！”孔子使从者为甯武子臣于卫，然后得去。

去即过蒲。月馀，反乎卫，主蘧伯玉家。灵公夫人有南子者，使人谓孔子曰：“四方之君子不辱欲与寡君为兄弟者，必见寡小君。寡小君愿见。”孔子辞谢，不得已而见之。夫人在絺帷中。孔子入门，北面稽首。夫人自帷中再拜，环珮玉声璆然。孔子曰：“吾乡为弗见，见之礼答焉。”子路不说。孔子矢之曰：“予所不者，天厌之！天厌之！”居卫月馀，灵公与夫人同车，宦者雍渠参乘，出，使孔子为次乘，招摇市过之。孔子曰：“吾未见好德如好色者也。”于是丑之，去卫，过曹。是岁，鲁定公卒。

孔子去曹适宋，与弟子习礼大树下。宋司马桓魋欲杀孔子，拔其树。孔子去。弟子曰：“可以速矣。”孔子曰：“天生德于予，桓魋其如予何！”孔子适郑，与弟子相失，孔子独立郭东门。郑人或谓子贡曰：“东门有人，其颡似尧，其项类皋陶，其肩类子产，然自要以下不及禹三寸。累累若丧家之狗。”子贡以实告孔子。孔子欣然笑曰：“形状，末也。而谓似丧家之狗，然哉！然哉！”孔子遂至陈，主于司城贞子家。岁馀，吴王夫差伐陈，取三邑而去。赵鞅伐朝歌。楚围蔡，蔡迁于吴。吴败越王句践会稽。有隼集于陈廷而死，楛矢贯之，石砮，矢长尺有咫。陈湣公使使问仲尼。仲尼曰：“隼来远矣，此肃慎之矢也。昔武王克商，通道九夷百蛮，使各以其方贿来贡，使无忘职业。于是肃慎贡楛矢石砮，长尺有咫。先王欲昭其令德，以肃慎矢分大姬，配虞胡公而封诸陈。分同姓以珍玉，展亲；分异姓以远职，使无忘服。故分陈以肃慎矢。”试求之故府，果得之。

孔子居陈三岁，会晋楚争强，更伐陈，及吴侵陈，陈常被寇。孔子曰：“归与归与！吾党之小子狂简，进取不忘其初。”于是孔子去陈。过蒲，会公叔氏以蒲畔，蒲人止孔子。弟子有公良孺者，以私车五乘从孔子。其为人长贤，有勇力，谓曰：“吾昔从夫子遇难于匡，今又遇难于此，命也已。吾与夫子再罹难，宁斗而死。”斗甚疾。蒲人惧，谓孔子曰：“苟毋适卫，吾出子。”与之盟，出孔子东门。孔子遂适卫。子贡曰：“盟可负邪？”孔子曰：“要盟也，神不听。”卫灵公闻孔子来，喜，郊迎。问曰：“蒲可伐乎？”对曰：“可。”灵公曰：“吾大夫以为不可。今蒲，卫之所以待晋楚也,以卫伐之,无乃不可乎?”孔子曰:“其男子有死之志,妇人有保西河之志。吾所伐者不过四五人。”灵公曰:“善。”然不伐蒲。灵公老,怠于政,不用孔子。孔子喟然叹曰:“苟有用我者,期月而已,三年有成。”孔子行。

佛肸为中牟宰。赵简子攻范、中行,伐中牟。佛肸畔,使人召孔子。孔子欲往。子路曰:“由闻诸夫子,‘其身亲为不善者,君子不入也’。今佛肸亲以中牟畔,子欲往,如之何?”孔子曰:“有是言也。不曰坚乎,磨而不磷;不曰白乎,涅而不淄。我岂匏瓜也哉,焉能系而不食?”孔子击磬。有荷蒉而过门者,曰:“有心哉,击磬乎!硁硁乎,莫已知也夫而已矣!”

孔子学鼓琴师襄子,十日不进。师襄子曰:“可以益矣。”孔子曰:“丘已习其曲矣,未得其数也。”有间,曰:“已习其数,可以益矣。”孔子曰:“丘未得其志也。”有间,曰:“已习其志,可以益矣。”孔子曰:“丘未得其为人也。”有间,有所穆然深思焉,有所怡然高望而远志焉。曰:“丘得其为人,黯然而黑,几然而长,眼如望羊,如王四国,非文王其谁能为此也!”师襄子辟席再拜,曰:“师盖云文王操也。”

孔子既不得用于卫,将西见赵简子。至于河而闻窦鸣犊、舜华之死也,临河而叹曰:“美哉水,洋洋乎!丘之不济此,命也夫!”子贡趋而进曰:“敢问何谓也?”孔子曰:“窦鸣犊,舜华,晋国之贤大夫也。赵简子未得志之时,须此两人而后从政;及其已得志,杀之乃从政。丘闻之也,刳胎杀夭则麒麟不至郊,竭泽涸渔则蛟龙不合阴阳,覆巢毁卵则凤皇不翔。何则?君子讳伤其类也。夫鸟兽之于不义也尚知辟之,而况乎丘哉!”乃还息乎陬乡,作为陬操以哀之。而反乎卫,入主蘧伯玉家。

他日,灵公问兵陈。孔子曰:“俎豆之事则尝闻之,军旅之事未之学也。”明日,与孔子语,见蜚雁,仰视之,色不在孔子。孔子遂行,复如陈。

夏,卫灵公卒,立孙辄,是为卫出公。六月,赵鞅内太子蒯聩于戚。阳虎使太子绕,八人衰绖,伪自卫迎者,哭而入,遂居焉。冬,蔡迁于州来。是岁鲁哀公三年,而孔子年六十矣。齐助卫围戚,以卫太子蒯聩在故也。

夏,鲁桓釐庙燔,南宫敬叔救火。孔子在陈,闻之,曰:“灾必于桓釐庙乎?”已而果然。

秋,季桓子病,辇而见鲁城,喟然叹曰:“昔此国几兴矣,以吾获罪于孔子,故不兴也。”顾谓其嗣康子曰:“我即死,若必相鲁;相鲁,必召仲尼。”后数日,桓子卒,康子代立。已葬,欲召仲尼。公之鱼曰:“昔吾先君用之不终,终为诸侯笑。今又用之,不能终,是再为诸侯笑。”康子曰:“则谁召而可?”曰:“必召冉求。”于是使使召冉求。冉求将行,孔子曰:“鲁人召求,非小用之,将大用之也。”是日,孔子曰:“归乎归乎!吾党之小子狂简,斐然成章,吾不知所以裁之。”子赣知孔子思归,送冉求,因诫曰“即用,以孔子为招”云。冉求既去,明年,孔子自陈迁于蔡。蔡昭公将如吴，吴召之也。前昭公欺其臣迁州来，后将往，大夫惧复迁，公孙翩射杀昭公。楚侵蔡。秋，齐景公卒。

明年，孔子自蔡如叶。叶公问政，孔子曰："政在来远附迩。"他日，叶公问孔子于子路，子路不对。孔子闻之，曰："由，尔何不对曰'其为人也，学道不倦，诲人不厌，发愤忘食，乐以忘忧，不知老之将至'云尔。"去叶，反于蔡。长沮、桀溺耦而耕，孔子以为隐者，使子路问津焉。长沮曰："彼执舆者为谁？"子路曰："为孔丘。"曰："是鲁孔丘与？"曰："然。"曰："是知津矣。"桀溺谓子路曰："子为谁？"曰："为仲由。"曰："子，孔丘之徒与？"曰："然。"桀溺曰："悠悠者天下皆是也，而谁以易之？且与其从辟人之士，岂若从辟世之士哉！"耰而不辍。子路以告孔子，孔子怃然曰："鸟兽不可与同群。天下有道，丘不与易也。"他日，子路行，遇荷蓧丈人，曰："子见夫子乎？"丈人曰："四体不勤，五谷不分，孰为夫子！"植其杖而芸。子路以告，孔子曰："隐者也。"复往，则亡。

孔子迁于蔡三岁，吴伐陈。楚救陈，军于城父。闻孔子在陈蔡之间，楚使人聘孔子。孔子将往拜礼，陈蔡大夫谋曰："孔子贤者，所刺讥皆中诸侯之疾。今者久留陈蔡之间，诸大夫所设行皆非仲尼之意。今楚，大国也，来聘孔子。孔子用于楚，则陈蔡用事大夫危矣。"于是乃相与发徒役围孔子于野。不得行，绝粮。从者病，莫能兴。孔子讲诵弦歌不衰。子路愠见曰："君子亦有穷乎？"孔子曰："君子固穷，小人穷斯滥矣。"子贡色作。孔子曰："赐，尔以予为多学而识之者与？"曰："然。非与？"孔子曰："非也。予一以贯之。"孔子知弟子有愠心，乃召子路而问曰："诗云'匪兕匪虎，率彼旷野'。吾道非邪？吾何为于此？"子路曰："意者吾未仁邪？人之不我信也。意者吾未知邪？人之不我行也。"孔子曰："有是乎！由，譬使仁者而必信，安有伯夷、叔齐？使知者而必行，安有王子比干？"子路出，子贡入见。孔子曰："赐，诗云'匪兕匪虎，率彼旷野'。吾道非邪？吾何为于此？"子贡曰："夫子之道至大也，故天下莫能容夫子。夫子盖少贬焉？"孔子曰："赐，良农能稼而不能为穑，良工能巧而不能为顺。君子能修其道，纲而纪之，统而理之，而不能为容。今尔不修尔道而求为容。赐，而志不远矣！"子贡出，颜回入见。孔子曰："回，诗云'匪兕匪虎，率彼旷野'。吾道非邪？吾何为于此？"颜回曰："夫子之道至大，故天下莫能容。虽然，夫子推而行之，不容何病，不容然后见君子！夫道之不修也，是吾丑也。夫道既已大修而不用，是有国者之丑也。不容何病，不容然后见君子！"孔子欣然而笑曰："有是哉颜氏之子！使尔多财，吾为尔宰。"于是使子贡至楚。楚昭王兴师迎孔子，然后得免。

昭王将以书社地七百里封孔子。楚令尹子西曰："王之使使诸侯有如子贡者乎？"曰："无有。""王之辅相有如颜回者乎？"曰："无有。""王之将率有如子路者乎？"曰："无有。""王之官尹有如宰予者乎？"曰："无有。""且楚之祖封于周，号为子男五十里。今孔丘述三五之法，明周召之业，王若用之，则楚安得世世堂堂方数千里乎？夫文王在丰，武王在镐，百里之君卒王天下。今孔丘得据土壤，贤弟子为佐，非楚之福也。”昭王乃止。其秋，楚昭王卒于城父。

楚狂接舆歌而过孔子，曰：“凤兮凤兮，何德之衰！往者不可谏兮，来者犹可追也！已而已而，今之从政者殆而！”孔子下，欲与之言。趋而去，弗得与之言。于是孔子自楚反乎卫。是岁也，孔子年六十三，而鲁哀公六年也。其明年，吴与鲁会缯，徵百牢。太宰嚭召季康子。康子使子贡往，然后得已。孔子曰：“鲁卫之政，兄弟也。”是时，卫君辄父不得立，在外，诸侯数以为让。而孔子弟子多仕于卫，卫君欲得孔子为政。子路曰：“卫君待子而为政，子将奚先？”孔子曰：“必也正名乎！”子路曰：“有是哉，子之迂也！何其正也？”孔子曰：“野哉由也！夫名不正则言不顺，言不顺则事不成，事不成则礼乐不兴，礼乐不兴则刑罚不中，刑罚不中则民无所错手足矣。夫君子为之必可名，言之必可行。君子于其言，无所苟而已矣。”

其明年，冉有为季氏将师，与齐战于郎，克之。季康子曰：“子之于军旅，学之乎？性之乎？”冉有曰：“学之于孔子。”季康子曰：“孔子何如人哉？”对曰：“用之有名；播之百姓，质诸鬼神而无憾。求之至于此道，虽累千社，夫子不利也。”康子曰：“我欲召之，可乎？”对曰：“欲召之，则毋以小人固之，则可矣。”而卫孔文子将攻太叔，问策于仲尼。仲尼辞不知，退而命载而行，曰：“鸟能择木，木岂能择鸟乎！”文子固止。会季康子逐公华、公宾、公林，以币迎孔子，孔子归鲁。

孔子之去鲁凡十四岁而反乎鲁。

鲁哀公问政，对曰：“政在选臣。”季康子问政，曰：“举直错诸枉，则枉者直。”康子患盗，孔子曰：“苟子之不欲，虽赏之不窃。”然鲁终不能用孔子，孔子亦不求仕。

孔子之时，周室微而礼乐废，诗书缺。追迹三代之礼，序书传，上纪唐虞之际，下至秦缪，编次其事。曰：“夏礼吾能言之，杞不足徵也。殷礼吾能言之，宋不足徵也。足，则吾能徵之矣。”观殷夏所损益，曰：“后虽百世可知也，以一文一质。周监二代，郁郁乎文哉。吾从周。”故书传、礼记自孔氏。

孔子语鲁大师：“乐其可知也。始作翕如，纵之纯如，皦如，绎如也，以成。”“吾自卫反鲁，然后乐正，雅颂各得其所。”

古者诗三千馀篇，及至孔子，去其重，取可施于礼义，上采契后稷，中述殷周之盛，至幽厉之缺，始于衽席，故曰“关雎之乱以为风始，鹿鸣为小雅始，文王为大雅始，清庙为颂始”。三百五篇孔子皆弦歌之，以求合韶武雅颂之音。礼乐自此可得而述，以备王道，成六艺。

孔子晚而喜易，序彖、系、象、说卦、文言。读易，韦编三绝。曰：“假我数年，若是，我于易则彬彬矣。”

孔子以诗书礼乐教，弟子盖三千焉，身通六艺者七十有二人。如颜浊邹之徒，颇受业者甚众。

孔子以四教：文，行，忠，信。绝四：毋意，毋必，毋固，毋我。所慎：齐，战，疾。子罕言利与命与仁。不愤不启，举一隅不以三隅反，则弗复也。其于乡党，恂恂似不能言者。其于宗庙朝廷，辩辩言，唯谨尔。朝，与上大夫言，訚訚如也；与下大夫言，侃侃如也。入公门，鞠躬如也；趋进，翼如也。君召使傧，色勃如也。君命召，不俟驾行矣。

鱼馁，肉败，割不正，不食。席不正，不坐。食于有丧者之侧，未尝饱也。

是日哭，则不歌。见齐衰、瞽者，虽童子必变。

"三人行，必得我师。""德之不修，学之不讲，闻义不能徙，不善不能改，是吾忧也。"使人歌，善，则使复之，然后和之。

子不语：怪，力，乱，神。

子贡曰："夫子之文章，可得闻也。夫子言天道与性命，弗可得闻也已。"

颜渊喟然叹曰："仰之弥高，钻之弥坚。瞻之在前，忽焉在后。夫子循循然善诱人，博我以文，约我以礼，欲罢不能。既竭我才，如有所立，卓尔。虽欲从之，蔑由也已。"达巷党人曰："大哉孔子，博学而无所成名。"子闻之曰："我何执？执御乎？执射乎？我执御矣。"牢曰："子云'不试，故艺'。"

鲁哀公十四年春，狩大野。叔孙氏车子鉏商获兽，以为不祥。仲尼视之，曰："麟也。"取之。曰："河不出图，雒不出书，吾已矣夫！"颜渊死，孔子曰："天丧予！"及西狩见麟，曰："吾道穷矣！"喟然叹曰："莫知我夫！"子贡曰："何为莫知子？"子曰："不怨天，不尤人，下学而上达，知我者其天乎！""不降其志，不辱其身，伯夷、叔齐乎！"谓"柳下惠、少连降志辱身矣"。谓"虞仲、夷逸隐居放言，行中清，废中权"。"我则异于是，无可无不可。"子曰："弗乎弗乎，君子病没世而名不称焉。吾道不行矣，吾何以自见于后世哉？"乃因史记作春秋，上至隐公，下讫哀公十四年，十二公。据鲁，亲周，故殷，运之三代。约其文辞而指博。故吴楚之君自称王，而春秋贬之曰"子"；践土之会实召周天子，而春秋讳之曰"天王狩于河阳"：推此类以绳当世。贬损之义，后有王者举而开之。春秋之义行，则天下乱臣贼子惧焉。

孔子在位听讼，文辞有可与人共者，弗独有也。至于为春秋，笔则笔，削则削，子夏之徒不能赞一辞。弟子受春秋，孔子曰："后世知丘者以春秋，而罪丘者亦以春秋。"

明岁，子路死于卫。孔子病，子贡请见。孔子方负杖逍遥于门，曰："赐，汝来何其晚也？"孔子因叹，歌曰："太山坏乎！梁柱摧乎！哲人萎乎！"因以涕下。谓子贡曰："天下无道久矣，莫能宗予。夏人殡于东阶，周人于西阶，殷人两柱间。昨暮予梦坐奠两柱之间，予始殷人也。"后七日卒。孔子年七十三，以鲁哀公十六年四月己丑卒。

哀公诔之曰："旻天不吊，不憖遗一老，俾屏余一人以在位，茕茕余在疚。呜呼哀哉！尼父，毋自律！"子贡曰："君其不没于鲁乎！夫子之言曰：'礼失则昏，名失则愆。失志为昏，失所为愆。'生不能用，死而诔之，非礼也。称'余一人'，非名也。"

孔子葬鲁城北泗上，弟子皆服三年。三年心丧毕，相诀而去，则哭，各复尽哀；或复留。唯子赣庐于冢上，凡六年，然后去。弟子及鲁人往从冢而家者百有馀室，因命曰孔里。鲁世世相传以岁时奉祠孔子冢，而诸儒亦讲礼乡饮大射于孔子冢。孔子冢大一顷。故所居堂、弟子内，后世因庙，藏孔子衣冠琴车书，至于汉二百馀年不绝。高皇帝过鲁，以太牢祠焉。诸侯卿相至，常先谒然后从政。

孔子生鲤，字伯鱼。伯鱼年五十，先孔子死。

伯鱼生伋，字子思，年六十二。尝困于宋。子思作《中庸》。

子思生白，字子上，年四十七。子上生求，字子家，年四十五。

子家生箕，字子京，年四十六。

子京生穿，字子高，年五十一。子高生子慎，年五十七，尝为魏相。

子慎生鲋，年五十七，为陈王涉博士，死于陈下。

鲋弟子襄，年五十七。尝为孝惠皇帝博士，迁为长沙太守。长九尺六寸。

子襄生忠，年五十七。忠生武，武生延年及安国。安国为今皇帝博士，至临淮太守，蚤卒。

安国生卬，卬生驩。

太史公曰：诗有之："高山仰止，景行行止。"虽不能至，然心乡往之。余读孔氏书，想见其为人。适鲁，观仲尼庙堂车服礼器，诸生以时习礼其家，余祗回留之不能去云。天下君王至于贤人众矣，当时则荣，没则已焉。孔子布衣，传十馀世，学者宗之。自天子王侯，中国言六艺者折中于夫子，可谓至圣矣！

附录二:史记·仲尼弟子列传

孔子曰"受业身通者七十有七人",皆异能之士也。德行:颜渊,闵子骞,冉伯牛,仲弓。政事:冉有,季路。言语:宰我,子贡。文学:子游,子夏。师也辟,参也鲁,柴也愚,由也喭,回也屡空。赐不受命而货殖焉,亿则屡中。孔子之所严事:于周则老子;于卫,蘧伯玉;于齐,晏平仲;于楚,老莱子;于郑,子产;于鲁,孟公绰。数称臧文仲、柳下惠、铜鞮伯华、介山子然,孔子皆后之,不并世。

颜回者,鲁人也,字子渊。少孔子三十岁。

颜渊问仁,孔子曰:"克己复礼,天下归仁焉。"孔子曰:"贤哉回也!一箪食,一瓢饮,在陋巷,人不堪其忧,回也不改其乐。""回也如愚;退而省其私,亦足以发,回也不愚。""用之则行,舍之则藏,唯我与尔有是夫!"

回年二十九,发尽白,蚤死。孔子哭之恸,曰:"自吾有回,门人益亲。"鲁哀公问:"弟子孰为好学?"孔子对曰:"有颜回者好学,不迁怒,不贰过。不幸短命死矣,今也则亡。"

闵损字子骞。少孔子十五岁。

孔子曰:"孝哉闵子骞!人不间于其父母昆弟之言。"不仕大夫,不食污君之禄。"如有复我者,必在汶上矣。"

冉耕字伯牛。孔子以为有德行。

伯牛有恶疾,孔子往问之,自牖执其手,曰:"命也夫!斯人也而有斯疾,命也夫!"

冉雍字仲弓。

仲弓问政,孔子曰:"出门如见大宾,使民如承大祭。在邦无怨,在家无怨。"孔子以仲弓为有德行,曰:"雍也可使南面。"仲弓父,贱人。孔子曰:"犁牛之子骍且角,虽欲勿用,山川其舍诸?"

冉求字子有，少孔子二十九岁。为季氏宰。

季康子问孔子曰："冉求仁乎？"曰："千室之邑，百乘之家，求也可使治其赋。仁则吾不知也。"复问："子路仁乎？"孔子对曰："如求。"求问曰："闻斯行诸？"子曰："行之。"子路问："闻斯行诸？"子曰："有父兄在，如之何其闻斯行之！"子华怪之，"敢问问同而答异？"孔子曰："求也退，故进之。由也兼人，故退之。"

仲由字子路，卞人也。少孔子九岁。

子路性鄙，好勇力，志伉直，冠雄鸡，佩豭豚，陵暴孔子。孔子设礼稍诱子路，子路后儒服委质，因门人请为弟子。

子路问政，孔子曰："先之，劳之。"请益。曰："无倦。"子路问："君子尚勇乎？"孔子曰："义之为上。君子好勇而无义则乱，小人好勇而无义则盗。"子路有闻，未之能行，唯恐有闻。孔子曰："片言可以折狱者，其由也与！""由也好勇过我，无所取材。""若由也，不得其死然。""衣敝缊袍与衣狐貉者立而不耻者，其由也与！""由也升堂矣，未入于室也。"季康子问："仲由仁乎？"孔子曰："千乘之国可使治其赋，不知其仁。"

子路喜从游，遇长沮、桀溺、荷蓧丈人。

子路为季氏宰，季孙问曰："子路可谓大臣与？"孔子曰："可谓具臣矣。"子路为蒲大夫，辞孔子。孔子曰："蒲多壮士，又难治。然吾语汝：恭以敬，可以执勇；宽以正，可以比众；恭正以静，可以报上。"

初，卫灵公有宠姬曰南子。灵公太子蒉聩得过南子，惧诛出奔。及灵公卒而夫人欲立公子郢。郢不肯，曰："亡人太子之子辄在。"于是卫立辄为君，是为出公。出公立十二年，其父蒉聩居外，不得入。子路为卫大夫孔悝之邑宰。蒉聩乃与孔悝作乱，谋入孔悝家，遂与其徒袭攻出公。出公奔鲁，而蒉聩入立，是为庄公。方孔悝作乱，子路在外，闻之而驰往。遇子羔出卫城门，谓子路曰："出公去矣，而门已闭，子可还矣，毋空受其祸。"子路曰："食其食者不避其难。"子羔卒去。有使者入城，城门开，子路随而入。造蒉聩，蒉聩与孔悝登台。子路曰："君焉用孔悝？请得而杀之。"蒉聩弗听。于是子路欲燔台，蒉聩惧，乃下石乞、壶黡攻子路，击断子路之缨。子路曰："君子死而冠不免。"遂结缨而死。孔子闻卫乱，曰："嗟乎，由死矣！"已而果死。故孔子曰："自吾得由，恶言不闻于耳。"是时子贡为鲁使于齐。

宰予字子我。利口辩辞。既受业，问："三年之丧不已久乎？君子三年不为礼，礼必坏；三年不为乐，乐必崩。旧谷既没，新谷既升，钻燧改火，期可已矣。"子曰："于汝安乎？"曰："安。""汝安则为之。君子居丧，食旨不甘，闻乐不乐，故弗为也。"宰我出，子曰："予之不仁也！子生三年然后免于父母之怀。夫三年之丧，天下之通义也。"

宰予昼寝。子曰："朽木不可雕也，粪土之墙不可圬也。"

宰我问五帝之德,子曰:“予非其人也。”

宰我为临菑大夫,与田常作乱,以夷其族,孔子耻之。

端沐赐,卫人,字子贡。少孔子三十一岁。

子贡利口巧辞,孔子常黜其辩。问曰:“汝与回也孰愈?”对曰:“赐也何敢望回!回也闻一以知十,赐也闻一以知二。”

子贡既已受业,问曰:“赐何人也?”孔子曰:“汝器也。”曰:“何器也?”曰:“瑚琏也。”陈子禽问子贡曰:“仲尼焉学?”子贡曰:“文武之道未坠于地,在人,贤者识其大者,不贤者识其小者,莫不有文武之道。夫子焉不学,而亦何常师之有!”又问曰:“孔子适是国必闻其政。求之与?抑与之与?”子贡曰:“夫子温良恭俭让以得之。夫子之求之也,其诸异乎人之求之也。”子贡问曰:“富而无骄,贫而无谄,何如?”孔子曰:“可也;不如贫而乐道,富而好礼。”

田常欲作乱于齐,惮高、国、鲍、晏,故移其兵欲以伐鲁。孔子闻之,谓门弟子曰:“夫鲁,坟墓所处,父母之国,国危如此,二三子何为莫出?”子路请出,孔子止之。子张、子石请行,孔子弗许。子贡请行,孔子许之。遂行,至齐,说田常曰:“君之伐鲁过矣。夫鲁,难伐之国,其城薄以卑,其地狭以泄,其君愚而不仁,大臣伪而无用,其士民又恶甲兵之事,此不可与战。君不如伐吴。夫吴,城高以厚,地广以深,甲坚以新,士选以饱,重器精兵尽在其中,又使明大夫守之,此易伐也。”田常忿然作色曰:“子之所难,人之所易;子之所易,人之所难:而以教常,何也?”子贡曰:“臣闻之,忧在内者攻强,忧在外者攻弱。今君忧在内。吾闻君三封而三不成者,大臣有不听者也。今君破鲁以广齐,战胜以骄主,破国以尊臣,而君之功不与焉,则交日疏于主。是君上骄主心,下恣群臣,求以成大事,难矣。夫上骄则恣,臣骄则争,是君上与主有郤,下与大臣交争也。如此,则君之立于齐危矣。故曰不如伐吴。伐吴不胜,民人外死,大臣内空,是君上无强臣之敌,下无民人之过,孤主制齐者唯君也。”田常曰:“善。虽然,吾兵业已加鲁矣,去而之吴,大臣疑我,奈何?”子贡曰:“君按兵无伐,臣请往使吴王,令之救鲁而伐齐,君因以兵迎之。”田常许之,使子贡南见吴王。说曰:“臣闻之,王者不绝世,霸者无强敌,千钧之重加铢两而移。今以万乘之齐而私千乘之鲁,与吴争强,窃为王危之。且夫救鲁,显名也;伐齐,大利也。以抚泗上诸侯,诛暴齐以服强晋,利莫大焉。名存亡鲁,实困强齐。智者不疑也。”吴王曰:“善。虽然,吾尝与越战,栖之会稽。越王苦身养士,有报我心。子待我伐越而听子。”子贡曰:“越之劲不过鲁,吴之强不过齐,王置齐而伐越,则齐已平鲁矣。且王方以存亡继绝为名,夫伐小越而畏强齐,非勇也。夫勇者不避难,仁者不穷约,智者不失时,王者不绝世,以立其义。今存越示诸侯以仁,救鲁伐齐,威加晋国,诸侯必相率而朝吴,霸业成矣。且王必恶越,臣请东见越王,令出兵以从,此实空越,名从诸侯以伐也。”吴王大说,乃使子贡之越。

越王除道郊迎，身御至舍而问曰：“此蛮夷之国，大夫何以俨然辱而临之？”子贡曰：“今者吾说吴王以救鲁伐齐，其志欲之而畏越，曰‘待我伐越乃可’。如此，破越必矣。且夫无报人之志而令人疑之，拙也；有报人之志，使人知之，殆也；事未发而先闻，危也。三者举事之大患。”句践顿首再拜曰：“孤尝不料力，乃与吴战，困于会稽，痛入于骨髓，日夜焦唇乾舌，徒欲与吴王接踵而死，孤之愿也。”遂问子贡。子贡曰：“吴王为人猛暴，群臣不堪；国家敝以数战，士卒弗忍；百姓怨上，大臣内变；子胥以谏死，太宰嚭用事，顺君之过以安其私：是残国之治也。今王诚发士卒佐之徼其志，重宝以说其心，卑辞以尊其礼，其伐齐必也。彼战不胜，王之福矣。战胜，必以兵临晋，臣请北见晋君，令共攻之，弱吴必矣。其锐兵尽于齐，重甲困于晋，而王制其敝，此灭吴必矣。”越王大说，许诺。送子贡金百镒，剑一，良矛二。子贡不受，遂行。报吴王曰：“臣敬以大王之言告越王，越王大恐，曰：‘孤不幸，少失先人，内不自量，抵罪于吴，军败身辱，栖于会稽，国为虚莽，赖大王之赐，使得奉俎豆而修祭祀，死不敢忘，何谋之敢虑！’”

后五日，越使大夫种顿首言于吴王曰：“东海役臣孤句践使者臣种，敢修下吏问于左右。今窃闻大王将兴大义，诛强救弱，困暴齐而抚周室，请悉起境内士卒三千人，孤请自被坚执锐，以先受矢石。因越贱臣种奉先人藏器，甲二十领，鈇屈卢之矛，步光之剑，以贺军吏。”吴王大说，以告子贡曰：“越王欲身从寡人伐齐，可乎？”子贡曰：“不可。夫空人之国，悉人之众，又从其君，不义。君受其币，许其师，而辞其君。”吴王许诺，乃谢越王。于是吴王乃遂发九郡兵伐齐。

子贡因去之晋，谓晋君曰：“臣闻之，虑不先定不可以应卒，兵不先辨不可以胜敌。今夫齐与吴将战，彼战而不胜，越乱之必矣；与齐战而胜，必以其兵临晋。”晋君大恐，曰：“为之奈何？”子贡曰：“修兵休卒以待之。”晋君许诺。

子贡去而之鲁。吴王果与齐人战于艾陵，大破齐师，获七将军之兵而不归，果以兵临晋，与晋人相遇黄池之上。吴晋争强。晋人击之，大败吴师。越王闻之，涉江袭吴，去城七里而军。吴王闻之，去晋而归，与越战于五湖。三战不胜，城门不守，越遂围王宫，杀夫差而戮其相。破吴三年，东向而霸。

故子贡一出，存鲁，乱齐，破吴，强晋而霸越。子贡一使，使势相破，十年之中，五国各有变。子贡好废举，与时转货赀。喜扬人之美，不能匿人之过。常相鲁卫，家累千金，卒终于齐。

言偃，吴人，字子游。少孔子四十五岁。

子游既已受业，为武城宰。孔子过，闻弦歌之声。孔子莞尔而笑曰：“割鸡焉用牛刀？”子游曰：“昔者偃闻诸夫子曰，君子学道则爱人，小人学道则易使。”孔子曰：“二三子，偃之言是也。前言戏之耳。”孔子以为子游习于文学。

卜商字子夏。少孔子四十四岁。

子夏问："'巧笑倩兮，美目盼兮，素以为绚兮'，何谓也？"子曰："绘事后素。"曰："礼后乎？"孔子曰："商始可与言诗已矣。"子贡问："师与商孰贤？"子曰："师也过，商也不及。""然则师愈与？"曰："过犹不及。"子谓子夏曰："汝为君子儒，无为小人儒。"

孔子既没，子夏居西河教授，为魏文侯师。其子死，哭之失明。

颛孙师，陈人，字子张。少孔子四十八岁。

子张问干禄，孔子曰："多闻阙疑，慎言其馀，则寡尤；多见阙殆，慎行其馀，则寡悔。言寡尤，行寡悔，禄在其中矣。"他日从在陈蔡间，困，问行。孔子曰："言忠信，行笃敬，虽蛮貊之国行也；言不忠信，行不笃敬，虽州里行乎哉！立则见其参于前也，在舆则见其倚于衡，夫然后行。"子张书诸绅。子张问："士何如斯可谓之达矣？"孔子曰："何哉，尔所谓达者？"子张对曰："在国必闻，在家必闻。"孔子曰："是闻也，非达也。夫达者，质直而好义，察言而观色，虑以下人，在国及家必达。夫闻也者，色取仁而行违，居之不疑，在国及家必闻。"

曾参，南武城人，字子舆。少孔子四十六岁。

孔子以为能通孝道，故授之业。作《孝经》。死于鲁。

澹台灭明，武城人，字子羽。少孔子三十九岁。状貌甚恶。欲事孔子，孔子以为材薄。既已受业，退而修行，行不由径，非公事不见卿大夫。南游至江，从弟子三百人，设取予去就，名施乎诸侯。孔子闻之，曰："吾以言取人，失之宰予；以貌取人，失之子羽。"

宓不齐字子贱。少孔子三十岁。孔子谓"子贱君子哉！鲁无君子，斯焉取斯？"子贱为单父宰，反命于孔子，曰："此国有贤不齐者五人，教不齐所以治者。"孔子曰："惜哉不齐所治者小，所治者大则庶几矣。"

原宪字子思。

子思问耻。孔子曰："国有道，谷。国无道，谷，耻也。"子思曰："克伐怨欲不行焉，可以为仁乎？"孔子曰："可以为难矣，仁则吾弗知也。"

孔子卒，原宪遂亡在草泽中。子贡相卫，而结驷连骑，排藜藿入穷阎，过谢原宪。宪摄敝衣冠见子贡。子贡耻之，曰："夫子岂病乎？"原宪曰："吾闻之，无财者谓之贫，学道而不能行者谓之病。若宪，贫也，非病也。"子贡惭，不怿而去，终身耻其言之过也。

公冶长，齐人，字子长。孔子曰："长可妻也，虽在累绁之中，非其罪也。"以其子妻之。

南宫括字子容。问孔子曰："羿善射，奡荡舟，俱不得其死然；禹稷躬稼而有天下？"孔子弗答。容出，孔子曰："君子哉若人！上德哉若人！""国有道，不废；国无道，免于刑戮。"三复"白珪之玷"，以其兄之子妻之。

公皙哀字季次。孔子曰："天下无行，多为家臣，仕于都；唯季次未尝仕。"

曾点字皙。侍孔子,孔子曰:“言尔志。”点曰:“春服既成,冠者五六人,童子六七人,浴乎沂,风乎舞雩,咏而归。”孔子喟尔叹曰:“吾与点也!”

颜无繇字路。路者,颜回父,父子尝各异时事孔子。颜回死,颜路贫,请孔子车以葬。孔子曰:“材不材,亦各言其子也。鲤也死,有棺而无椁,吾不徒行以为之椁,以吾从大夫之后,不可以徒行。”

商瞿,鲁人,字子木。少孔子二十九岁。孔子传易于瞿,瞿传楚人馯臂子弘,弘传江东人矫子庸疵,疵传燕人周子家竖,竖传淳于人光子乘羽,羽传齐人田子庄何,何传东武人王子中同,同传菑川人杨何。何元朔中以治易为汉中大夫。

高柴字子羔。少孔子三十岁。子羔长不盈五尺,受业孔子,孔子以为愚。子路使子羔为费郈宰,孔子曰:“贼夫人之子!”子路曰:“有民人焉,有社稷焉,何必读书然后为学!”孔子曰:“是故恶夫佞者。”

漆雕开字子开。孔子使开仕,对曰:“吾斯之未能信。”孔子说。

公伯缭字子周。周愬子路于季孙,子服景伯以告孔子,曰:“夫子固有惑志,缭也吾力犹能肆诸市朝。”孔子曰:“道之将行,命也;道之将废,命也。公伯缭其如命何!”

司马耕字子牛。牛多言而躁。问仁于孔子,孔子曰:“仁者其言也讱。”曰:“其言也讱,斯可谓之仁乎?”子曰:“为之难,言之得无讱乎!”问君子,子曰:“君子不忧不惧。”曰:“不忧不惧,斯可谓之君子乎?”子曰:“内省不疚,夫何忧何惧!”

樊须字子迟。少孔子三十六岁。樊迟请学稼,孔子曰:“吾不如老农。”请学圃,曰:“吾不如老圃。”樊迟出,孔子曰:“小人哉樊须也!上好礼,则民莫敢不敬;上好义,则民莫敢不服;上好信,则民莫敢不用情。夫如是,则四方之民襁负其子而至矣,焉用稼!”

樊迟问仁,子曰:“爱人。”问智,曰:“知人。”

有若少孔子四十三岁。有若曰:“礼之用,和为贵,先王之道斯为美。小大由之,有所不行;知和而和,不以礼节之,亦不可行也。”“信近于义,言可复也;恭近于礼,远耻辱也;因不失其亲,亦可宗也。”

孔子既没,弟子思慕,有若状似孔子,弟子相与共立为师,师之如夫子时也。他日,弟子进问曰:“昔夫子当行,使弟子持雨具,已而果雨。弟子问曰:‘夫子何以知之?’夫子曰:‘诗不云乎?“月离于毕,俾滂沱矣。”昨暮月不宿毕乎?’他日,月宿毕,竟不雨。商瞿年长无子,其母为取室。孔子使之齐,瞿母请之。孔子曰:‘无忧,瞿年四十后当有五丈夫子。’已而果然。敢问夫子何以此?”有若默然无以应。弟子起曰:“有子避之,此非子之座也!”

公西赤字子华。少孔子四十二岁。子华使于齐,冉有为其母请粟。孔子曰："与之釜。"请益，曰："与之庾。"冉子与之粟五秉。孔子曰："赤之适齐也，乘肥马，衣轻裘。吾闻君子周急不继富。"

巫马施字子旗。少孔子三十岁。陈司败问孔子曰："鲁昭公知礼乎？"孔子曰："知礼。"退而揖巫马旗曰："吾闻君子不党，君子亦党乎？鲁君娶吴女为夫人，命之为孟子。孟子姓姬，讳称同姓，故谓之孟子。鲁君而知礼，孰不知礼！"施以告孔子，孔子曰："丘也幸，苟有过，人必知之。臣不可言君亲之恶，为讳者，礼也。"

梁鳣字叔鱼。少孔子二十九岁。

颜幸字子柳。少孔子四十六岁。

冉孺字子鲁，少孔子五十岁。

曹恤字子循。少孔子五十岁。

伯虔字子析，少孔子五十岁。

公孙龙字子石。少孔子五十三岁。

自子石已右三十五人，显有年名及受业见于书传。其四十有二人，无年及不见书传者纪于左：

冉季字子产。

公祖句兹字子之。

秦祖字子南。

漆雕哆字子敛。

颜高字子骄。

漆雕徒父。

壤驷赤字子徒。

商泽。

石作蜀字子明。

任不齐字选。

公良孺字子正。

后处字子里。

秦冉字开。

公夏首字乘。

奚容箴字子皙。

公肩定字子中。

颜祖字襄。

鄡单字子家。

句井疆。

罕父黑字子索。

秦商字子丕。

申党字周。

颜之仆字叔。

荣旂字子祈。

县成字子祺。

左人郢字行。

燕伋字思。

郑国字子徒。

秦非字子之。

施之常字子恒。

颜哙字子声。

步叔乘字子车。

原亢籍。

乐欬字子声。

廉絜字庸。

叔仲会字子期。

颜何字冉。

狄黑字晳。

邦巽字子敛。

孔忠。

公西舆如字子上。

公西葴字子上。

太史公曰:学者多称七十子之徒,誉者或过其实,毁者或损其真,钧之未睹厥容貌,则论言弟子籍,出孔氏古文近是。余以弟子名姓文字悉取《论语》弟子问并次为篇,疑者阙焉。

后 记

学习历史的最好办法就是写历史，因为这样可以逼迫你去思考去解释去总结，而不仅仅是看故事。春秋这段历史看似杂乱无章，实际上有着它的内在联系和因果必然。在纷繁复杂的事件中找到线索清出脉络，在看似并不关联的事件中找到因果找到联系，在假象和谎言中发现真相以及探究谎言为什么被制造，所有这些，都是写书的收获，也是快乐的源泉。

春秋是一部信史，这要特别鸣谢孔子和子夏以及鲁国、齐国和晋国等春秋的史官们，他们为我们留下了真实的历史记录，而唯有真实的记录才是最有价值的。

任何一段历史都是一幅拼图，春秋就是中国历史上最复杂的一块拼图，只有当你将它完整正确地拼完之后，你才会发现这是一幅多么壮观的画面。

关于春秋这段历史，已经在七部书里完整清晰地展现在读者们的面前，不足及错误之处必然存在，希望读者能够不客气地指出，以便再版的时候更正。

写完春秋，写战国将是必然的。

对于我来说，写春秋最大的收获是对历史发展有了重新的认识。其实历史就像一部列车，沿着必然的方向前进，偶发事件能够阻滞历史甚至让历史倒退，但是最终，历史都会回到固有的轨道上来。因此，历史都是有前因后果的，不懂得春秋，你就不会懂得战国；不懂得战国，你也就无法理解秦朝；不懂得秦朝，你就不会知道为什么汉朝独尊儒术是一种必然；不懂得汉朝，你就不会明白为什么唯有儒家思想能够统治中国。

所以，不要批判孔子，他难道没有发表自己见解的权利吗？孔子早已经被符号化，而真实的有血有肉的孔子是一个令人尊敬的人。

春秋是一个破坏的时期，旧有的社会规则破坏殆尽，各形各色的趁火打劫者如管子孙子等人成为时代的宠儿,而逃避现实者如老子以及螳臂当车者如孔子则失落凄凉。破坏之后是什么?是规则的重建,或者说是新的社会规则的建立,而这就是战国将要发生的故事。

这部书的完成得益于许多朋友和读者的支持和帮助,在此特别鸣谢陈思泉先生、广西师大出版社社科分社的汤文辉社长、席云舒先生、冷静先生等人。

战国见。